JN175999

株主提案と委任状勧誘

〔第3版〕

森・濱田松本法律事務所

太子堂厚子

松下　　憲

若林　功晃

金村　公樹

商事法務

■第３版はしがき■

わが国において株主提案を受ける会社数は年々増加し、2021年７月～2022年６月に開催された株主総会では96社と過去最高を記録した。安定株主層を形成していた政策保有株式は大きく減少する一方、アクティビスト株主の活動が活発化し、上場会社に対して経営改善提案等を行う例も増加している。同時に、スチュワードシップ・コードによる議決権行使結果の個別開示等の要請と相俟って、機関投資家の議決権行使判断が厳格化しており、会社提案への反対の議決権行使が増加するほか、株主提案の議案が想定以上の賛成票を獲得するケースも珍しくない。株主提案等に伴い委任状勧誘が行われる事例も増加し、その手法も実務上の工夫がなされ進化している。

このような状況下において、わが国の上場会社が、株主提案や委任状勧誘に直面する可能性は相対的に高まっている。

株主提案や委任状勧誘がなされる局面においては、関係法令や関連裁判例の深い理解に基づき、時機に応じた戦略的かつ迅速な判断を重ねる必要がある。本書は2008年の刊行以来、株主提案や委任状勧誘に直面する企業や実務家の皆様にご活用をいただき、幸いにして高い評価を得ることができた。第３版においては、新たに、令和元年会社法による改正（株主提案の提出議案数の制限、株主総会資料の電子提供制度の導入等）や2020年の外為法の改正（対内直接投資制度等の見直し）のほか、第２版刊行後の重要裁判例等を盛り込むとともに、全体の構成の見直しを行った。本書が、株主提案および委任状勧誘の実務に携わる皆様の座右の書となることを願ってやまない。

なお、本書の記載中、意見にわたる部分は、全て筆者らの個人的な見解であって、筆者らの属する法律事務所の見解ではない。

最後に、本書の編纂・刊行に多大なるご尽力をいただいた株式会社商事法務の櫨元ちづる氏をはじめ、ご協力いただいた方々に心より厚く御礼申し上げる。

2023年１月

著者を代表して
弁護士　太子堂厚子

■第２版はしがき■

平成20年の初版刊行後、7年弱が経過した。初版刊行当時、委任状勧誘は、いわゆるアクティヴィスト・ファンドによる役員選任や買収防衛策の廃止に係る議案等について実施される例や、会社・株主間の対立による組織再編に係る議案等について実施されていたが、昨今では、いわゆるストラテジック・バイヤーによるシナジー効果を狙った敵対的買収にも利用されるようになっている。株主提案権の行使に関しても、近時、多数の議案の提案、長文の提案理由、株主総会の決議事項として相応しいものか疑義ある内容などの提案の取扱いや、株主提案を無視した場合のエンフォースメントなど、実務上極めて興味深い裁判例が公表された。

また、その間に株主提案・委任状勧誘を巡る法規制も変化した。すなわち、平成21年1月5日以降、全ての上場株式は、社債、株式等の振替に関する法律に基づく振替制度の対象となり、いわゆる「株券電子化」が実施された。「株券電子化」以前は、届出印の制度があり、委任状に押捺された印影が届出印と一致しているかを確認し、一致している場合は株主本人により委任された真正な委任状として取り扱うのが実務上の取扱いであった。しかし、「株券電子化」に伴い届出印の制度が廃止されたため、代理人が持参した委任状が株主本人により委任された真正なものであることを確認するために、いかなる書類を株主本人の本人確認書類とするかが問題となる。また、議決権行使につき議決権の代理行使の勧誘を行おうとする者が、当該勧誘に際し、その相手方に対して交付することが必要な代理権の授与に関し参考となるべき事項として内閣府令で定めるものを記載した書類の記載事項についても、会社法・会社法施行規則の改正に伴い変更が生じている。そのほか、臨時報告書による議決権行使結果の開示制度の創設、株主名簿閲覧・謄写に係る拒絶事由の改正等も、株主提案・委任状勧誘を行うにあたって留意すべき法規制の変更である。

本書は、初版に引き続き、株主提案・委任状勧誘の理論面を整理した上で、筆者らが経験した実例に基づき、実務上生じる問題点につき、これまでの学説・判例等による議論の状況を盛り込みつつ、可能な限り広範かつ分かりやすく整理を試みた。なお、本書の記載中、意見にわたる部分は、すべて筆者らの個人的な見解であって、筆者らの属する法律事務所の見解ではない。

本書が、株主提案・委任状勧誘が実施された局面における関係者の参考の一助となれば幸いである。

最後に、本書の編纂・刊行に大変ご尽力をいただいた株式会社商事法務の岩佐智樹氏、木村太紀氏、初版の著者であり本書の刊行にあたっても細部にわたり有益な示唆をいただいた山中修弁護士（現　株式会社ファーマシィ取締役）をはじめ、ご協力いただいた方々に深く御礼申し上げる。

平成 26 年 11 月

著者を代表して
弁護士　三浦亮太

■はしがき■

東京鋼鐵株式会社が平成19年2月22日開催の株主総会に提案した大阪製鐵株式会社を株式交換完全親会社とする株式交換契約の承認の議案が、イチゴジャパンファンドエーによる委任状勧誘の結果、否決された。また、株式会社CFSコーポレーションが平成20年1月22日開催の株主総会に提案した株式会社アインファーマシーズとの株式移転計画の承認の議案が、イオン株式会社による委任状勧誘の結果、否決された。

近年、世間の耳目を集める株主提案や委任状勧誘が増加しており、株主の意思を株主総会に反映させ、株主総会への参加意欲を高めるという効能は、結果に如実に現れている。

しかしながら、実際に株主提案や委任状勧誘がなされる局面に遭遇すると、会社法・会社法施行規則による規律や、金融商品取引法・金融商品取引法施行令・上場株式の議決権の代理行使の勧誘に関する内閣府令による規律に関する深い理解が求められるほか、その交錯部分等において生ずる様々な問題点について、極めて多岐に渡る論点が存在することを、毎回、実感させられる。

株式会社モリテックスが平成19年6月27日開催の株主総会に提案した取締役選任議案および監査役選任議案が、委任状勧誘を行ったIDEC株式会社により提起された決議取消訴訟の認容により取り消された（本書校了時点において控訴審に係属中）事実を踏まえると、株主提案や委任状勧誘がなされた会社の株主総会の運営については、一層、緻密な対応が求められる状況にある。

本書は、株主提案・委任状勧誘の理論面を整理した上で、筆者らが経験した実例に基づき、実務上生じる問題点につき、これまでの学説・判例等による議論の状況を盛り込みつつ、可能な限り広範かつ分かりやすく整理を試みたものである。なお、本書の記載中、意見にわたる部分は、すべて筆者らの個人的な見解であって、筆者らの属する法律事務所の見解ではない。

本年以降も、引き続き、株主と会社との間に真摯な対話が求められることが推察される。本書が、かかる状況に置かれる会社の株主総会運営の一助となれば幸いである。

最後に、本書の出版にあたって実務的な観点からの有益なご示唆をいただいた東京証券代行株式会社企画本部部長主席コンサルタントの芳川雅史氏、本書の編纂・刊行に大変ご尽力いただいた株式会社商事法務書籍出版部主任の樋口久隆氏をはじめ、ご協力いただいた方々に深く御礼申し上げる。

平成 20 年 2 月

著者を代表して
弁護士　三浦亮太

■目　次■

第１章　株主提案・委任状勧誘の全体像

第２章　招集通知発送前の攻防

第3章　招集通知発送後の攻防

第４章 株主総会当日の運営

第5章　株主総会終了後の対応

■凡　例■

1　法　令

平成26年改正会社法	会社法の一部を改正する法律（平成26年法律第90号）
令和元年改正会社法	会社法の一部を改正する法律（令和元年法律第70号）
会施規	会社法施行規則
計算規則	会社計算規則
旧商法	会社法の施行に伴う関係法律の整備等に関する法律による改正前の商法
旧商法施行規則	会社法施行規則附則第10条の規定による改正前の商法施行規則
金商法	金融商品取引法
金施令	金融商品取引法施行令
勧誘府令	上場株式の議決権の代理行使の勧誘に関する内閣府令
振替法	社債、株式等の振替に関する法律
振替法施行令	社債、株式等の振替に関する法律施行令
外為法	外国為替及び外国貿易法
直投令	対内直接投資等に関する政令
直投命令	対内直接投資等に関する命令

2　判例集

民　集	最高裁判所民事判例集
判　時	判例時報
判　タ	判例タイムズ
金　判	金融・商事判例
商事法務	旬刊商事法務

3　文　献

一問一答（令和元年改正）	竹林俊憲編著『一問一答　令和元年改正会社法』（商事法務、2020）
稲葉・改正会社法	稲葉威雄『改正会社法』（金融財政事情研究会、1982）
今井・議決権代理	今井宏『議決権代理行使の勧誘――株主総会の委任状制度に関する法的規制の研究』（商事法務研究会、1971）
江頭・株式会社法	江頭憲治郎『株式会社法』（有斐閣、第8版、2021）

田中・会社法	田中亘『会社法』（東京大学出版会、第3版、2021）
大隅＝今井・会社法論（中）	大隅健一郎＝今井宏『会社法論中巻』（有斐閣、第3版、1992）
会社法コンメ(3)	山下友信編『会社法コンメンタール(3)株式(1)』（商事法務、2013）
会社法コンメ(7)	岩原紳作編『会社法コンメンタール(7)機関(1)』（商事法務、2013）
株主総会ガイドライン	東京弁護士会会社法部編『新・株主総会ガイドライン』（商事法務、第2版、2015）
Q&A株主総会(1)・(2)	株主総会実務研究会編『Q&A株主総会の法律実務(1)・(2)』（新日本法規、改訂版、2006）
金商法コンメ(4)	神田秀樹ほか編著『金融商品取引法コンメンタール(4)不公正取引規制・課徴金・罰則』（商事法務、2011）
実務相談(2)	稲葉威雄ほか編『実務相談株式会社法(2)』（商事法務研究会、新訂版、1992）
全株懇モデルⅠ	全国株懇連合会編『全株懇モデルⅠ――定款・株式取扱規程モデルの解説、自己株式の理論と実践』（商事法務、2016）
田中編・講座(3)	田中耕太郎編『株式会社法講座第3巻』（有斐閣、1956）
注釈会社法(5)	上柳克郎ほか編『新版注釈会社法(5)株式会社の機関(1)』（有斐閣、1986）
注釈会社法(6)	上柳克郎ほか編『新版注釈会社法(6)株式会社の機関(2)』（有斐閣、1987）
松山・株主提案	松山遙『敵対的株主提案とプロキシーファイト』（商事法務、第3版、2021）
元木・改正商法	元木伸『改正商法逐条解説』（商事法務研究会、改訂増補版、1983）
論点解説	相澤哲ほか編著『論点解説新・会社法』（商事法務、2006）

第1章

株主提案・委任状勧誘の全体像

第1
はじめに

1　株主提案とは

株主提案権とは、①一定の事項を株主総会・種類株主総会の目的（議題）とすること（会社法303条、325条）、②株主総会・種類株主総会において、株主総会の目的である事項につき、議案を提出すること（会社法304条、325条）、③株主総会・種類株主総会の目的である事項につき株主が提出しようとする議案の要領を招集通知に記載・記録すること（電子提供制度適用会社においては、議案の要領について電子提供措置をとること）を請求すること（会社法305条、325条、325条の4第4項）ができる株主の権利をいう。

①は、議題提案権（例えば、株主が「取締役選任の件」を株主総会の議題とすることを請求すること）、②は、議案提案権（例えば、株主総会の会場において、「取締役○名選任の件」という議題について「○○を取締役として選任する」との具体的な提案を提出すること）、③は、自己の議案の通知請求権（例えば、株主が「○○を取締役として選任する」との自己が提出しようとする議案の要領を株主に通知することを請求すること）を指す。

株主提案権のうち、①議題提案権と③自己の議案の通知請求権については、昭和56年の商法改正により認められた。その趣旨および目的は、株主総会に個々の株主の意思がよりよく反映されるようにして、株主の株主総会への参加意欲を高めることにある（稲葉・改正会社法127頁）。①議題提案権については、株主総会に自己の提案する議題を審議させる方法として、少数株主による株主総会招集の制度（会社法297条）があるものの、当該手続は特に大規模な会社であれば負担の重い制度であるため、取締役が招集する株主総会への議題の提案を認めることで、株主の意思を株主総会により容易に反映させることにその意義がある。③自己の議案の通知請求権については、株主が株主総会の日の前に会社の費用負担のもとで、自己の提案する議案の要領を他の株主に知悉させることに意義がある。また、①議題提案権および③自己の議案の通知請求権については、②議案提案権の認められる範囲が事前に定められた株主総会の目的

表1：株主提案権の種類

権利の種類		権利の内容	単独・少数株主権	行使時期
①	議題提案権（会社法303条、325条）	一定の事項を株主総会・種類株主総会の目的（議題）とすることを請求する権利	少数株主権：議決権数・保有期間要件あり（取締役会非設置会社については単独株主権：1株（1単元）の株式保有で行使可能）	株主総会の日の8週間前まで（取締役会非設置会社については請求時期の制限無し）
②	議案提案権（会社法304条、325条）	株主総会・種類株主総会において、株主総会の目的である事項につき、議案を提出する権利（主に、修正動議として機能）	単独株主権：1株（1単元）の株式保有で行使可能	株主総会(会場)において
③	自己の議案の通知請求権（会社法305条、325条、325条の4第4項）	株主総会の目的事項（議題）につき株主が提出しようとする議案の要領を株主に通知することを請求する権利	少数株主権：議決権数・保有期間要件あり（取締役会非設置会社については単独株主権：1株（1単元）の株式保有で行使可能）	株主総会の日の8週間前まで

である事項に限定され、かつ、株主が一般に予測し得る範囲においてのみ提出できると解されているのに対して、会社提案の議題に限定されず、かつ、議案の内容についても②議案提案権のような限定はされず、株主側がイニシアティブを握ることができるという意義もある。

株主提案権のうち、②議案提案権については、株主総会の会場において、いわゆる修正動議（例えば、会社提案の「○○を取締役として選任する」という議案について、修正提案として「△△を取締役として選任する」との議案を提出すること）として機能するが、かかる修正動議は、旧商法下においても会議体の一般原則として解釈上認められていたところ、会社法ではこれが明文化された（会社法304条)。

2　委任状勧誘とは

株主は、自ら株主総会に出席しなくとも、代理人によって議決権を行使することが認められている(会社法310条)。このような議決権の行使を、「議決権の代理行使」と呼ぶ。

そして、「委任状勧誘」とは、会社またはそれ以外の者(株主を含む。)が、株主に対し、株主総会における議決権を自己または第三者に代理行使させることを勧誘することをいう。このような勧誘は、通常、勧誘者が、被勧誘者である株主に対し、委任状用紙(勧誘者または第三者に代理行使を委任する旨の記載をした用紙)を交付し、それに必要事項を記載して、勧誘者に交付するよう求める方法によって行われる。議決権の代理行使の勧誘が「委任状勧誘」と呼ばれるのは、このためである。

委任状勧誘は、以下のような場合に行うことが考えられる。

①　書面投票制度を採用していない会社において、定足数を確保する目的で行われる場合

株主が分散している会社において、株主総会の定足数を確保するために、会社が、株主総会の招集通知と共に委任状用紙を株主に送付して、株主総会に自らは出席しない株主に会社への返送を依頼し、会社が指定する者を受任者として株主総会における議決権の代理行使をさせることがある。

昭和56年商法改正前は、株主総会の定足数を確保するために、前記の委任状勧誘を行うのが通常であったが、昭和56年商法改正により、議決権を有する株主が1,000人以上の大会社について、書面投票制度(本書130頁参照)の採用が義務付けられてからは、上場会社においては、書面投票制度によって定足数確保を図るのが一般的になっている(2020年7月から2021年6月までの間に開催された上場会社の定時株主総会において、書面投票制度の利用率は回答会社の98.8%に上っている(商事法務研究会編「株主総会白書2021年版」商事法務2280号87頁(2021))。)。もっとも、書面投票制度導入後も、書面投票制度が義務付けられる上場会社が、委任状勧誘規制(本書では、委任状勧誘に関する金商法・金施令・勧誘府令における規制を総称して「委任状勧誘規制」と呼ぶ。本書150頁

参照）に従って、議決権を行使できる株主の全部に対して委任状勧誘を行う場合には、書面投票制度の適用はなく（会社法298条2項但書、325条、会施規64条、95条2号）、任意に委任状勧誘を選択することが可能である。

② 会社（経営陣）と株主の間で株主総会の議案等について対立が生じているときに、会社（経営陣）または株主が、自己の提案に賛同する委任状を株主から集めようとする場合

株主提案を行った株主が、自己の提案に賛同するよう他の株主に直接働きかけるために、委任状勧誘を行うことがある。

株主提案と委任状勧誘とは、本来的には別個の制度であり、株主が株主提案を行った場合に、必ず委任状勧誘を行わなければならないわけではない。しかし、株主提案の内容について、会社を通じて株主にその内容を通知するのみでは提供できる情報量に限界があり、また、議決権行使に関心の薄い一般株主の賛成を取り付けるためには、提案株主が自ら積極的に他の株主に働きかける必要性が高い。したがって、株主提案が行われる場合、提案株主による委任状勧誘も合わせて行われることが少なくない。

また、株主が株主提案を行っていない場合であっても、会社提案議案の否決を企図して、委任状勧誘がなされることがある。

他方、会社（経営陣）においても、種々の理由から、会社提案の可決または株主提案の否決に向けて、書面投票に代えて、または書面投票に加えて、全部または一部の株主に対して委任状勧誘を実施することがある（本書134頁参照）。

なお、会社（経営陣）と株主の双方が、会社提案または株主提案の可決または否決を企図した委任状勧誘を行い、互いに委任状の獲得を競い合うことがあり、「委任状争奪戦（プロキシー・ファイト）」と呼ばれる。

金融商品取引所に上場されている株式の発行会社の株式につき、委任状勧誘を行う場合は、金商法、金施令およびその委任を受けた勧誘府令に定められる「委任状勧誘規制」に従って委任状勧誘を行わなければならないこととされている（金商法194条）。

このように上場会社に係る委任状勧誘に対する法的規制が置かれているのは、委任状勧誘は、これが適切に運用されないと、取締役の利益のために悪用されたり、株主に誤解を生じさせたりする危険があり、また、株主から多数の議決権の代理行使を委任された者が、株主総会において自己の思うままに決議を行

い、もって株価に影響をなさしめようとする可能性もあることから、かかる危険を防止し、株主が議決権行使の判断に必要な情報に基づいて、合理的な議決権行使をなし得るようにする必要があるからである（河本一郎＝関要監修『逐条解説証券取引法』1468 頁（商事法務、三訂版、2008）、田中誠二＝堀口亘『コンメンタール証券取引法』1139 頁（勁草書房、再全訂版、1996）、神田秀樹監修『注解証券取引法』1343 頁（有斐閣、1997））。そして、当該規制の目的が、株価への不当な影響等からの投資家保護の趣旨をも有することから、旧商法・会社法ではなく、証券取引法（現：金商法）において規定されていると説明されている（一松旬「委任状勧誘制度の整備の概要」商事法務 1662 号 58 頁（2003））。

3　株主提案・委任状勧誘の状況

わが国における株主提案については、株主提案を受けた会社数は年々増加しており、2021 年（2020 年 7 月～2021 年 6 月）に開催された株主総会においては 65 社、2022 年（2021 年 7 月～2022 年 6 月）に開催された株主総会においては 96 社となっている（会社数の推移については図 1 参照。なお、会社数は 2012 年から 2021 年の株主総会に係る各株主総会白書（旬刊商事法務）および牧野達也「株主提案の分析⑴——2021 年 7 月総会～2022 年 6 月総会」資料版商事法務 461 号 45 頁

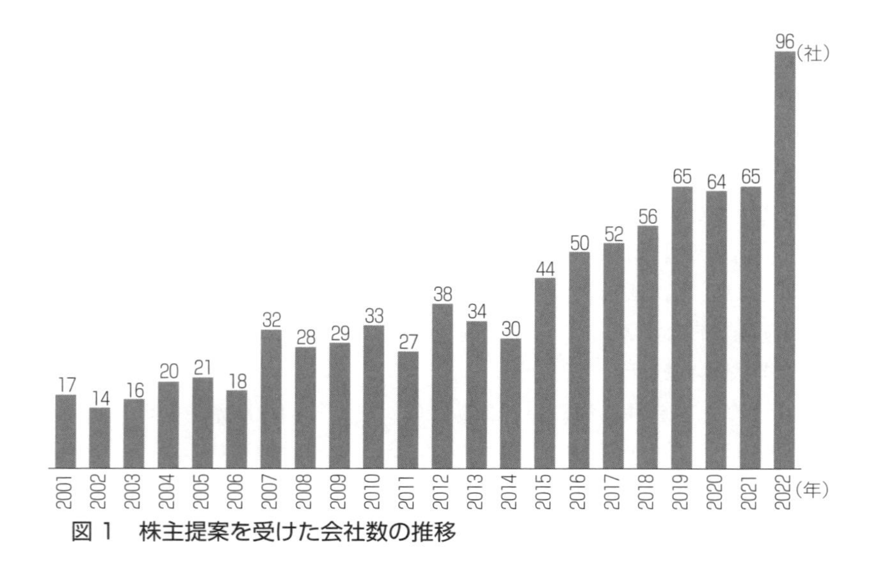

図 1　株主提案を受けた会社数の推移

(2022) の記載に基づく)。

毎年、株主提案がなされた会社のうち、数社程度において株主提案が可決されており、過去10年間において株主提案が可決された会社は各年1社から7社の間で推移している（会社数は2012年から2021年の株主総会に係る各株主総会白書（旬刊商事法務）および牧野・前掲46頁の記載に基づく）。また、株主提案の平均賛成率については、提案株主の株式保有割合の影響を受けるため、単純に比較することはできないが、東京証券取引所市場第一部上場企業の2021年6月に開催された株主総会における株主提案の平均賛成率は13.6%であり、若干ではあるが上昇傾向にあるようである（水嶋創「本年六月総会における株主提案の内容とこれに対する株主の賛否判断――東証一部上場企業を対象に」商事法務2278号35頁 (2021))。

株主提案を行った株主の属性については、2022年6月総会に株主提案を受けた76社のうち、いわゆるアクティビスト株主を含む投資ファンドと推察される株主から株主提案を受けた会社が38社と半数を占めている。また、筆頭株主を含む上位10株主の大株主からの株主提案の数が多くなっている（以上につき、牧野達也「株主提案権の分析 (2) ――2021年7月総会～2022年6月総会」資料版商事法務462号64～65頁 (2022))。

株主提案の内容としては、剰余金の処分（配当等)、取締役の選解任および定款変更に関するものが多くなっている。剰余金の処分に係る株主提案は、利益や余剰資金等を会社に留保しようとする経営陣に対して、株主がより大きな株主還元を求める場合の典型的な手法である。また、取締役の選解任に係る株主提案については、経営陣と株主との間で会社経営に関して対立が生じた場合において、株主がとり得る究極的な手段である。定款変更に係る株主提案は、会社法または定款に基づく株主総会決議事項ではない事項については、定款変更議案として提案することにより、株主提案を行うことが可能になるため（本書72頁参照)、定款変更の具体的な内容としては、様々なものが含まれている。最近は、世界的な潮流を受けて、わが国においても、環境NGOやヘッジファンド等から上場会社に対してESGやサステナビリティに関連する要求を行う、いわゆるESGアクティビズムが展開されることがあり、年次報告書においてパリ協定や気候関連財務情報開示タスクフォース (TCFD) を踏まえた開示をすることについて、定款変更議案として株主提案がなされた事例が散見されている。

昨今は、いわゆるアクティビスト株主の活動が活発化しているところ（アクティビスト株主の活動の動向について、松下憲「アクティビスト株主対応の最新のスタンダード〔上〕――変化する株主アクティビズムの動向を踏まえて」商事法務2274号15頁（2021）以下参照）、アクティビスト株主は、自らの目的（要求）を達成するために株主提案権を積極的に活用し、株主提案の可決に向けて委任状勧誘を実施することも少なくない。また、アクティビスト株主は、株主提案を行わない場合にも、会社提案に対して反対の活動（キャンペーン）を実施し、委任状勧誘を実施することもある。アクティビスト株主の活動により、会社提案または株主提案について、賛否が拮抗するような場合には、会社（経営陣）側においても、委任状勧誘を実施することがある。このようなアクティビスト株主の活発な活動の結果、昨今は、株主提案および委任状勧誘の件数が増加してきているといえる。

第2
株主の議決権行使を取り巻く環境

株主提案および委任状勧誘に関する検討を行うに当たっては、その前提として、上場会社の株主において議決権行使に係る判断を行い、上場会社に対して議決権を行使するまでの流れや仕組みを理解しておく必要がある。

1　議決権行使の仕組み

株主が株主総会で議決権を行使する方法としては、①自ら株主総会に出席して行使する方法、②書面（議決権行使書面）により行使する方法、③電磁的方法（インターネット等）により行使する方法、④代理人が株主総会に出席して代理行使する方法がある。②③の方法については、会社の取締役（会社法297条4項に基づき株主が株主総会を招集する場合は、株主）が株主総会の招集に際し、②書面および／または③電磁的方法により議決権を行使することができる旨を定めた場合に認められる（会社法298条1項3号、4号）。①④の方法は、株主（または代理人）が株主総会に出席することを前提としたものであるのに対し、②③の方法は、株主総会に出席しない株主に議決権行使を認めるための制度である。

次に、株主の議決権行使までの流れについて説明する。株主といっても、個人株主、事業会社、国内の機関投資家、国外の機関投資家など様々な種類の株主が存在し、その属性によって議決権行使までの流れも異なってくる。そのため、株主提案・委任状勧誘に係る個別の論点に入る前に、株主に対して株主総会の情報が提供され、株主において議決権行使に係る意思決定を行い、会社に対して議決権が行使されるまでの流れを把握しておくことが重要となる。

まず個人株主や事業会社の株主は、自ら株式を保有し、その情報が株主名簿にも記載されるため、会社から直接招集通知が送付され、①から④までのいずれかの方法により自ら議決権行使を行うことになる。

機関投資家については、株式の保有形態が異なるため、議決権行使までの流れも異なる。

国内の機関投資家については、その運用する資産を機関投資家の運用資産の管理業務を専門に行う管理信託銀行において保有しているため、株主名簿上も実質的な株主である機関投資家の情報ではなく、管理信託銀行の情報が記載されることが多い。そのため、従前は、原則として、図２のとおり、招集通知等は、会社から管理信託銀行を経由して機関投資家に送付され、議決権行使についても、機関投資家は、管理信託銀行に対して議決権行使の指図を行い、管理信託銀行が会社（株主名簿管理人）に対して、株主名簿管理人が提供する電子行使システムを通じて、議決権行使を行うことが一般的であった。株主総会参考書類等の添付書類を含む招集通知の発送が株主総会の２週間前である場合、機関投資家の実際の議案の検討期間は３営業日程度になると言われていた（坂東照雄「議決権電子行使プラットフォームの現状と課題」商事法務1911号46頁(2010)、新時代の株主総会プロセスの在り方研究会「報告書」(2020年７月22日)25頁以下参照)。

また、国外の機関投資家については、原則として、図２のとおり、運用資産を管理するグローバルカストディアンが株主名簿上の株主となり、日本国内に常任代理人を選定するというのが一般的である。招集通知等は、会社から常任代理人に対して送付され、その一部のみが翻訳されてグローバルカストディアンを経由して国外の機関投資家に提供され、議決権行使についても、グローバルカストディアンおよび常任代理人の双方を経由し、株主名簿管理人が提供する電子行使システムを通じて行われるのが一般的であった。そのため、国外の機関投資家の議案の検討期間は、国内の機関投資家よりもさらに短いものとなっていたとされる（坂東・前掲46頁)。

このように、国内外の機関投資家に与えられる議案の検討期間が、非常に限定された期間になっていることが問題として認識されていた。この点、後記２⑵の通り、招集通知の早期発送・早期開示、英文開示等の議決権行使環境の整備が進んだことに加え、後記⑶の通り、株主総会資料の電子提供制度の下では、株主総会参考書類等の内容は株主総会の３週間前までにウェブサイトに掲載されることになるなど、機関投資家が株主総会議案に関する情報をより早期に取得することができるようになったことにより、議案の検討期間をより長く確保することができるようになってきている。

また、株式会社東京証券取引所と米国のBroadridge Financial Solutions, Inc.の合弁会社である株式会社ICJが2005年12月期から提供する議決権電子行使プラットフォームを利用した場合には、会社はプラットフォームのサイトに招集通知等の情報を掲載することで、機関投資家が直接これらの情報にアクセスすることができるだけでなく、議決権行使も機関投資家がプラットフォームのシステム上で自ら行い、行使結果はプラットフォームから会社（株主名簿管理人）に電送される（図2参照）。これにより、機関投資家は、招集通知の発送日から議案の情報を取得することができ、議決権行使の指図も会社が定める締切日まで行うことができるため、より長期の検討期間を確保することが可能となる。株式会社ICJがそのウェブサイト上で公表している情報によれば、2023年2月1日時点において、プラットフォームに参加している発行会社は1,768社となり、機関投資家保有比率が高いと考えられる時価総額の大きい上場会社を中心に参加が進んでいる。また、プラットフォームに参加する会社においては、外国人株主の議決権数のうち8割以上がプラットフォームに参加する機関投資家によるものであるとされる（新時代の株主総会プロセスの在り方研究会・前掲23頁）。なお、プラットフォームを経由した議決権行使は、前記③の電磁的方法による議決権行使である（以上につき、今給黎成夫「議決権電子行使プラットフォームの10年と今後の展望について」商事法務2117号20頁（2016））。

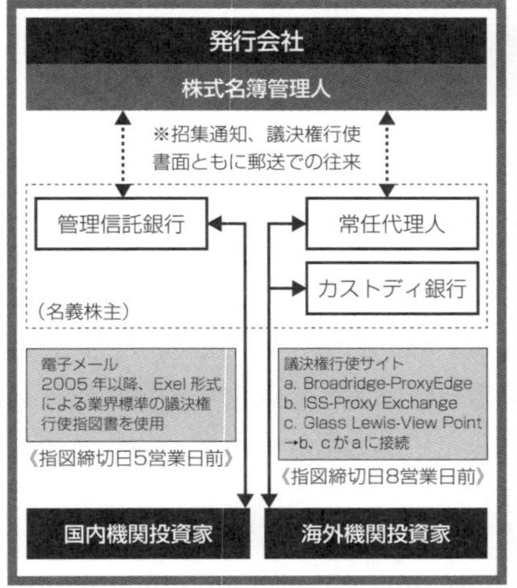

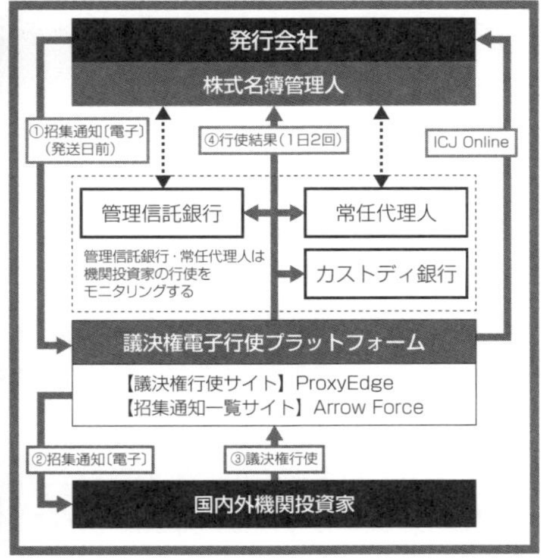

図2　プラットフォーム導入前後の議決権行使プロセス

出所：株式会社ICJHP　議決権電子行使プラットフォームとは？より（https://www.icj.co.jp/service/platform/）

プラットフォームは、法律または金融商品取引所規則に基づく制度ではなく、発行会社、株主名簿管理人、機関投資家等の関係者と株式会社ICJが個々に契約を締結することにより提供を受けられる制度であり、発行会社等においては参加料・利用料の支払いが必要になる。この点、金融商品取引所の有価証券上場規程において、プラットフォームへの発行会社の参加は努力義務となっており（東京証券取引所有価証券上場規程446条、有価証券上場規程施行規則437条5号）、コーポレートガバナンス・コードにおいては、議決権行使に係る環境整備のための施策としてプラットフォームの利用が例示され、特にプライム市場の上場会社においては、プラットフォームを利用可能とすべき旨が明記されている（補充原則1－2④）。

プラットフォームに参加するメリットについては、前記のとおり、機関投資家に議決権行使の検討のための期間を長く確保することができることに加え、発行会社においては、プラットフォームを通じた機関投資家による議決権行使の結果が、招集通知の発送直後から株主総会前日まで1日2回、発行会社に提供されるため、議決権行使状況をタイムリーに把握することができる。場合によっては、議決権行使結果を踏まえて、発行会社から機関投資家に対して補足情報等の提供や直接のアクセスを行うことも可能になる。さらに、機関投資家は、株主総会直前まで議決権の再行使を容易に行うことができるため、発行会社としては、株主総会直前まで機関投資家の翻意を促すこともできることになる（以上につき、今給黎・前掲22頁）。

また、機関投資家は、国内外の投資家から集めた資金を利用して投資（株式の取得）を行っているため、一般にかかる投資家に対して受託者責任を負っている。もっとも、分散投資を行う投資家においては、多くの投資先の状況・議案を詳細に分析することは多大な時間と費用を伴うことから、実務上、第三者専門家の意見を参考にすることが経済的に効率的であると考えられる。そのため、特に国外の機関投資家において、議決権行使に関する助言を専門に行う会社（Institutional Shareholder Services Inc.、Glass Lewis & Co., LLC 等）の議決権行使に関する助言を参考にしている場合が多い。

委任状勧誘を行うに際しては、各株主における議決権行使に関する意思決定の方法やスケジュールを考慮する必要があるほか、議決権行使助言会社の影響も十分に検討を行った上で計画を立てる必要がある。

2　株主総会を取り巻く環境の変化

(1)　株主総会を巡る外部環境の変化

2012年12月に発足した第二次安倍内閣の経済政策（アベノミクス）の一つであるコーポレートガバナンス改革の一環として2014年に策定された日本版スチュワードシップ・コードおよび2015年に策定されたコーポレートガバナンス・コードにおいては、上場会社と機関投資家（株主）の双方の側から会社と株主の間で建設的な対話を行うことが推進された。

日本版スチュワードシップ・コードは、機関投資家に対し、議決権行使方針を公表するとともに（指針５－２）、個別の投資先企業の議案ごとに議決権行使結果および賛否の理由を公表することを推奨しており（指針５－３）、これによって資産の運用機関としての機関投資家の活動の可視性が高まったため、アセットオーナーに対するアカウンタビリティの観点から、機関投資家の議決権行使判断が厳格化している。

また、日本の株式市場における株主の分布状況の変化も株主総会実務に変化を生じさせている。すなわち、昨今、日本の株式市場においては、一般的に会社に友好的な議決権行使をする傾向のある個人株主の割合が減少する一方で、外国法人等、信託銀行等の機関投資家の割合が増加している（株式会社東京証券取引所ほか「2021年度株式分布状況調査の調査結果について」（2022年７月７日）参照）。

昨今は、株式市場において、インデックスファンド等のパッシブ運用の割合が増加している。パッシブ運用を行う投資家は、分散投資をするため、個別の投資先に関する議決権行使については、効率性の観点から、Institutional Shareholder Services Inc.、Glass Lewis & Co., LLC等の議決権行使助言会社の助言を参考にして行うことが多い。議決権行使助言会社は、議決権行使の助言に際して厳格な判断をする傾向にあり、会社提案への反対推奨やアクティビスト株主等の株主提案者側への賛成推奨を行うことも多い。

元来、日本市場は、株式持合いの影響により、株主が上場会社の経営に対して影響力を持ちにくい状況にあった。しかし、2018年に改訂されたコーポレートガバナンス・コードは、上場会社に対し、政策保有株式の縮減に関する方針や保有する個別の政策保有株式について保有に伴う便益等が資本コストに見合っているかの検証内容を公表することを求め（原則１－４）、また、2019年の企業内容等の開示に関する内閣府令の改正により、有価証券報告書における政策保有株式に関する開示が強化されるなど、政府の政策保有株式の縮減に向けた方針を受けて、日本企業が保有する政策保有株式は徐々に減少してきている（株式会社東京証券取引所「東証上場会社コーポレート・ガバナンス白書2021」（2021年３月）25～29頁参照）。

これらの事情は、安定株主を含む会社に友好的な判断をする株主が減少し、経済的観点から会社により厳しい判断をする株主が増加していることを意味する。加えて、昨今は、そのような状況を受けて、アクティビスト株主の活動が活発化しており、アクティビスト株主から株主の視点で問題となる事項を有する上場会社に対して、問題提起がなされるケースも多い。したがって、株主構成など会社ごとの事情はあるものの、一般的には、上場会社においては、株主提案・委任状勧誘の対象となり、あるいは会社提案について委任状勧誘が必要となる場合が増加しており、かつ、会社提案が否決され、または株主提案が可決されるリスクも高まっていると考えられる。

⑵　株主総会の活性化――議決権行使環境の整備

コーポレートガバナンス・コードにおいては、原則１－２として、上場会社は、株主総会における権利行使に係る適切な環境整備を行うことが求められ、図３のとおり、補充原則において、その詳細が定められている。これにより、株主が議決権行使をするための適切な情報が早期に株主に提供されるとともに、株主総会へのアクセスが容易になることによって、株主総会の活性化につながる。

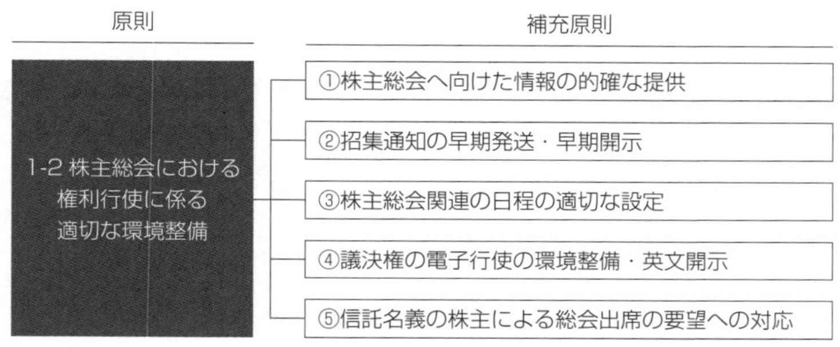

図３　コーポレートガバナンス・コードにおける議決権行使環境の整備に係る原則

出典：スチュワードシップ・コード及びコーポレートガバナンス・コードのフォローアップ会議第22回会議資料　金融庁「株主総会に関する課題」（2020年12月8日）1頁より抜粋

招集通知の早期発送・早期開示（補充原則１－２②）については、2022年3月期決算会社の定時株主総会においては、株主総会開催日の３週間以上前に招集通知を発送した会社は25.2％に留まるものの、招集通知をTDnetにおいて株主総会開催日の３週間以上前に公表した会社は76.8％に上る見込みとなっている（株式会社東京証券取引所「2022年３月期決算会社の定時株主総会の動向について」（2022年４月25日）。以下、本項の数値については、別段の記載がない限り同資料による。）。

株主総会関連の日程の適切な設定（補充原則１－２③）については、2022年3月期決算会社の定時株主総会においては、最集中日の集中率は26.0％となっており（日本取引所グループ「定時株主総会　集中率の推移（1983年以降）」参照）、低下傾向にある。

議決権の電子行使の環境整備・英文開示（補充原則１－２④）については、前記１のとおり、機関投資家向けの議決権電子行使プラットフォームを利用する上場会社は増加しており、2022年３月期決算会社の定時株主総会においては、東京証券取引所プライム市場上場会社においては92.5％、上場会社全体においては55.9％が議決権電子行使プラットフォームを利用することが見込まれている。個人投資家向けの電子投票についても、東京証券取引所プライム市場においては96.5％、全体でも76.5％の上場会社が利用する見込みとなっており、利用が進んでいる。

また、招集通知の英文開示については、2022年７月時点において、東京証券取引所プライム市場上場会社の92.1％が、招集通知本文および株主総会参考書類の英文開示を行っており、東京証券取引所の上場会社全体では、56.0％の会社が招集通知本文および株主総会参考書類の英文開示を行っている（東京証券取引所上場部「英文開示実施状況調査集計レポート（2022年７月）」（2022年８月３日）８頁）。

以上のとおり、わが国における株主の議決権行使環境は変化してきており、株主の意思がより適切に株主総会決議に反映される制度が整いつつある。上場会社の担当者や実務家が株主提案・委任状勧誘の検討を行うに当たっては、その前提として、このような制度的変化を適切に理解しておくことが重要である。

⑶　株主総会のDX化――電子提供制度・バーチャル株主総会

令和元年の会社法改正により、株主総会資料の電子提供制度が創設され、2021年９月１日から施行された（なお、同日時点で振替株式発行会社であった会社については、施行日から６か月以内の日に開催される株主総会の招集手続はなお従前の例による（電子提供措置をとることを要しない）との経過措置がある（整備法10条３項）。）。同制度は、株主総会の招集通知およびその添付書類について、印刷物の交付を原則とする従前の建付けを逆転し、株主の個別の同意を得ることなくウェブサイトへの掲載によりこれらを提供することができるとするものであって、株主総会のDX化を大きく進展させるものである。

同制度下においては、電子提供措置をとる旨の定款規定を有する株式会社（以下「電子提供制度適用会社」という。なお、振替株式発行会社は、電子提供措置をとる旨の定款規定を置くことが義務付けられている（振替法159条の２第１項）。）は、株主総会の日の３週間前の日または招集通知の発送日のいずれか早い日から株主総会参考書類や事業報告その他の株主総会資料についてウェブサイトへの掲載（電子提供措置）をしなければならない。また、同改正に係る法制審議会の附帯決議において、「金融商品取引所の規則において、上場会社は、（中略）電子提供措置を株主総会の日の３週間前よりも早期に開始するよう努める旨の規律を設ける必要がある。」とされており、これに基づき、法定期限よりもさらに早期の開示に向けた努力を求める金融商品取引所規則が制定されている（2021年３月１日の有価証券上場規程施行規則の改正により、上場会社は、株主総会資料を株主総会の日の3週間前よりも早期に、電磁的方法により提供するよう努めるものとされている（有価証券上場規程施行規則437条3号）。）。

前記(2)のとおり、議決権の電子行使の環境整備等が進んでいることと合わせ、これらのDX化の動きは、印刷・郵送等の手間・費用の節減だけでなく、会社と株主との間の対話の促進に資するものと期待されている。

また、資料の提供や議決権行使に関する電子化だけでなく、議事進行のDX化についても取組みが進展している。物理的な会場を用意しつつ、オンラインでの出席・参加を認めるいわゆるハイブリッド型バーチャル株主総会を開催する会社の数は着実に増加しているほか、産業競争力強化法の改正（2021年6月16日施行）により、一定の要件を満たし、経済産業大臣および法務大臣の確認を受けた上場会社は、物理的な会場を一切設けず、オンラインのみで議事を完結させるいわゆるバーチャルオンリー株主総会を開催することができることとされた（産業競争力強化法66条）。

電子提供制度やバーチャル株主総会といったDX化の動きは、株主の権利行使の在り方や総会運営についても影響を及ぼし得ることから、今後の事例の集積を注視する必要がある。

(4)　議決権行使助言会社の役割・規制

機関投資家は、多数の上場会社に対して投資を行っていることが通常であり、株主総会シーズンにその多数の投資先である会社の株主総会の議案を分析し、議決権行使の判断をしなければならないところ、そのような分析・判断に係る事務負担は大きく、相当な労力とコストがかかる。また、機関投資家は、自らの顧客である投資家に対して受託者責任を負っているところ、議決権行使に際して受託者責任を果たす必要がある。このような背景から、機関投資家においては、専門的に議決権行使に関する助言を行う議決権行使助言会社の助言に依拠し、または助言を参考にすることが合理的であるとして、議決権行使助言会社の利用が拡大していった。

日本を含め世界的に機関投資家、とりわけパッシブ運用の機関投資家による株式保有が拡大していることに伴い、議決権行使助言会社の上場会社に対する影響力が拡大してきたといわれている。

もっとも、議決権行使助言会社については、機関投資家に対して議決権行使の助言サービスを提供する一方で、発行会社に対してもコンサルティングサービス等を提供するなど、利益相反の問題があり得ること、不正確または不完全な情報に基づいて助言が提供されていたり、発行会社の個別事情を考慮せずに一律の基準に基づいて助言が提供されていたりするなど、助言の正確性に問題があり得ること等の問題点が指摘されている（Concept Release on the U.S. Proxy System; Proposed Rule, Exchange Act Release No. 62495, 75 Fed. Reg. 42,982（July 22, 2010））。

そのような中、EUにおいては、2017年５月に改正EU株主権利指令（Shareholder Rights Directive II）が成立し、米国においては、2019年８月に証券取引委員会（SEC）が２つのガイダンス（SEC, Commission Guidance Regarding Proxy Voting Responsibilities of Investment Advisers, Release Nos. IA-5325; IC-33605（Aug. 21, 2019）; SEC, Commission Interpretation and Guidance Regarding the Applicability of the Proxy Rules to Proxy Voting Advice, Release No. 34-86721（Aug. 21, 2019））を公表し、2020年７月にSEC規則を改正する（SEC Release No. 34-89372。ただし、2022年７月に当該改正の一部を取り消す改正が行われている（SEC Release No. 34-95266）。）など、世界的に議決権行使助言会社への規制が強化されている。

日本においても、法令による規制ではないが、2020年３月の日本版スチュワードシップ・コードの改訂により、議決権行使助言会社を含む機関投資家向けサービス提供者について、①利益相反が生じ得る局面を具体的に特定し、これをどのように実効的に管理するのかについての明確な方針を策定して、利益相反管理体制を整備するとともに、これらの取組みを公表すべきこと（指針８－１）、②個々の企業に関する正確な情報に基づく助言を行うため、十分かつ適切な人的・組織的体制を整備すべきであり、透明性を図るため、それを含む助言策定プロセスを具体的に公表すべきこと（指針８－２）、③企業の開示情報に基づくほか、必要に応じ、自ら企業と積極的に意見交換しつつ、助言を行うべきであり、助言の対象となる企業から求められた場合に、当該企業に対して、前提となる情報に齟齬がないか等を確認する機会を与え、当該企業から出された意見も合わせて顧客に提供することも、助言の前提となる情報の正確性や透明性の確保に資すると考えられること（指針８－３）が規定された。

第3
株主とのエンゲージメント

1　エンゲージメントの重要性

株主提案や委任状争奪戦への対策は、実際に株主提案がなされたり、会社提案議案が確定したりする以前から始まっている。委任状争奪戦に勝利するためには、多くの株主から賛同を得る必要があるところ、委任状勧誘が開始されてから株主に会社の意見を説明することは当然に重要であるが、いわゆる有事になる前の平時の時点から、株主（特に機関投資家株主）とエンゲージメント（目的を持った対話）を行っておくことが重要になる。

こうした平時からのエンゲージメントの重要性については、コーポレートガバナンス・コードおよび日本版スチュワードシップ・コードの制定以降、わが国の上場会社においても共通理解になってきていると思われるが、株主提案・委任状争奪戦との関係でも、平時のエンゲージメントにより、株主に経営陣の考えについて理解を得ておくことや、株主（機関投資家）の議決権行使担当者等との人間的な信頼関係を構築しておくことにより、有事になった際に、会社側への賛同を得やすくなる。

2　エンゲージメントに関連する法規制

このような平時における株主とのエンゲージメントや、有事になってからの一般株主または委任状争奪戦の相手方となる株主との間のエンゲージメントを行うに際しては、インサイダー取引規制、フェア・ディスクロージャー・ルールおよび株主平等原則・取締役の善管注意義務が問題となり得る。

(1)　インサイダー取引規制

会社としては、株主とのエンゲージメントに際して、いわゆるインサイダー情報（金商法166条2項）を株主に対して提供しないように留意する必要がある。仮に、エンゲージメントの過程で会社が株主（特に委任状争奪戦の相手方となるアクティビスト株主など）に対してインサイダー情報を提供した場合には、当該株主から直ちに公表することを要求されることが多い。

なお、会社がその大株主との間で公表前の株主総会の議案を開示してエンゲージメントを行う場合がある。公表前の株主総会の議案については、議案の対象となる事象がインサイダー情報に該当するものである場合を除き、議案の内容が未公表であるということだけでインサイダー情報には該当しないと考えられる。

また、仮に上場会社が株主にインサイダー情報を提供する場合、上場会社においては、情報伝達・取引推奨行為規制（金商法167条の2）との関係が問題になるが、同規制は、他人に利得を得させ、または損失の発生を回避することを目的としてインサイダー情報を伝達することが要件とされているため、株主とのエンゲージメントの文脈では問題にならないことが多いと思われる。

⑵　フェア・ディスクロージャー・ルール

上場会社またはその役員等が取引関係者に対して未公表の重要情報を伝達する場合、上場会社は、原則として当該伝達と同時に当該重要情報を公表しなければならない（金商法27条の36。フェア・ディスクロージャー・ルール）。

重要情報の伝達の相手方である「取引関係者」は、有価証券の売買に関与する蓋然性が高いと想定される者として金融商品取引法または内閣府令に定められる者をいうが（同条１項各号）、機関投資家、アクティビスト・ヘッジファンド等は、上場会社の投資者に対する広報に係る業務に関して重要情報の伝達を受ける株主（金融商品取引法第二章の六の規定による重要情報の公表に関する内閣府令７条１号）または有価証券に対する投資を行うことを主たる目的とする法人その他の団体（同条３号）に通常は該当すると考えられる。

株主とのエンゲージメントに際し、剰余金の配当議案や取締役選任議案について議論する前提として、未公表の決算情報もしくはその詳細または中期経営計画などを説明する必要性が生じることがある。この点、「重要情報」については、「未公表の確定的な情報であって、公表されれば有価証券の価額に重要な影響を及ぼす蓋然性のある情報」とされ、インサイダー情報のほか、決算情報（年度または四半期の決算に係る確定的な財務情報をいう。）であって、有価証券の価額に重要な影響を与える情報はこれに該当するとの見解が示されている（金融庁「金融商品取引法第27条の36の規定に関する留意事項について（フェア・

ディスクロージャー・ルールガイドライン)」問2)。また、中期経営計画については、一般的には「重要情報」に該当しないと解されているが、「中期経営計画の内容として公表を予定している営業利益・純利益に関する具体的な計画内容などが、それ自体として投資判断に活用できるような、公表されれば有価証券の価額に重要な影響を及ぼす蓋然性のある情報である場合」には、該当する可能性があるとされている(前掲・フェア・ディスクロージャー・ルールガイドライン問4)。結局、情報が有価証券の価額に重要な影響を与えるかについては、個別の事案ごとに判断する必要があるが、上場会社としては、未公表の決算情報や中期経営計画の具体的な内容は、「重要情報」に該当し得ることを前提にエンゲージメントに臨む必要がある。なお、未公表の株主総会議案については、議案の対象となる事象が「重要情報」に該当するものである場合を除き、議案の内容が未公表であるというだけで「重要情報」に該当するものではないと考えられる。

この点、例外として、重要情報の伝達を受ける者が、法令または契約により、当該重要情報に関して秘密保持義務を負い、かつ、上場有価証券等に係る売買等を行わない義務を負うときは、当該重要情報を公表する必要がないこととされているため(金商法27条の36第1項但書)、上場会社としては、重要情報の提供が必要であるものの、直ちに公表できない場合には、株主との守秘義務契約において、株式等の売買等を禁止する規定を定めることが考えられる。

(3)　株主平等原則・善管注意義務

特定の株主のみに対して未公表の情報を提供することが、株主平等原則に違反しないかも問題となり得る。もっとも、会社法109条1項は、会社が株主を公正かつ合理的に取り扱うことを要請する規定であり、株主が保有する株式の内容と数に応じた厳格な平等取扱いを要請する規定ではないと解すべきであるところ(加藤貴仁「株主優待制度についての覚書」黒沼悦郎＝藤田友敬編『企業法の進路　江頭憲治郎先生古稀記念』119〜120頁(有斐閣、2017))、株主とのエンゲージメントは、基本的には企業価値・株主価値を高めるためのものであると考えられ、不公正な目的で行われるものでない限り、株主平等原則には抵触しないと考えられる(加藤貴仁ほか「〔新春座談会〕対話型株主総会プロセスの将来像〔上〕」商事法務2122号13頁〔加藤貴仁発言〕(2017)参照)。

また、取締役の会社に対する善管注意義務の一環としての守秘義務との関係についても、株主とのエンゲージメントが会社の利益のために行われる限り問題とならないと考えるべきである（神作裕之「〔東京大学比較法政シンポジウム〕ガバナンスの実質化と建設的対話の先端実務Ⅰ建設的対話の実務と法的論点――比較法的観点から」商事法務2168号13頁（2018）参照）。

第4
株主提案対応・委任状勧誘のプランニング

1　会社提案の議案内容の確定

上場会社が委任状勧誘を行う場合としては、会社提案議案の可決に向けて賛成の議決権行使に係る委任状勧誘を行う場合と、株主提案議案の否決に向けて反対の議決権行使に係る委任状勧誘を行う場合がある。前者の場合、特定の株主が反対の委任状勧誘を行うことや、多くの株主が反対の議決権行使をすることが予め想定されている場合には、上場会社としては、株主総会に上程する議案の内容を株主に受け入れられやすい（より賛成を集めやすい）内容にすることを検討するべきである。

具体的には、機関投資家の多くは、日本版スチュワードシップ・コード指針5－2に従って議決権行使基準を公表し、同指針5－3に従って議決権行使結果およびその理由を公表している。また、議決権行使助言機関であるInstitutional Shareholder Services Inc. およびGlass Lewis & Co., LLCについても、毎年、議決権行使助言方針を公表していることから、上場会社においては、自らの株主構成を踏まえて、これらの議決権行使基準や過去の議決権行使状況を分析し、議案の内容を株主である機関投資家の理解を得られるようなものにしていくことが考えられる。

また、株主である機関投資家と定期的にIR面談等を行っている場合には、機関投資家との対話の中で、当該機関投資家の意向を聞き出し、議案作成に当たって参考にすることも考えられる。

株主提案に反対の委任状勧誘を行う場合にも、上場会社においては、株主である機関投資家の議決権行使基準を踏まえ、どの程度株主提案に賛成が集まりそうかという票読みを行うことが、その後の委任状勧誘のプランニングを行うに当たっては重要になる。

2　実質株主判明調査

委任状勧誘のプランニングは、自らの株主構成を踏まえて行うことが必要になる。具体的には、どの程度の株主が会社提案または株主提案に賛成しそうか、どの株主の議決権行使の予測ができないため説得を行うことが有効か、どの株主が委任状を交付してくれそうかなどを株主の属性や議決権行使基準または過去の議決権行使状況等を踏まえて分析し、委任状勧誘を行うか、行う場合には、どの株主に対して重点的に勧誘を行うべきかなどの戦略を立てていくことになる。

もっとも、機関投資家の多くは、信託銀行やカストディアンを通じて株式を保有しており、株主名簿上は、かかる信託銀行やカストディアンの名称等が記載されているのみで、株主名簿を見ただけでは、議決権行使の判断を行う実質的な株主を把握することができない。そのため、委任状勧誘を行う者においては、IR 会社等に委託して実質株主判明調査を行う必要がある。なお、実質株主判明調査は、コーポレートガバナンス・コード補充原則５－１③において、上場会社においては、委任状勧誘を行う場合に限らず、株主との建設的な対話を行うために必要に応じて実施することが望ましいとされている。

一般的に、機関投資家は、自らの顧客である投資家（機関投資家に資金の運用を委託するアセットオーナー等）に対する受託者責任の観点から、第三者に対して議決権行使を委任することになる委任状の交付を行わないことが多い。したがって、機関投資家に対する委任状勧誘は、実質的には、自らの意向に沿った議決権行使（会社側であれば、会社提案議案への賛成、株主提案議案への反対）を行ってもらうよう要請をすることになる。

個人株主は、議決権行使に関心を有しておらず、通常は議決権行使を行っていないことも多い。そのため、委任状勧誘を行う者としては、そのような個人株主を掘り起こし、（自らの意向に沿った）議決権行使を行ってもらうこと、または委任状を交付してもらうことに向けた議決権行使促進のための施策を行っていくことが重要になることが多い。

このように、各上場会社の株主構成に応じて、委任状勧誘の戦略は異なってくることになる。

3　チームアップ

委任状勧誘を行うに際しては、社内外において、適切な体制を構築（チームアップ）することが重要である。社内においては、議案の内容を担当する経営企画部門、各事業部門等に加えて、株主総会を担当する総務・法務部門、株主・投資家対応を担当するIR部門など、関係部門の担当者によりチームを構成し、社外においては、法的な観点から株主総会・委任状勧誘を支援する弁護士に加えて、委任状勧誘全体の戦略立案・実行を支援するファイナンシャル・アドバイザー、実質株主判明調査、株主構成を踏まえた票読み、株主との面談等の勧誘活動等を支援するIR会社、メディア対応等を支援するPR会社、株主総会の運営等を支援する株主名簿管理人等の専門家によりチームを構成することがある。

委任状勧誘のプランニングに際しては、外部専門家から専門的なアドバイスを受けた上で戦略を立案していくことが望ましく、早い段階で適切なチームアップをすることが重要である。

4　和解の可能性の検討

委任状争奪戦を行う場合、金銭的にコストがかかるだけではなく、多くの人的リソースを委任状争奪戦への対応にあてる必要があるため、会社の通常業務への影響が生じる可能性があるなど、会社への負担は少なくない。また、仮に会社が委任状争奪戦に負けた場合、経営陣の再任否決やそれに伴って社内外に混乱が生じるなどリスクも大きいことがある。そのため、上場会社においても、実質株主判明調査の結果に基づく票読みを踏まえ、委任状勧誘を実施する前に、株主提案その他の要求をしている株主との間で和解をすることも選択肢になり得る。

具体的には、例えば、株主から現任取締役の再任否決と取締役選任の株主提案がなされている場合、株主提案の取締役候補者の一部の選任を会社提案として株主総会に上程することとする一方で、現任取締役の選任議案について賛成することを株主との間で合意することなどが考えられる。

このように株主と和解することにより、上記のようなリスクを回避することができるが、他方で、例えば、株主が推薦する取締役を受け入れることにより、取締役会の運営に混乱が生じる可能性があるなど、和解にはデメリットも存するため、上場会社としては、メリット・デメリットの両方を考慮した上で、和解をするべきか否かの判断を行うことになろう（アクティビスト株主との和解契約について、松下憲「アクティビスト株主対応の最新のスタンダード〔下〕――変化する株主アクティビズムの動向を踏まえて」商事法務2275号78～82頁（2021）参照)。

第5
株主提案・委任状勧誘のスケジュール

上場会社においては、株主総会開催日の数か月前から株主総会の議案の内容の検討が開始されることが少なくない。そのような中、株主から株主提案権が行使されると、会社と株主の間で具体的な攻防が開始される。株主提案権が行使される以前から、会社と株主の間でやり取りが行われており、事前に検討・準備が行われている場合も多いが、ここでは、事前に十分なやり取りがなされていない状況で、株主から株主提案権が行使された場合のスケジュールを例として確認する。

株主提案権は、株主総会の日の8週間前までに行使される必要がある（会社法303条2項、305条1項）。株主提案権が行使されると、会社は、株主提案が会社法の定める要件を満たしているか否かを検討し、満たしている場合は、原則として議題として採用しなければならない。

株主提案権の行使に前後して、株主からは株主名簿の閲覧・謄写請求権が行使される場合が多い。株主は、委任状勧誘を行うか否かを判断するために会社の株主構成を把握するためや、また、他の株主に対して直接アプローチするために、株主名簿の閲覧・謄写請求権を行使するが、前述のとおり、機関投資家は、管理信託銀行等を通じて株式を保有しており、株主名簿上、議決権行使の意思決定を行う実質的な株主が明らかではないことが多い。そのため、株主側においても、開示を受けた株主名簿を基にして、実質株主判明調査を行うことがある。

株主は、委任状勧誘を実施することを決定した場合（以下、委任状勧誘を行う株主を「勧誘株主」という。）、会社から株主総会の招集通知が発送される前であっても、一部の会社提案議案に対する反対の委任状勧誘を除き、委任状用紙と委任状参考書類（本書では、委任状勧誘規制に従って行う委任状勧誘に際して、勧誘者が被勧誘者に交付するべき代理権の授与に関し参考となるべき事項として内閣府令で定めるものを記載した書類（参考書類）を「委任状参考書類」と呼ぶ。本書166頁参照）を交付することにより、委任状勧誘を開始することができる。他方、会社側は、勧誘株主と同様に委任状用紙と委任状参考書類を交付すれば招集通知の発送前であっても委任状勧誘を開始することができるが、一般的には、株主総会の全ての議案の内容を確定させた上、株主総会参考書類の作成が完了し、招集通知が株主に発送されてから委任状勧誘を開始することが多い（招集通知の発送後においては、株主総会参考書類、議決権行使書面等に記載された事項は委任状参考書類への記載を省略することができ、また、管轄の財務局長に対する委任状用紙および委任状参考書類の提出も不要になる（本書176頁参照）。）。

株主総会の招集通知は、会社法上、株主総会の日の2週間前までに発送しなければならない（会社法299条1項）。もっとも、前記第2の2(2)のとおり、昨今は、株主の十分な検討時間を確保するため、自主的に株主総会の日の2週間以上前に招集通知を発送している会社も多く、電子提供制度の下では、株主総会の日の3週間前までに株主総会参考書類等がウェブサイトに掲載される。招集通知が発送され、会社からも株主に対して委任状用紙と委任状参考書類が送付されて委任状勧誘が開始されると、いよいよ会社と勧誘株主の攻防は激しくなる。

委任状争奪戦になった場合、会社側および勧誘株主側の双方から、株主に対して、プレスリリース、レター、電話、面談等の方法により委任状勧誘が行われる。株主に対する委任状の取得に向けた働きかけは、株主総会開催の直前まで行われることもある。株主総会の前に違法な勧誘行為等が行われていることが判明した場合には、当該勧誘行為や取得した委任状に基づく議決権行使等の差止めの仮処分を行うことが考えられるが、委任状勧誘は株主総会の日までの短期間で行われる場合が多いため、限られた時間での対応が必要となる。

また、委任状争奪戦が実施されている最中においても、会社と勧誘株主の間で協議・交渉が行われ、和解が成立すれば、勧誘株主において株主提案の撤回・委任状勧誘の中止等が行われることもあり得る。

会社または勧誘株主の申立てにより株主総会に関して検査役が選任された場合には、株主総会の開催前に、検査役と関連する当事者の間で、委任状の処理方法や株主総会の議事進行等について打合せが行われる。

委任状勧誘が実施されている場合、株主総会の当日においては、株主の会場への入場の管理や議事進行と採決は、適法かつ適正に行われるよう細心の注意が必要となる。株主総会の決議が成立し、決議の結果を臨時報告書で開示すれば、通常は、取得した委任状の備置等の会社法に従った手続を行うのみとなるが、違法な勧誘等が行われた場合には、株主または取締役等は、株主総会の決議の日から3か月以内に、株主総会決議取消しの訴えを提起することができる。

以上のスケジュールを6月末に定時株主総会を開催する会社を例に見てみると、表2のようになる。

表2：株主提案・委任状勧誘のモデルスケジュール

日　程	会社側	勧誘株主側
3月31日	定時株主総会の基準日	
		株主名簿閲覧・謄写請求
4月下旬～5月初旬（株主総会日の8週間前まで）		株主提案権の行使
	株主提案の要件チェック	
	会社・勧誘株主間の協議・交渉	
	（招集通知発送前の委任状勧誘）	委任状勧誘の開始
	株主総会参考書類の確定	
5月中旬～6月初旬（株主総会日の3週間前まで）	委任状・株主総会参考書類のウェブ開示、電子提供措置の開始	
6月初旬（株主総会日の2週間前まで）	招集通知の発送	
	委任状勧誘の開始	
	株主総会検査役選任の申立て	
	（違法勧誘等がある場合）差止仮処分等の申立て	
	株主総会検査役・会社・勧誘株主間の事前協議	
株主総会前日	委任状の事前確認	
6月末	株主総会開催日	
株主総会決議日から3か月以内	（違法勧誘等があった場合）株主総会決議取消しの訴え	

第６
外為法上の規制

1　議決権行使に関連する行為に対する外為法上の規制

外為法は、対外取引の基本法であり、いわゆる外資系の企業やファンドによる国内企業を対象とする投資は外為法に基づく規制を受ける。外為法の規制を受ける行為のうち、株主提案・委任状勧誘の局面における議決権行使に関連するものとしては単独または共同での議決権行使や議決権代理行使の受任等がある。本書においては、そのような議決権行使に関連する外為法上の規制について概説する。

なお、外為法の要件・解釈等については、日本銀行国際局国際収支課外為法手続グループが「外為法 Q&A（対内直接投資・特定取得編）」を公表している。

2　「外国投資家」への該当性

「外国投資家」とは、表３の①～⑤のいずれかに該当する者をいう（外為法26条１項）。また、①～⑤以外に該当しない者であっても、外国投資家のために当該外国投資家の名義によらないで対内直接投資等を行う場合は、外国投資家とみなされる（外為法27条14項、55条の５第３項）。

表３：外国投資家の類型とその具体例

類　型	具体例
①　非居住者（外為法６条１項６号）である個人（外為法26条１項１号）	外国人である個人
②　外国法令に基づいて設立された法人その他の団体または外国に主たる事務所を有する法人その他の団体（これらの法人その他の団体の在日支店を含む）（④の特定組合等を除く）（外為法26条１項２号）	外国法人

③	①または②に該当する者により直接または間接に保有される議決権（※）の合計が50％以上を占める会社（外為法26条1項3号） ※　間接に保有される議決権は、外国法人等が50％以上の議決権を有する国内会社またはその子会社（会社法2条3号に規定する子会社であって、外国の法令に基づいて設立された法人その他の団体および外国に主たる事務所を有する法人その他の団体を除く。）が保有する議決権をいう（直投令2条1項）。	外国法人の国内子会社、国内孫会社
④	投資事業を営む組合や投資事業有限責任組合など（外国組合を含む）であって、非居住者等（※1）からの出資の割合が総組合員の出資の金額に占める割合が50％以上の組合、または、業務執行組合員の過半数が非居住者等（※2）で占められている組合（以下「特定組合等」という。）（外為法26条1項4号） ※1　出資要件における非居住者等とは、(i)上記①、(ii)上記②、(iii)上記③（特定上場会社等（直投令2条4項）を除く。）、(iv)下記⑤、または(v)組合等であって、上記(i)～(iv)に該当するものが当該組合等の業務執行組合員の過半数を占めるものをいう（直投令2条3項）。 ※2　業務執行組合員要件における非居住者等とは、(a)上記(i)～(v)に該当するもの、(b)組合等で、上記(i)～(v)による出資の金額の合計の総組合員による出資の金額の総額に占める割合が50％以上であるもの、または(c)有限責任事業組合であって、(ア)上記①、(イ)上記(a)ないし(b)に該当するもの、もしくは(ウ)上記(a)ないし(b)の役員が当該有限責任事業組合の組合員の過半数を占めるものをいう（直投令2条5項）。	業務執行組合員の過半数が外国法人である国内組合等
⑤	非居住者である個人が役員または代表権限を有する役員のいずれかの過半数を占める本邦の法人その他の団体（外為法26条1項5号）	取締役の過半数を外国人が占めている国内法人等

表3の類型のいずれかに該当する株主による議決権行使に関連する行為については、外為法に基づく行為時事前届出または事後報告の規制を受ける可能性があるため、下記3の対内直接投資等への該当性を検討する必要がある。

3 「対内直接投資等」への該当性

単独または共同での議決権行使や議決権代理行使の受任が「対内直接投資等」に該当するのは、表4のいずれかに該当する場合である。なお、議決権行使に関連する行為としては、非上場会社の議決権の代理行使の外国投資家への委任についても、対内直接投資等に該当する場合があるが（外為法26条2項9号、直投令2条16項6号）、本書では説明を割愛する。

表4：対内直接投資等に当たる議決権行使に関連する行為

	類　型	閾　値	届出・報告義務が解除される例外
1	会社の事業目的の実質的な変更に関し行う同意（外為法26条2項5号）	・上場会社等の場合 同意をする外国投資家（以下「同意者」という。）およびその密接関係者（※）が保有する議決権数が総議決権数の3分の1以上を保有している場合に限る（直投令2条12項1号） ただし、実質保有等議決権（直投令2条4項2号）ベースで3分の1未満の場合には手続不要（直投令3条1項11号） ※「密接関係者」とは、外国投資家であって、直投令2条19項1号ないし18号に定めるものをいい、例えば、同意者により議決権の100分の50以上を直接または間接に保有されている法人等、同意者の議決権の	・特定上場会社等（直投令2条4項）が行う同意（直投令3条1項6号） ・組合等が行う対内直接投資等に相当するものに伴って行われる当該組合等の組合員が行う同意（直投令3条1項7号） ・変更後の事業目的が指定業種に該当しない変更に関し行う同意（直投命令3条2項5号） ・特別上場会社等（直投命令3条2項15号）が行う同意（同号） ・特別非上場会社（直投命令3条2項16号）が行う同意（同号）

		100分の50以上を直接または間接に保有している法人等などがこれに当たる。以下同じ。 ・非上場会社の場合 なし。ただし、同意者と密接関係者とを合計して、株式保有比率、出資金額比率または議決権比率のいずれもが3分の1未満である場合、手続不要（直投命令3条2項6号）	
2	取締役または監査役の選任に係る議案（外国投資家自らまたはその関係者（※）を選任する場合に限る）に関し行う同意（外為法26条2項5号、直投令2条11項1号） ※「関係者」の範囲は、外国投資家自らまたは他のもの（発行会社を含む）を通じて提出された議案に係る場合（直投命令2条1項2号）と、それ以外の場合（直投命令2条1項1号）とで異なる。詳細は表5参照。	・上場会社等の場合 同意者およびその密接関係者が保有する議決権数が総議決権数の100分の1以上を保有している場合に限る（直投令2条12項2号） ただし、実質保有等議決権ベースで100分の1未満の場合には手続不要（直投命令3条1項11号） ・非上場会社の場合 なし	・特定上場会社等（直投令2条4項）が行う同意（直投令3条1項6号） ・組合等が行う対内直接投資等に相当するものに伴って行われる当該組合等の組合員が行う同意（直投令3条1項7号） ・事前届出を経て実質保有等議決権ベースで100分の50以上の議決権を取得した子会社等に係る取締役または監査役の選任に係る議案に関し行う同意（直投命令3条2項7号） ・事前届出を要する対内直接投資等に該当する同意以外のもの（直投

			命令３条２項８号） ・特別上場会社等（直投命令３条２項15号）が行う同意（同号） ・特別非上場会社（直投命令３条２項16号）が行う同意（同号）
3	事業の譲渡等（事業の全部または一部の譲渡、事業の廃止、解散、子会社の株式または持分の全部または一部の譲渡、会社が消滅会社となる吸収合併、新設合併、会社が吸収分割会社となる吸収分割、会社が新設分割会社となる新設分割、配当財産が事業または子会社の株式である剰余金の配当）に係る議案に関し行う同意（外為法26条２項５号、直投令２条11項２号ないし５号、直投命令２条２項１号ないし７号）	・上場会社等の場合 同意者およびその密接関係者が保有する議決権数が総議決権数の100分の１以上を保有している場合に限る（直投令２条12項２号） ただし、実質保有等議決権ベースで100分の１未満の場合には手続不要（直投令３条１項11号） ・非上場会社の場合 なし	・特定上場会社等（直投令２条４項）が行う同意（直投令３条１項６号） ・組合等が行う対内直接投資等に相当するものに伴って行われる当該組合等の組合員が行う同意（直投令３条１項７号） ・自らまたは他の株主を通じて株主総会に提出した議案以外のものに関し行う同意（直投命令３条２項９号） ・指定業種（直投命令３条３項）に属する事業に係る議案以外の議案に関し行う同意（直投命令３条２項10号） ・特別上場会社等（直投命令３条２項15号）が行う同意（同号） ・特別非上場会社（直投

			命令3条2項16号）が行う同意（同号）
4	他のものが直接に保有する会社の議決権の行使につき当該他のものを代理する権限を受任することであって、①受任者が当該会社またはその役員以外のものであり、②受任をするものが以下の(i)～(vii)の各議案に係るものであり、かつ、③受任者が自己に議決権の行使を代理させることの勧誘を伴うもの（以下「議決権代理行使受任」という。） (i)取締役の選任または解任、(ii)取締役の任期の短縮、(iii)定款の変更（目的の変更、会社法108条2項8号または9号に掲げる事項についての種類株式の発行に係るものに限る）、(iv)会社法468条1項に規定する事業譲渡等、(v)解散、(vi)会社法782条1項に規定する吸収合併契約等、(vii)会社法803条1項に規定する新設合併契約等（外為法26条2項9号、直投令2条16項4号、同条18項、直投命令2条7項各号）	・上場会社等の場合 当該議決権代理行使受任の後における受任者の実質保有等議決権の数および当該受任者の密接関係者（受任者を直投令2条19項1号に規定する株式取得者等とした場合に同項各号に掲げるものに該当することとなる非居住者である個人または法人等）の実質保有等議決権の数を合計した純議決権数の当該上場会社等の総議決権に占める割合が100分の10以上となるもの（直投令2条16項4号ロ） ・非上場会社の場合 なし。ただし、外国投資家が直接に保有する非上場会社の議決権に係るものを除く（直投令2条16項4号イ）	・特定上場会社等（直投令2条4項）が行う議決権代理行使受任（直投令3条1項6号） ・組合等が行う対内直接投資等に相当するものに伴って行われる当該組合等の組合員が行う議決権代理行使受任（直投令3条1項7号） ・特別上場会社等（直投命令3条2項15号）が行う議決権代理行使受任（同号） ・特別非上場会社（直投命令3条2項16号）が行う議決権代理行使受任（同号） ・合併・会社分割に伴う特定非上場会社（直投令3条1項2号）の議決権に係る議決権代理行使受任に係る受任者の地位の承継により発生する議決権代理行使受任（直投命令3条2項18号、同項19号） ・事前届出の対象にならない10％未満の非上場会社の議決権に係る議決権代理行使受任

			（直投命令３条２項20号） ・株式の分割または併合、組織変更、株式無償割当て、取得条項付株式の取得事由の発生に伴う議決権代理行使受任であって、もともと分割または併合、組織変更、株式無償割当て前の株式や当該取得条項付株式に係る議決権代理行使受任をしていた場合（直投命令３条２項21号～24号）
5	共同して上場会社等の実質保有等議決権を行使することにつき、当該上場会社等の実質保有等議決権を保有する他の非居住者である個人または法人等の同意を得ること（以下「共同議決権行使同意取得」という。）（外為法26条２項９号、直投令２条16項７号）	同意取得者、同意者、同意取得者の密接関係者（同意取得者を直投令２条19項１号に規定する株式取得者等とした場合に同項各号に掲げるものに該当することとなる非居住者である個人または法人等）、および同意者の密接関係者（同意者を直投令２条19項１号に規定する株式取得者等とした場合に同項１号から14号まで、17号および18号に掲げるものにそれぞれ該当することとなる非居住者である個人または法人等。※）の実質保有等議決権の数を合計した純議決権数の当該上場会社等の総議決権に占める割合が100分の10	・特定上場会社等（直投令２条４項）が行う共同議決権行使同意取得（直投令３条１項６号） ・組合等が行う対内直接投資等に相当するものに伴って行われる当該組合等の組合員が行う共同議決権行使同意取得（直投令３条１項７号） ・特別上場会社等（直投命令３条２項15号）が行う共同議決権行使同意取得（同号） ・特別非上場会社（直投命令３条２項16号）が行う共同議決権行使同意取得（同号）

		以上となるものに限る（直投令2条16項7号） ※　同意者の密接関係者についてのみ、直投令2条19項15号および16号に掲げるものが除かれている点に注意	・株式の分割または併合、組織変更、株式無償割当て、取得条項付株式の取得事由の発生に伴う共同議決権行使同意取得であって、もともと分割または併合、組織変更、株式無償割当て前の株式や当該取得条項付株式に係る共同議決権行使同意取得をしていた場合（直投命令3条2項21号～24号） ・相続または遺贈により共同議決権行使同意取得に係る契約を承継した場合における当該共同議決権行使同意取得（直投命令3条2項25号）

外為法26条2項5号にいう「同意」とは、株主総会における賛成の議決権行使を意味し、基本的に、議決権を行使しないことは含まれない。もっとも、例えば、決議の結果に直接影響を与えることが可能な程度に多くの議決権を保有するなど議決権を行使しないことにより提案された役員が選任されることが明らかであり、当該役員の選任を目的として議決権行使をしない場合など賛成と同視しうる場合には、例外的に「同意」に該当する場合があるとされている（2020年4月30日付「対内直接投資等に関する政令等の一部を改正する政令案及び対内直接投資等に関する命令の一部を改正する命令案等、対内直接投資等に関する業種を定める告示案等に対する意見募集の結果について」別紙1（以下「外為法改正パブコメ」という。）No.43）。なお、表4の閾値に係る議決権保有比率は、「同意」が行われる株主総会当日における比率により判断される（外為法改正パブコメNo.44）。

表4・2の役員選任議案に関する同意については、外国投資家が発行会社提案の役員選任議案に反対の議決権を行使することや、解任の株主提案を行い議決権行使をすることは該当しない（なお、当該議決権行使に先立ち委任状勧誘を行う場合には、表4・4の議決権代理行使受任に該当しないかを検討する必要がある。）。役員選任議案に係る同意には、外国投資家自らまたは他のものを通じて提案した議案のほか、第三者の提案した議案への同意も含まれる。また、「選任」には再任も含まれる（大川信太郎『外為法に基づく投資管理——重要土地等調査法・FIRRMAも踏まえた理論と実務』73～74頁（中央経済社、2022））。「他のものを通じて」とは、届出者となる外国投資家自らの意思により、他のものに依頼して議案を提出させる場合や、発行会社の取締役会等に対して主体的に働きかけを行った結果として形式上は会社提案議案として株主総会に提出されるような場合等、実質的には自らの意思および発案、自らの行為の発動を契機として提案が行われる場合を指す（外為法改正パブコメNo.50）。これに対し、自ら他者や発行会社に働きかけることなく、他者や発行会社から自己または自己の関係者が役員候補として株主総会に提案される場合には、「他のものを通じて」議案を株主総会に提案した場合に該当しない（外為法改正パブコメNo.50）。

したがって、例えば、発行会社の総議決権数の100分の1以上に係る株式を保有する外国投資家であるアクティビストが、その役職員を取締役として選任する議案を自ら株主提案した場合、または発行会社とエンゲージメントした結果、その役職員の取締役への選任が会社提案議案として上程された場合において、当該議案に対して賛成の議決権を行使することは、対内直接投資等に当たる同意に該当することとなる。これに対し、かかる外国投資家であるアクティビストが、外部のプロ経営者人材を発行会社に推薦したうえで、当該人材を取締役として選任する議案を自ら株主提案した場合、または発行会社とのエンゲージメントの結果、当該人材の取締役への選任が会社提案議案として上程された場合については、当該人材がアクティビスト株主から多額の金銭を得ているなどの「関係者」の要件（表5の要件）に該当しない限り、当該議案に賛成の議決権行使をすることは対内直接投資等に当たる同意には該当しない。

他方、表4・3の事業譲渡等に係る議案に関する同意については、役員選任議案に関する同意と異なり、自らまたは他の株主（「他のもの」ではないため、発行会社は含まれない。）を通じて株主総会に提出した議案に関して同意する行為のみが事前届出および事後報告の対象となる。したがって、外国投資家が発

表5：関係者の範囲

取締役及び監査役の選任における関係者の範囲	①自己が提案（他者を通じた提案を含む）			②他者（発行会社含む）が提案[注1]		
	役員	使用人	投資に関する意思決定を行う会議体の構成員	役員	使用人	投資に関する意思決定を行う会議体の構成員
外国投資家（法人）	○	○	○	○	×	○
〃　の子・孫・親・祖父会社[注2]	○	○	○	○	×	○
〃　の叔父・従兄弟・兄弟・甥会社[注2]	○	○	○	○	×	×
主要な取引先[注3]	○	○	○	×	×	×
外国投資家から多額の金銭その他の財産を得ている者[注3]	○			×		
過去1年間以内に上記のいずれかに該当していた者[注3]	○			×		
外国投資家（自然人）の配偶者[注2]	○			○		
〃　の直系血族[注2]	○			○		
議決権を行使することを合意している者又はその密接関係者[注2]	○			○		

（注１）修正動議による提案の場合は、届出対象外。

（注２）上場会社株式の取得等の際に合算対象となる密接関係者のルールを援用。

（注３）東証のガイドラインにおける、独立役員（一般株主と利益相反が生じるおそれのない社外取締役又は社外監査役）になることができない者の定義を援用。

（注４）国有企業等が自己提案をする場合は、その国の政府、地方公共団体、政府関係機関又は中央銀行の職員若しくは政党員も密接関係者。

出典：財務省「外国為替及び外国貿易法の関連政令・告示改正について」（2020年4月24日）

行会社に対し、エンゲージメントを行い、その結果、会社提案として事業譲渡等に係る議案が提出された場合であっても、事前届出および事後報告義務は解除されていると解される（大川・前掲 79〜80 頁）。なお、発行会社が指定業種に属する事業を営む場合であっても、指定業種に属する事業以外の事業が事業譲渡等の対象となる場合は、当該事業譲渡等に係る議案に関する同意は規制対象に含まれないと解されている（大川・前掲 81〜82 頁）。

4　事前届出および事後報告

外為法に基づく事前届出制度は、「外国投資家」（上記 2）による「対内直接投資等」（上記 3）が、国の安全、公の秩序、公衆の安全、わが国経済の円滑運営等に関わる業種（指定業種）に属する事業を営む発行会社（子会社または発行会社もしくは子会社がその総議決権の 100 分の 50 に相当する議決権の数を保有する他の会社が指定業種に属する事業を営む場合を含む。以下、本項において同じ。）に対して行われる場合等を対象としている（外為法 27 条１項、直投令３条２項、直投命令３条３項および４項）。

株主提案・委任状勧誘の局面における議決権行使に関連する行為が、外国投資家による、指定業種を営む発行会社に対する対内直接投資等に該当する場合等であって、かつ、対内直接投資等のうち届出・報告義務が解除される例外（上記 3）に該当しない場合には、外国投資家は当該行為について、事前届出を行わなければならない（外為法 27 条１項）。また、そのような対内直接投資等のうち共同議決権行使同意取得および議決権代理行使受任については、事前届出を行ったものを除き、対内直接投資等を行った日から 45 日以内に、事後報告を行わなければならない（外為法 55 条の５第１項、直投令６条の３第１項、直投命令６条の 2）。なお、上記３の表４の 1〜5 の各行為については、外為法 27 条の２第１項に基づき事前届出をせずに対内直接投資等を行うことができる制度（事前届出免除制度）は利用できない。

また、事前届出に係る共同議決権行使同意取得または当該共同議決権行使同意取得をした後における当該共同議決権行使同意取得の解除を行った場合には、45 日以内に報告（いわゆる実行報告）を行わなければならない（外為法 55 条の 8、直投令６条の 5、直投命令７条１項４号）。

議決権行使に関連する行為について事前届出が必要となる場合には、当該行為を行おうとする日の前6か月以内に、直投命令の定める所定の様式により、日本銀行を提出先として、財務大臣および事業所管大臣宛に届出を行うことが必要になる（外為法27条1項、直投令3条3項、直投命令3条7項）。外国投資家は、届出日から起算して30日を経過する日までは当該届出に係る対内直接投資等を行ってはならず（外為法27条2項）、当該期間中に財務大臣および事業所管大臣が国の安全を損ない、公の秩序の維持を妨げ、または公衆の安全の保護に支障を来すおそれがあるもの等に該当しないかの観点から審査を行うことになるが、特に問題がないと判断されれば当該期間は短縮されることがある（同項但書）。他方、審査のため必要があるとされた場合、審査期間は最大4か月延長され得る（同条3項）。審査の過程で「国の安全等に係る対内直接投資等」（同項）に該当する懸念が残る場合には、届出書に一定の遵守事項（例えば、国の安全等の観点から重要な事業を譲渡・廃止等するよう提案しないこと、外国政府等による影響を受けて議決権を行使しないこと、発行会社に対して役員等を派遣しないこと等）を記載させた上で審査が終了する場合もある（大川信太郎『外為法に基づく投資管理——重要土地等調査法・FIRRMAも踏まえた理論と実務』266～268頁（中央経済社、2022））。

また、財務大臣および事業所管大臣は、審査の結果、「国の安全等に係る対内直接投資等」に該当し、必要があると認める場合には、関税・外国為替等審議会の意見を聴取した上で、対内直接投資等に係る内容の変更または中止を勧告することができ（外為法27条5項）、その場合には審査期間は最大5か月まで延長されることがあり得る（同条6項）。外国投資家が勧告に応じない場合、財務大臣および事業所管大臣は、対内直接投資等に係る内容の変更または中止の命令を行うことができ（同条10項）、外国投資家が命令に違反した場合には、当該対内直接投資等により取得した株式の全部または一部の処分その他必要な措置を命ずることができる（外為法29条3項および4項）。もっとも、外為法27条10項に基づく中止命令がなされた公表事例は過去に1件（ザ・チルドレンズ・インベストメント・ファンドによる電源開発株式会社の株式取得の事例（2008年5月））存在するにとどまる。

第2章

招集通知発送前の攻防

本章から第5章までにおいては、株主から株主提案権が行使され、会社と当該株主によるいわゆる委任状争奪戦を経て、株主総会を開催する場合における、会社側および株主側に適用される法規制および実務対応について、原則として時系列に従って説明する。

なお、実務対応の説明において、対象となる会社は、上場会社であって、株主が1,000人以上おり書面投票制度の採用が義務付けられる会社（会社法298条2項）または任意に書面投票制度を採用した会社を前提とする。

第1
株主提案権の行使

株主提案権とは、第1章でも述べたとおり、①一定の事項を株主総会・種類株主総会の目的（議題）とすること（いわゆる「議題提案権」。会社法303条、325条）、②株主総会・種類株主総会において、株主総会の目的である事項につき、議案を提出すること（いわゆる「議案提案権」。会社法304条、325条）、③株主総会・種類株主総会の目的である事項につき株主が提出しようとする議案の要領を招集通知に記載・記録すること（電子提供制度適用会社においては、議案の要領について電子提供措置をとること）を請求すること（いわゆる「自己の議案の通知請求権」。会社法305条、325条、325条の4第4項）ができる株主の権利をいう。

具体的には、①の議題提案権は、例えば、株主が「取締役○名選任の件」を株主総会の議題とすることを請求すること、②の議案提案権は、例えば、株主総会の会場において、当該株主総会に提出されている「取締役○名選任の件」という議題について「○○を取締役として選任する」との具体的な提案（修正動議）を提出すること、③の自己の議案の通知請求権は、例えば、株主が「○○を取締役として選任する」との自己が提出しようとする議案の要領を株主に通知することを請求することを指す。

以下、単に「株主提案権」という場合には、特段の断りのない限り、①議題提案権と③自己の議案の通知請求権を合わせたものを指し（なお、②の議案提案権に関する実務に関しては、本書217頁を参照されたい。）、また、株主提案権は種類株主総会において行使される場合も想定されるが、以下、特段の断りのない限り通常の株主総会において行使される場合を前提とする。

1　会社の機関設計による株主提案権の資格要件・行使期限等の相違点

会社法では、以下のとおり、会社の機関設計および発行する全株式の譲渡制限の有無（公開会社・非公開会社による区別）により、議題提案権（会社法303条）と自己の議案の通知請求権（会社法305条）のそれぞれについて、当該権利を行使するための資格要件（議決権数要件・保有期間要件）、行使期限等が整理されている。

⑴　議題提案権

株主は、取締役に対し、一定の事項（当該株主が議決権を行使することができる事項に限る。例えば、取締役選任について議決権が制限されている種類株式の株主は取締役選任の議題を提案することはできない。）を株主総会の目的とすることを請求することができる（会社法303条1項）。

議題提案権は、取締役が招集する株主総会（会社法298条1項）でのみ行使することができ、少数株主が招集する株主総会（会社法297条4項）では行使することができない（田中・会社法172頁、大隅＝今井・会社法論（中）37頁、森本滋「上場会社の少数株主による総会招集請求と会社法316条2項〔上〕」商事法務2281号8頁（2021）参照）。

㋐　取締役会非設置会社

取締役会非設置会社においては、議題提案権について資格要件、行使期限は存せず、各株主は単独株主権として議題提案権を行使することができる（会社法303条1項）。

行使期限がないことから、株主は、株主総会の会場において議題提案権を行使することも可能である。

㋑　取締役会設置会社かつ非公開会社

取締役会設置会社かつ非公開会社においては、資格要件として総株主の議決権（提案された事項について議決権を行使することができない株主が有する議決権の数は算入しない。）の100分の1以上または300個以上の議決権を有している

表６：議題提案権の資格要件等の比較

	公開会社	非公開会社	
		取締役会設置会社	取締役会非設置会社
議題提案権の資格要件および行使期限	６か月前より総株主の議決権の100分の１以上または300個以上の議決権を有し、株主総会の日の８週間前までに行使（定款により要件緩和可能）（会社法303条２項）	総株主の議決権の100分の１以上または300個以上の議決権を有し、株主総会の日の８週間前までに行使（定款により要件緩和可能）（会社法303条２項・３項）	なし（会社法303条１項）

ことが必要である（会社法303条２項～４項）。後記(ウ)に述べる公開会社と比べると、保有株式数要件は共通であるものの、保有期間要件が課されていない（同条３項）。行使期限については議題提案権の行使は株主総会の日の８週間前までに行うこととされている（同条２項）。資格要件については定款の定めにより緩和すること、行使期限については定款でこれを下回る期間を定めることもできる（同項）。

(ウ)　公開会社

公開会社においては、資格要件として総株主の議決権（提案された事項について議決権を行使することができない株主が有する議決権の数は算入しない。）の100分の１以上または300個以上の議決権を６か月前より保有していることが必要である（会社法303条２項）。また、行使期限については議題提案権の行使は株主総会の日の８週間前までに行うこととされている。資格要件については定款の定めにより緩和すること、行使期限については定款でこれを下回る期間を定めることもできる（同項）。

(2)　自己の議案の通知請求権

株主は、取締役に対し、株主総会の日の８週間（これを下回る期間を定款で定めた場合にあっては、その期間）前までに、株主総会の目的である事項（当該株主が議決権を行使することができる事項に限る。例えば、取締役選任について議決権が制限されている種類株式の株主は取締役選任の議案の要領の通知を請求することはできない。）につき当該株主が提出しようとする議案の要領を株主に通知すること（書面・電磁的方法による通知をする場合には、招集通知へ記載・記録すること）を請求することができる（自己の議案の通知請求権）（会社法305条1項）。また、電子提供制度適用会社においては、議案の要領について電子提供措置をとることを請求することとなる（会社法325条の4第4項、305条1項）。

自己の議案の通知請求権は、取締役が招集する株主総会（会社法298条1項）でのみ行使することができ、少数株主が招集する株主総会（会社法297条4項）では行使することができない（田中・会社法172頁、大隅＝今井・会社法論（中）37頁、森本滋「上場会社の少数株主による総会招集請求と会社法316条2項〔上〕」商事法務2281号8頁（2021）、弥永真生「株主招集総会と他の株主または取締役の議案要領通知請求権」ジュリスト1554号2頁（2021）参照。裁判例としては投資法人の投資主総会に関する東京地判令和2・2・27 LEX/DB25584668参照）。

㈠　取締役会非設置会社

取締役会非設置会社においては、自己の議案の通知請求権の行使は株主総会の日の8週間前までに行うこととされているが、資格要件は存せず、各株主は単独株主権として自己の議案の通知請求権を行使することができる（会社法305条1項）。行使期限については定款でこれを下回る期間を定めることもできる。

㈡　取締役会設置会社かつ非公開会社

取締役会設置会社かつ非公開会社においては、資格要件として総株主の議決権（株主総会の目的である事項について議決権を行使することができない株主が有する議決権の数は算入しない。）の100分の1以上または300個以上の議決権を保有していることが必要である（会社法305条1項～3項）。後記㈢に述べる公開会社と比べると、保有株式数要件は共通であるものの、保有期間要件が課されていない（同条2項）。行使期限については自己の議案の通知請求権の行使は株主総会の日の8週間前までに行うこととされている（同条1項）。資格要件については定款の定めにより緩和すること、行使期限については定款でこれを下回る期間を定めることもできる（同項）。

表7：自己の議案の通知請求権の資格要件、行使期限

	公開会社	非公開会社	
		取締役会設置会社	取締役会非設置会社
自己の議案の通知請求権の資格要件および行使期限	6か月前より総株主の議決権の100分の1以上または300個以上の議決権を有し、株主総会の日の8週間前までに行使（定款により要件緩和可能）（会社法305条1項）	総株主の議決権の100分の1以上または300個以上の議決権を有し、株主総会の日の8週間前までに行使（定款により要件緩和可能）（会社法305条1項・2項）	株主総会の日の8週間前までに行使（定款により要件緩和可能）（会社法305条1項）

(ウ)　公開会社

公開会社においては、資格要件として総株主の議決権（株主総会の目的である事項について議決権を行使することができない株主が有する議決権の数は算入しない）の100分の1以上または300個以上の議決権を6か月前より保有していることが必要である（会社法305条1項・3項）。また、行使期限として自己の議案の通知請求権の行使は株主総会の日の8週間前までに行うこととされている（同条1項）。資格要件については定款の定めにより緩和すること、行使期限については定款でこれを下回る期間を定めることもできる（同項）。

(3)　その他の制限

令和元年改正会社法において、株主提案権の濫用的な行使を制限するため、会社法305条4項・5項が新設され、取締役会設置会社の株主が自己の議案の通知請求権を行使する場合において、株主が同一の株主総会において提出することのできる議案の数の上限を10個に制限する規定が設けられている（本書57頁、79頁参照）。

また、機関設計にかかわらず、当該議案が法令もしくは定款に違反する場合または実質的に同一の議案につき株主総会において総株主（当該議案について議決権を行使することができない株主を除く。）の議決権の10分の1（これを下回る割合を定款で定めた場合にあっては、その割合）以上の賛成を得られなかった日から3年を経過していない場合は、自己の議案の通知請求権を行使すること

はできないこととされている（会社法305条6項）。

2　株主提案権の行使の要件と実務対応

株主が、株主提案権を行使しようとする場合、自らが当該権利を行使するための法定の資格要件を充足することを確認の上、法定の期限までに、権利行使する必要がある。

以下、対象となる会社が、基本的に、上場会社（公開会社）であって、書面投票制度の採用が義務付けられる会社であることを前提に、株主提案権の行使に際して充足するべき要件等について述べる。

(1)　株主提案権を行使できる株主（資格要件）

公開会社である取締役会設置会社においては、株主提案権を行使する株主は、「総株主の議決権の100分の1以上の議決権または300個以上の議決権」を「6か月前」より保有していることが必要である（会社法303条2項、305条1項）。

(ア)　議決権数要件

「総株主の議決権の100分の1以上または300個以上の議決権」の「総株主の議決権」には、提案事項について議決権を行使することができない株主が有する議決権の数は含まれない（会社法303条4項、305条3項）。このため、相互保有株式、自己株式、単元未満株式や全く議決権を行使できない種類株式の株主の議決権のほか、提案事項について定款で議決権を有しないと定められた種類株式の株主の議決権については、総株主の議決権の数に算入されない（会社法コンメ(7)103頁〔青竹正一〕）。

「総株主の議決権の100分の1以上」という割合要件と「300個以上」という個数要件が併存している趣旨は、割合要件のみ定めた場合、大規模会社においては極めて限られた株主しか株主提案権を行使できないことになるからであるとされている（稲葉・改正会社法132頁）。

(イ)　保有期間要件

「6か月前」とは、株主提案権を行使した日から遡って満6か月を意味する（東京地判昭和60・10・29金判734号23頁、東京高判昭和61・5・15判タ607号95

頁、江頭・株式会社法342頁)。この6か月を算定するにあたっては、株式取得日は算入されない(東京高判昭和61・5・15判タ607号95頁)。

したがって、株主提案権の権利行使日と、総株主の議決権の100分の1または300個以上の議決権を取得した日との間に、「丸6か月間」なければならないことになる。例えば、20XX年2月15日に株式を取得して前記議決権数要件を充足した株主は、20XX年8月16日から株主提案権の行使が可能となる。

この6か月の期間(すなわち、株主提案権の権利行使日から遡って6か月前の日から権利行使日まで)の間、提案株主は、会社のその時々の議決権総数に照らして、総株主の議決権の100分の1以上または300個以上の議決権を継続して保有していればよい(6か月の期間中に増資等が行われ、対象会社の議決権総数が増加したとしても、それより前の時点における議決権数要件の充足が、遡って否定されるわけではない。)。

この「総株主の議決権の100分の1以上または300個以上の議決権」という議決権数要件を、株主提案権の行使時点からいつまで充足している必要があるかについては、議論がある。この点については、①株主総会終結のときまで充足している必要があるとする見解(森本滋『会社法』199頁(有信堂高文社、第2版、1995)、江頭・株式会社法342頁、会社法コンメ(7)104頁〔青竹正一〕)、②株主名簿の基準日まで充足している必要があるとする見解(前田庸『会社法入門』383頁(有斐閣、第13版、2018))、③行使日と基準日のいずれか遅い日までとする見解(前田重行「株主提案権について――その行使要件と規定の構成について」北澤正啓先生還暦記念『現代株式会社法の課題』187頁(有斐閣、1986)、論点解説126頁)がある(本書70頁参照)。

実務上、会社側の取扱いとしては、③の見解に拠るのが一般的であるが(本書70頁参照)、株主提案権を行使する株主側としては、前記①の見解を考慮し、特段の必要性がない限り、株主総会終結時まで、株主提案権の議決権数要件を充足しておくのが無難である。

(ウ) 複数の株主による共同での権利行使

株主が、複数の株主により共同で株主提案権を行使する場合、議決権数要件については、単独では要件を満たさなくとも、各株主の保有議決権を合算して、総株主の議決権の100分の1または300個以上の議決権の要件を満たせば足りる(稲葉・改正会社法132頁、会社法コンメ(7)102頁〔青竹正一〕)。一方、保有期間要件については、各株主がこれを満たしている必要があると考えられる。

(2) 行使期限

公開会社の株主は、株主総会の日の8週間前までに株主提案権を行使する必要がある（会社法303条2項、305条1項）。このような行使時期の制限が設けられたのは、会社側に招集通知の印刷や発送のための準備期間を確保するためである。

なお、当該期間は定款により短縮することが認められているが（伸長はできない。）、一般的には、かかる取扱いはなされていない。

この「8週間前まで」とは、株主提案権を行使した日と株主総会の日の間に「中8週間」（すなわち中56日）必要という意味である。

株主は、招集通知が発送されるまで株主総会の日を知り得ないのが通常であるため（事実上株主総会の日が確定していても、取締役会による正式な決定前に会社が株主から問い合わせを受けて、これに回答する義務はない。）、株主総会の日を推測して提案するよりほかない（実務相談(2) 630頁〔元木伸〕）。そのため、臨時株主総会において株主提案権を行使することは、予め臨時株主総会の開催予定が公表されていない限り、事実上不可能に近いことになる。株主提案権を行使する株主側としては、定時株主総会の場合も、例年よりも株主総会の日が一定期間前倒しとなった場合も想定しつつ、十分な余裕を見込んで株主提案権の行使をする必要がある。

なお、株主総会の日から遡って中8週間を空けた日が日曜日その他の休日であった場合の取扱いについては、期間はその翌日に満了するとする民法142条を準用・類推し、株主の権利行使期間を伸長する方向で、8週間前の日の翌日（翌日も休日である場合は、翌々日）が権利行使期限となるものと解されている（Q&A株主総会(1) 582頁〔吉田清見〕）。この点、大阪地判平成24・2・8金判1396号56頁も、株主総会の日から遡って中8週間を空けた日が休日であった事案について、当該休日ではなく、翌営業日を株主提案権の行使期限としている。

(3) 行使の宛先

会社法では、株主提案権の行使は、取締役に対してするものとされている（会社法303条1項、305条1項）。

ここにいう「取締役」の意義については、旧商法下の通説においては代表取締役に対して行使しなければならないとされており（元木・改正商法89頁）、会社法下においても、請求の相手方は代表取締役（指名委員会等設置会社においては代表執行役）であるとする見解がある（会社法コンメ(7) 105頁〔青竹正一〕）。一方、会社法の下で、「株主総会は、……取締役が招集する」（会社法296条3項）における「取締役」の意義について、取締役会の決定を代表取締役（指名委員会等設置会社においては代表執行役）が執行する形で招集するとの見解がある一方（江頭・株式会社法324頁、龍田節『会社法大要』175頁（有斐閣、2007）等）、株主総会の招集が会社の内部的な意思決定機関である株主総会の招集手続に関する行為であり、業務執行には該当しないという理由により、株主総会の招集や代表取締役や執行役の権限となるものではなく、取締役の資格で招集できるとする見解がある（論点解説468頁）。後者の見解と平仄を合わせると、株主提案権の行使の受領についても、業務執行に該当しないことを理由に、代表取締役に限定されない取締役が請求の相手方となるとの解釈も考えられる。このほか、株主提案権の行使は法的効果を生じさせる意思表示といえることから、会社としては意思表示を受領する権限を有する者（代表取締役、支配人、ある種類または特定の事項の委任を受けた使用人）に対してなされたときのみ法的効果が発生するものであり、それ以外を宛先とする場合には適法な株主提案権の行使とならないとして取り扱うとする見解もある（株主総会ガイドライン271頁）。

このように、会社法303条1項・305条1項において請求の相手方とされる「取締役」の意義については、必ずしも代表取締役と限定的に解する必要はないという解釈も考えられるが、異なる見解もあるところであり、株主提案権を行使する株主側としては、特段の必要性がなければ、代表取締役宛（指名委員会等設置会社において、代表執行役が取締役を兼務するときは当該取締役）に提出するのが無難である。実務上も、通常、代表取締役宛に株主提案権の行使が行われている。

(4)　行使方法

旧商法では、株主提案権の行使は書面（会社の承諾があれば電磁的方法によることも可能）によってなされる必要があった（旧商法232条ノ2第1項・3項、204条ノ2第2項・3項）。会社法では、株主提案権の手続の性質上、書面等の要式性を要求する必要はないため、特にこのような制限は設けられず、書面以外の口頭（電話）により行使することや、会社の承諾を得ることなく電磁的方法により株主提案権を行使することも可能とされている（論点解説127頁）。

もっとも、権利行使の方法については、定款に記載することのできる事項である「その他の事項」（会社法29条）に該当し、かつ、株主提案権（会社法303条、305条）の規定は、権利行使の方法につき制限をかけないということを強行的に要求するものではないから、会社が定款の定めによりまたは定款の定めによる委任に基づき株式の取扱い等に関して定められる株式取扱規程等により、株主の請求の方法について合理的な制約を加えることは差し支えないものと解されている（論点解説127頁）。このため、会社法施行後、株式取扱規程において、株主提案権の行使等について、その方法を書面に限定する旨の定めを置いている会社は少なくない（本書64頁の記載例B参照）。

株式取扱規程は対外的に公表されていない場合もあるため、株主提案を行おうとする株主としては、かかる内部規程による制限の有無を事前に会社に確認の上、あるいは、当初から書面により、株主提案権の行使をすることとなる。

書面による権利行使を行う場合、それを届ける方法としては、持参または郵送のいずれでもよい。実務的には、株主提案権の行使の意思表示が会社側に到達したことおよび権利行使の内容を明確にするために、配達証明付内容証明郵便により送付する場合が多い。

(5)　代理人による株主提案権の行使

株主提案権は代理人が行使することも可能である。定款に「株主は、当会社の議決権を有する他の株主1名を代理人として、その議決権を行使することができる。」という規定が存在していても、当該規定に拘束されないと解されている（松山・株主提案23頁）。議決権の代理行使を株主に限る旨の定款規定を置く会社においても、株主提案権の代理行使は、必ずしも株主総会の日における議決権行使の代理行使資格の必要性を前提としないためである（中西敏和「株主提案権行使への実務対応〔上〕」商事法務1146号23頁（1988））。

実際、株主の株主提案権の行使に際しては、法律専門家である弁護士が代理人となることが多い。

代理人による株主提案権の行使については、外国居住株主等の選任した常任代理人による株主提案権の行使の可否について争いがある。具体的には、外国居住株主等が常任代理人を選任し、会社への常任代理人選任届に「名義書換請求権の行使、株主総会における議決権の行使、……その他株主の権利義務に関する一切の行為」を常任代理人に委任する旨の文言が記載されている場合、株主提案権の行使が「その他株主の権利義務に関する一切の行為」に該当するか問題となる。この点について、株主提案権のような個別性の強いものは常任代理人への委任事項にはなじまないとする見解がある（中西・前掲23頁）。他方、株主の権利の全てを行使し得る者は常任代理人であるとする見解もある（Q&A株主総会(2) 1918頁〔今中利昭＝市川裕子〕）。実務上、常任代理人を選任した外国居住株主等による株主提案権の行使について、株主本人からの権利行使の場合も、常任代理人からの権利行使の場合も、そのことのみをもって拒絶する対応はされない場合が多いと思われるが（本書70頁参照）、前記のとおり見解が分かれるため、提案株主としては会社側の取扱いを事前に確認するのが無難である。

(6)　提案の内容

(ア)　議題と議案

議題（会社法上、「株主総会の目的である事項」と表記される。会社法298条1項2号参照）とは、株主総会でいかなる事項が採決の対象となるのかを株主に知らしめ、取締役会設置会社においては株主総会において決議しうる事項の範囲を画するものであり（会社法309条5項）、議案とは、議題に対する具体的な解決策として、当該議題について株主総会で具体的に決議に付される内容を指す。例えば、取締役選任決議の場合には、議題とは「取締役○名選任の件」を指し、議案とは「○○を取締役として選任する」という具体的な候補者の案を指す（元木・改正商法88頁、田中・会社法163頁。なお、「○名」の部分が議題の範囲を画するかについては、本書90頁参照）。

会社法では、議題提案権（303条）と自己の議案の通知請求権（305条）を定めているが、議題提案権と自己の議案の通知請求権を同時に行使すべきか別個に行使できるかが問題となる。

自己の議案の通知請求権のみが行使された場合、すなわち議案のみが提案された場合には、およそ議案である以上、論理的には常に一定の議題を前提としていると考えられるから、形式上は議案のみの提案であるとしても、当然その前提として当該議案の内容から合理的に推測し得る議題の追加提案を含むものと解することができる（崎田直次編著『株主の権利――法的地位の総合分析』178頁〔西脇敏男〕（中央経済社、1991）、注釈会社法(5) 66頁・67頁〔前田重行〕）。

株主が1,000人以上おり、書面投票制度の採用が義務付けられている会社に対する株主提案権の行使に際しては、株主総会参考書類に議案の記載が要求されている（会施規73条1項1号）以上、議題のみの提案は、不適法なものとして取り扱われることなる。このため、提案株主としては、自己の議案の通知請求権（会社法305条）の行使として、株主総会参考書類の記載事項である「議案」の内容を、株主提案の内容に盛り込む必要がある。ただし、例えば「取締役○○解任の件」や「会社解散の件」というような、議題の性質上、議案に相当する具体的な提案を含むものであれば、議題のみを提案することも認められる（元木・改正商法88頁参照）。

一方、書面投票制度を採用しておらず、株主総会参考書類の作成が不要な会社については、招集通知に議案の概要の記載が求められる議題（会施規63条7号）に関する議案であっても、議案が確定していない場合にあっては、その旨を招集通知に記載・記録するものとされており（同号柱書）、招集通知に議案の概要が記載されないことが許容されていると考えられることから、議題のみ提案することも認められると考えられる。もっとも、例えば、株主が取締役選任の議題を提案したにもかかわらず、株主総会の終結時までに具体的な提案をしなかった場合には、そもそも決議の対象が存しないことから、当該株主総会において取締役選任議案は付議されないこととなる。

㈠　株主総会の目的である事項の提案

株主提案権は株主総会の目的である事項についてなされる必要がある（会社法303条1項、305条1項）。すなわち、株主提案権は株主総会の権限である事項についてなされる必要があり、取締役会設置会社においては、株主総会は法令または定款に定められた事項以外を決議することはできないことから（会社法295条2項）、株主提案権の行使の際には法令または定款で定められた事項しか提案することはできない（同項）。

例えば、取締役会の専決事項である業務執行の決定（重要な財産の処分等）について提案することはできない。もっとも、異論もあるが、定款の内容については特に制限はなく、取締役会等が決定権限を有することとされている事項（業務執行の決定、株式引受人の募集等）については、どのような事項であれ、定款の定めにより株主総会の決議事項とすることができると解されており（論点解説262頁）、取締役会が決定権限を有する業務執行の決定を株主総会の決議事項とする定款変更議案と合わせて、業務執行の決定について提案をすることも可能と考えられる。

法令または定款に定められた事項ではない株主総会の権限外の事項について、可決されても拘束力を持たない勧告的提案が株主提案の対象として認められるかについて、会社法上の株主総会の決議事項ではない以上、認められないと考えるのが通常である。裁判例においても、勧告的提案を株主提案の目的にすることを否定するものが多い（大阪地判平成元・4・5資料版商事法務61号15頁、東京高決令和元・5・27資料版商事法務424号118頁参照。ただし、フェイス事件決定（京都地決令和3・6・7資料版商事法務449号90頁）は、株主総会の決議事項に属する事項に関する株主提案の事案ではあるが、法的拘束力を有しない勧告的提案であっても、株主提案の対象となる余地と認めている。）（詳細は本書72頁参照）。なお、株主総会の権限外の事項について、これを株主総会決議事項とする定款変更議案と合わせて提案すれば、有効な株主提案となることは、前記の取締役会の専決事項の場合と同様である。

また、合併契約、事業の全部または重要な一部の譲渡に関する契約の承認等、株主総会決議事項ではあるものの、性質上会社側の発議によってのみ株主総会に付議されることが適切である事項について、株主提案権の行使が許されるかについては見解が分かれる（本書73頁参照）。

㈦　反対提案

反対提案（例えば、会社提案によるX社との合併契約承認の件に対して、X社とは合併すべきでないというような提案）が認められるかについては、会社提案に対する修正提案等の趣旨を含まない、専ら会社提案に反対することを内容とする純粋な反対提案については、会社提案が可決・否決されれば否決・可決されるという表裏の関係にあり、これを独立の議案として取り上げる必要性に乏しく、理論的にも、会社法305条1項および会施規93条1項所定の「議案」に該当しないと考えられる（本書96頁参照）。

この点、東京地判平成26・2・27平成25年㈦第18383号判例集未登載も、会社提案の取締役選任議案の取締役候補者を選任しない旨の反対提案について、「議決により法的な効果を生じさせる積極的な提案内容を含むものではないから、会社法305条1項及び会社法施行規則93条1項所定の『議案』には当たらない」ことを理由に、消極説に立っている。

㈤　法令・定款違反の提案

株主は、法令・定款に違反する議案を提案することはできず、このような提案がなされた場合、会社はこれを拒否することができる（会社法305条6項）。法令に違反する議案とは、例えば、分配可能額を超える剰余金配当議案や欠格事由のある取締役の選任議案等である。定款に違反する議案とは、例えば、定款で定める員数を超える取締役の選任議案等である。もっとも、定款に違反する議案については、定款変更議案と合わせた条件付きの提案の形であれば可能と考えられる（竹内昭夫『改正会社法解説』104頁（有斐閣、新版、1983））。

なお、議案の一部に法令違反が含まれる場合について、東京地決平成25・5・10資料版商事法務352号34頁は、「議案の一部に法令に違反する内容が含まれる議案については、株主提案の対象とはなり得ないと解するのが相当である」との判断を示しており、留意が必要である（このほか、実務上問題となることが多い役員の選任および解任議案については、本書75頁以下参照）。

⑺　提出議案数の制限に対する対応

令和元年改正会社法において、株主提案権の濫用的な行使を制限するため、会社法305条4項・5項が新設された。

まず、会社法305条4項前段は、取締役会設置会社の株主が自己の議案の通知請求権を行使する場合において、「当該株主が提出しようとする議案の数が十を超えるときは、前三項の規定は、十を超える数に相当することとなる数の議案については、適用しない。」と規定する。これは、10個を超える数に相当する数（例えば、12個の提案がなされた場合は2個）の議案について、会社が株主の自己の議案の通知請求を拒絶することができることを意味する（本制度における議案の個数の算定方法等は、後記79頁参照）。

また、当該拒絶できる議案の決定方法について、会社法305条5項は、「十を超える数に相当することとなる数の議案は、取締役がこれを定める」としつつ、当該請求をした株主が「議案相互間の優先順位を定めている場合」には、「当該優先順位に従」うとする。

提案株主としては、かかる定めを意識して、提案する議案の個数（さらには、提案する議案の個数が10個を超えまたは超える可能性がある場合に、議案の優先順位を定めるか）を検討するべきこととなる（本制度の詳細は、本書79頁以下参照）。

(8)　同一の議案の連続提案

自己の議案の通知請求権を行使しようとする場合において、当該議案と実質的に同一の議案につき株主総会において総株主（当該議案について議決権を行使することができない株主を除く。）の議決権の10分の１（これを下回る割合を定款で定めた場合にあっては、その割合）以上の賛成を得られなかった日から３年を経過していない場合は、自己の議案の通知請求権を行使することはできない（会社法305条６項）。これは泡沫提案が繰り返されることを避けるという趣旨で定められたものである（稲葉・改正会社法134頁）。

「実質的に同一」か否かは、具体的なケースに即して判断することとなるが、実質的な同一性が問題とされている以上、形式的には議案が全く同じではないとしても、その実質的意味内容が同一と評価できるものは同一性が肯定される。一方、形式的には全く同一の提案であっても、前回の提案とその背景や条件が異なり、提案の実質的な意味が異なる場合には、同一性は否定されることとなる。例えば、配当の増額を内容とする剰余金の配当議案は、たとえ１株当たりの配当額が同じでも、事業年度が異なれば同一の議案ではないと解されている（稲葉・改正会社法134頁）。また、取締役の員数を５名から８名に増員する定款変更議案が否決された後に、５名から10名に増員する議案を提出することが、「実質的に同一」に当たるかについては見解が分かれる（服部榮三「株主提案権」代行リポート60号５頁（1982)、多田晶彦「株主提案権の行使に対する対応」河本一郎ほか『株主提案をめぐる実務――行使事例と関係資料』別冊商事法務80号50頁（1985）は肯定する。神崎克郎「株主提案権行使の法的問題」商事法務1070号８頁（1986）は否定する。）（本書86頁参照）。

「賛成を得られなかった日から３年を経過していない場合」の意義に関しては、①株主提案権行使の日から逆算して３年内に決議がされていたこととする見解（元木・改正商法91頁、注釈会社法(5) 76頁〔前田重行〕)、②提案された議案が審議されるべき株主総会の日を基準として過去３年内に決議がされていたこととする見解（神崎・前掲８頁、服部・前掲５頁、崎田直次編著『株主の権利――法的地位の総合分析』181頁〔西脇敏男〕（中央経済社、1991））がある（本書87頁参照）。

なお、自己の議案の通知請求をしたが、提出議案数の制限（上記(7)）によって拒絶された場合には、当該議案については連続提案の制限は適用されず、次の株主総会で再度自己の議案の通知請求をすることができる（一問一答（令和元年改正）67頁）。

(9)　通知する内容

株主が1,000人以上おり、書面投票制度の採用が義務付けられている会社に対する株主提案権の行使に際しては、会社の解散を求める議題や特定の取締役の解任を求める議題のように、議題の性質上具体的な提案を必要としないものを除き、自己の議案の通知請求権（会社法305条）の行使として、株主総会参考書類の記載事項である「議案」の内容を、株主提案の内容に盛り込む必要がある（本書55頁参照）。

また、株主が株主提案権の行使に際して、「提案の理由」を記載した場合、その内容は株主総会参考書類に記載されることとなるため（会施規93条1項3号、本書106頁参照）、株主としては、他の株主に自己の議案の正当性をアピールするためにも、提案の理由を記載するのが一般的である。

ただし、提案の理由が、株主総会参考書類にその全部を記載することが適切でない程度の多数の文字、記号その他のものをもって構成されていると判断される場合、または、株式取扱規程等によって予め会社が定めた文字数の制限（株式取扱規程の記載例は本書64頁の記載例B参照）を超える場合、その概要のみが記載されることとなる（会施規93条1項柱書括弧書、本書108頁参照）。このため、株主としては、株主提案権の行使に際して通知する提案の理由は簡潔にとどめ、それ以上の主張内容を株主に通知するためには、プレスリリースや委任状勧誘を通じて直接株主に通知する等の方法によらざるを得ない場合も少なくない。

また、提案する議案が取締役、会計参与、監査役または会計監査人の選任議案である場合は、候補者の略歴等会施規74条から77条までに定める事項（当該事項が明らかに虚偽である場合における当該事項を除く。）を会社に対して通知したときは、その内容も株主総会参考書類に記載される。当該通知内容も、前記「提案の理由」の場合と同じ分量の制限がある（例えば、株式取扱規程に本書64頁の記載例Bの規定が置かれている会社においては、取締役2名の選任議案を提案した株主は、1候補者につき400字以内で、提案した取締役候補者の略歴等を通知することが考えられる。）。

株主提案の書面の様式については、法令上、特別の規定は設けられていない。

記載例：株主提案書（電子提供制度適用会社）

○年○月○日

○○○○株式会社
　代表取締役○○○殿

株主提案書

貴社株主　○○　○○
上記代理人弁護士　○○　○○
Tel：○○－○○○○－○○○○
Fax：○○－○○○○－○○○○

　上記提案株主は、会社法303条、同305条、同325条の4第4項に基づき、株主提案権を行使し、議案の要領について電子提供措置をとることを請求する。(注1)
　提案する議題、提案の内容および提案の理由は、以下のとおりである。

第1　提案する議題
　剰余金の配当の件

第2　提案の内容
　第○期の期末剰余金の配当として、1株当たり30円を配当する。
　(1)　配当財産の種類
　　　金銭
　(2)　株主に対する配当財産の割当に関する事項およびその総額
　　　当社普通株式1株につき金30円　総額×円(注2)
　(3)　剰余金の配当が効力を生じる日
　　　×年×月×日(注3)

第3　提案の理由
　貴社の○年○月期の予想連結当期純利益は1株当たり○円であるところ、当社が従来の1株当たり年○円の配当を継続するとすれば、連結配当性向は○%という極めて低い水準となる。……（以下略）

（注1）　電子提供制度適用会社においては、株主提案に係る議案の要領について、電子提供措置をとることを請求することになる（会社法325条の4第4項）。他方、電子提供制度適用会社でない会社においては、議案の要領を株主に通知すること（招集通知に記載または記録すること）を請求することになる（会社法305条1項）。

（注2）　剰余金の配当を承認する株主総会においては、配当財産の帳簿価格の総額を決議する必要があるが（会社法454条1項1号）、会社が保有する自己株式には剰余金の配当は行われないところ（会社法453条）、株主提案権行使時点において事業年度末日時点の自己株式の数がわからない場合が多いことから、配当金の総額を株主提案書に記載することが困難である場合が多い。そのような場合、株主提案書においては「剰余金の配当の対象となる株式数に金○円を乗じた金額」等と算定式のみを記載し、後日会社と協議の上、具体的な金額を特定することが考えられる。

（注3）　実務上、株主総会の決議事項である剰余金の配当の効力発生日（会社法454条1項3号）として株主総会の日の翌営業日を記載することがあるが、株主提案権行使時点においては株主総会の日は未定であることが多い。そこで、株主提案書においては、「株主総会の日の翌営業日」と記載し、株主総会の日が決定した後に、具体的な日を特定することが考えられる。

⑽　個別株主通知

㈠　少数株主権等への該当性

2009年1月5日以降、全ての上場株式は、振替法に基づく振替制度の対象となり、いわゆる「株券電子化」が実施されている。

振替法上、上場会社の株主が「少数株主権等」を行使しようとする場合、振替口座を開設している直近上位機関を経由して振替機関に対する個別株主通知の申出を行い、振替機関から会社に個別株主通知がされた後、4週間が経過する日までの間に権利を行使しなければならないとされている（振替法154条2項・3項、振替法施行令40条）。個別株主通知により、振替口座に記録された当該株主の株式保有履歴（実務上、その期間は個別株主通知の申出受付日の前日から起算して6か月と28日前の日から申出受付日の前日までの間とされている。証券保管振替機構「株式等の振替に関する業務規程」154条19項6号・7号、「株式等の振替に関する業務規程施行規則」204条参照）が会社に通知され、会社はこれにより、当該株主の株主資格や議決権数要件・保有期間要件の充足の有無を確認することができる。

個別株主通知の法的性質は、少数株主権等の行使に際して、自己が株主であることを発行会社に対抗するための対抗要件であると解されている（大野晃宏ほか「株券電子化開始後の解釈上の諸問題」商事法務1873号51頁（2009））。株主名簿の名義書換を株式の譲渡の対抗要件とする会社法130条1項は少数株主権等の行使について適用除外となり（振替法154条1項）、直近の株主名簿に記載されている者も、少数株主権等の行使に際して個別株主通知の手続を経なければならない。個別株主通知が会社に対する対抗要件である以上、会社は、個別株主通知を欠く少数株主権等の行使を拒絶することができる（本書68頁参照）。

「少数株主権等」とは、会社法124条1項に規定する権利（議決権や剰余金の配当請求権等、基準日により定まる権利）を除く株主の権利を指すと定義されており（振替法147条）、議題提案権および自己の議案の通知請求権もこれに含まれる（会社法コンメ⑺105頁、113頁〔青竹正一〕）。したがって、株主が株主提案権を行使しようとする場合、自己が株主であることを発行会社に対抗するための対抗要件として、個別株主通知が必要となる。

(イ)　個別株主通知の期限

株主提案権の権利行使期限との関係で、株主はいつまでに個別株主通知を行う必要があるかが問題となる。

この点、株主提案権は、株主総会の日の8週間前までに行使しなければならないとされているが、当該行使期限は、会社側に招集通知の印刷や発送のための準備期間を確保する趣旨で法定されている。したがって、この行使期限までに会社が株主提案の権利行使要件の充足が確認できるよう、個別株主通知は、遅くとも、株主総会の日の8週間前までになされる必要がある（大阪地判平成24・2・8金判1396号56頁）。

株主提案権の行使が行使期限内にされていたとしても、当該期限内に個別株主通知が会社に到達しなかった場合、会社は株主提案を拒絶することができ、その後に個別株主通知が到達しても瑕疵は治癒されない（会社側の任意の判断により、行使期限後に個別株主通知が到達した権利行使を有効と取り扱うことは可能であるが、かかる取扱いがされる保証はない。）。実務上、直近上位機関へ個別株主通知の申出をしてから、会社に個別株主通知がなされるまでに、最短でも4営業日を要するため（証券保管振替機構「株式等振替制度に係る業務処理要領」(2022年4月1日最終更新）2－10－36)、提案株主としては、当該期間も見込んで個別株主通知の申出を行う必要がある。

なお、法令上、少数株主権等の行使期限は、個別株主通知がなされてから4週間が経過する日までとされている（振替法施行令40条）。しかしながら、前記大阪地裁平成24年判決は、個別株主通知がされた後に株主提案権の行使を要求するのは株主に酷であることや、個別株主通知は権利行使要件ではなく対抗要件であること等を理由に、個別株主通知は株主提案権の行使に先立ってされる必要があるとまではいえないとしており、株主提案権の行使期限内に権利行使と個別株主通知が行われていれば、その前後は問わないこととしているため、留意が必要である（太子堂厚子「個別株主通知に関する諸問題――近時の裁判例を踏まえて」商事法務1995号54頁（2013))。

第2
会社側による株主提案の適法性等の確認

株主の株主提案権の権利行使の意思表示を受領した場合、会社としては、招集通知発送まで（株主提案権の行使が、株主総会の日の8週間前の期限の直前に行使されれば、招集通知発送までには、最大でも約6週間の処理期間しかなく、招集通知の印刷の校了期限を考慮すると、実質的な処理期間はさらに限られる。）に、当該株主提案権行使が適法要件を満たすものであるか否かを確認し、これが適法であると認められる場合には、招集通知・株主総会参考書類に株主提案に係る議題および議案を記載する等の対応が必要となる。かかる検討は、招集通知・株主総会参考書類の記載内容を確定する株主総会招集の取締役会までに行う必要がある。

1　株主提案権の行使の受領

(1)　権利行使の方法について

会社法の下では、法律上、株主提案権の行使は、口頭（電話）や、会社の承諾を得ることなく電磁的方法によることも可能である（本書53頁参照）。

株主提案をする株主が、真摯に株主提案をしようとする者であれば、あえて口頭・電話等の手段による株主提案権の行使をするとは考えにくいが、このような方法も会社法上許容されている以上、後日、株主から「口頭での株主提案を行ったのに取り上げられなかった。」等の主張を受け、トラブルに発展することは回避しなければならない。このため、会社に対し、電話等により株主提案とも受け取られる申入れがあった場合は、会社側としては、当該申入れが、単なる要望であるのか、それとも株主提案権の行使であるのかを株主に確認し、当該確認の結果、株主提案権の行使の趣旨である場合は、任意に書面により権利行使するよう求めるか、あるいは、提案内容を詳細に聞き取って書面等に記録化し、株主自身の確認を得るなど、権利行使内容の明確化を図る取扱いが考えられる。

もっとも、会社法においては、株主が会社に対し、株主総会の招集請求、株主提案権の行使などの各種権利行使を行う際の様式について、旧商法が書面または電磁的方法に限定していた要件を原則廃止しているため（会社法303条等）、これらの株主の権利行使の方法については、各会社の決定に委ねられているものとして、会社が、定款または定款の委任に基づく社内規程（例えば株式取扱規程等）をもって合理的な制約を課すことは可能であると解されている（相澤哲＝郡谷大輔「会社法施行規則の総論等」別冊商事法務300号14頁（2006）、論点解説127頁）。したがって、会社としては、株主提案権の行使方法を書面に制限するために、定款および株式取扱規程等の社内規程に、以下のような定めを置くことが考えられる。かかる規定を設けている会社に対し、口頭・電話等による株主提案権の行使がされた場合は、会社としては、書面による権利行使をする必要がある旨告知することが考えられる。

記載例：定款および株式取扱規程における規定例

A　定款における授権の規定例

> （株式取扱規程）
> 第○条　当会社の株主権行使の手続その他株式に関する取扱いは、法令または本定款のほか、取締役会において定める株式取扱規程による。

（コメント）

全国株懇連合会の定款モデル（2021年10月22日最終改正）における株式取扱規程に関する定款規定第11条「当会社の株式に関する取扱いおよび手数料は、法令または本定款のほか、取締役会において定める株式取扱規程による。」の定めによって、株主の権利行使の取扱いについても株式取扱規程に授権されると一般的に理解されているが（全株懇モデルⅠ 25頁）、この点を明確にするため、株式取扱規程の内容として「株主の権利の行使」を明記しておくことが望ましいと思われる（太田洋「株主提案と委任状勧誘に関する実務上の諸問題」商事法務1801号27頁（2007））。

B　株式取扱規程における規定例

> （少数株主権等）
> 第○条　振替法第147条第4項に規定された少数株主権等を当会社に対して直接行使するときは、個別株主通知の申出をしたうえ、署名または記名押印した書面により行うものとする。
>
> （株主提案議案の株主総会参考書類記載）
> 第○条　株主が本会社に対し、株主総会の目的である事項につき当該株主が提出しようとする議案の要領を株主に通知することを請求した場合において、

当該提案に際して通知された以下の事項の記載が以下の分量を超えるときには、本会社は、株主総会参考書類にその概要を記載することができる。
(1)　提案の理由
　各議案ごとに400字
(2)　提案する議案が取締役、監査役および会計監査人の選任に関する議案の場合における株主総会参考書類に記載すべき事項
　各候補者ごとに400字

（コメント）

(a)「少数株主権等」の条項では、株主の権利行使を、署名または記名押印した書面によって行うべきことを規定している。このほか、書面のフォーマット・提出先となる部署等を規定することも考えられる。メール等の電磁的方法による権利行使を認める場合は、その旨および送信先アドレス等を定めることも考えられる。

なお、上場会社の株主が「少数株主権等」を行使しようとする場合、振替機関に対する個別株主通知の申出を行い、振替機関から会社に個別株主通知がされた後、4週間が経過する日までの間に権利を行使しなければならず（振替法154条2項・3項、振替法施行令40条）、上記条項中の「個別株主通知の申出をしたうえ」とは、かかる振替法の規律を定めたものである。もっとも、裁判例は、株主提案権の行使に関して、個別株主通知は株主提案権の行使に先立ってされる必要があるとまではいえないとしているため（本書62頁参照）、前記条項は通常の場合を定めたものと理解すべきこととなる。

(b)「株主提案議案の株主総会参考書類記載」の条項では、株主総会参考書類に記載する株主提案議案の提案の理由等の分量について、「その全部を記載することが適切であるもの」（会施規93条1項括弧書）を旧商法下における提案の理由の記載についての制限と同一の400字以内（本書108頁参照）とするものである。かかる文字数の制限を余りに少なく規定した場合は、不当な制約として無効となり得ると考えられるが、旧商法下の制限と同一の400字とした場合は、これが直ちに不合理な制約とされることはないと考えられる。なお、全国株懇連合会の株式取扱規程モデルの補足説明の規定案では、2号は「提案する議案が役員選任議案の場合における株主総会参考書類に記載すべき事項」とされている（全株懇モデルⅠ131頁）。しかし、単に「役員」とすると会計監査人が含まれないため（会社法329条1項、会施規93条1項）、上記規定例では、会計監査人設置会社であることを前提に、機関名を個別に列記する記載としている。

もっとも、一律に400字という制限を置いた場合、議案によっては、合理的な制限ではないと解される可能性もあるため、①必要に応じて、字数や分量の制限を緩和できる旨の留保を規定上に明記しておくこと（太田・前掲28頁。なお、ここでは、提案の理由・役員選任議案の場合の候補者に関する事項に限らず、全ての議案の内容について、原則400字以内に制限する規定例が提案されている。）、

または、②一律の文字制限の定めを置かず、株主提案が行われる都度、当該議案の内容に照らして、その提案の理由等の記載が「株主総会参考書類にその全部を記載することが適切でない程度の多数の文字、記号その他のものをもって構成されている」か否かを判断することとする取扱いなども考えられる。

⑵　権利行使の宛先・行使日時・代理人等

株主提案権の行使は、法文上「取締役」宛に行うべきものとされているところ（会社法305条）、当該「取締役」については、必ずしも代表取締役と限定的に解する必要はないとの解釈も考えられる（本書51頁以下参照）。したがって、会社としては、代表取締役以外の取締役（業務担当取締役のみならず社外取締役も含む。）を宛先とする株主提案書が提出された場合も、有効な権利行使として取り扱うのが無難である。口頭・電話等による権利行使の場合、権利行使の宛先が不明確であることもあり得るが、会社側としては、株主に対し、宛先を明記した書面による権利行使を求めるなどの方法により、権利行使の宛先を明確化する取扱いが考えられる。

また、株主提案権の行使が法定の行使期限内に行われたものであるか否かも、事後的に明確になるようにしておく必要がある。書面による権利行使がされた場合において、配達証明付内容証明郵便による場合には、法定期限内の提出であるか否かは明確であるが、その他の普通郵便や持参による提出が行われた場合には、念のため、会社側で日付入りの受領印を押して保管するという取扱いが考えられる。また、口頭や電話による権利行使の場合は、前記のとおり提案内容を書面化する際に、権利行使日を記載しておくことが考えられる。

株主提案権の行使に際しては、株主本人の本人確認書類の提出を受ける必要がある。株主提案権は代理人によって行うことが可能であるが（本書53頁参照）、代理人名義での権利行使がされた場合は、株主本人の授権による代理権の有無を確認するため、委任状または本人の意思が確認できる書面等と株主および代理人の本人確認書類の呈示を求めることになる（本書69頁以下参照）。株主による適法な株主提案権の行使として取り扱うためには、株主の本人確認が必要であるため、株主提案権の行使を受けた場合、会社としては、直ちに、これらの資料の提出の有無および不足がないかを確認するべきことになる。

2　形式的要件のチェック

会社としては、まず、株主による株主提案権の行使について、当該株主の権利行使が法定の権利行使要件（①議決権数要件、②保有期間要件、③行使期限）を充足しているか否かのチェックを行うことになる。かかる形式的要件の内容は、本書68頁以下に記載したとおりであり、その内容を一覧表にまとめると、表8のとおりとなる。

以下、会社による形式的要件チェックの際に考慮すべき点は以下のとおりである。

表８：提案株主の形式的要件チェックリスト（公開会社）

	要件		チェック事項
1	株主資格		権利行使した者が株主であること（代理人による権利行使の場合は、当会社の株主による代理権の授権が行われていること）
2	議決権数要件		総株主の議決権の100分の1以上の議決権または300個以上の議決権を保有すること（複数の株主により共同で株主提案権の行使が行われた場合には、当該各株主の保有議決権を合算して当該要件を満たしていること）
3	保有期間要件	6か月	株主提案を行った株主が、当該権利の行使日から遡って満6か月前の日（行使日との間に「丸6か月間」の間を空けた日）から行使日までの間、その時々において、常に、前記保有議決権数の要件を満たしていること
		充足期間	株主提案権の行使日が株主総会の基準日よりも前であった場合は、基準日時点まで、前記議決権数要件の要件を満たす議決権を継続して保有していること （注）本書70頁の③の見解に拠る場合
4	行使期限		株主総会の日の8週間前までに権利行使されたこと（権利行使日と株主総会の日の間に「中8週間」が必要）
5	権利行使方法		書面による権利行使が行われていること （注）株式取扱規程等の社内規程において、権利行使の方法を書面によるものに限定した場合。社内規程において権利行使方法についてその他の制限を置いた場合は、当該制限を遵守しているかが確認事項となる。

(1)　株主資格の確認

株主提案権を行使する者は、資格要件（議決権数要件・保有期間要件）を満たす株主である必要がある。会社としては、個別株主通知によって株主提案権を行使した者の株主としての資格要件を確認するとともに、権利行使者から当該株主の本人確認書類の提出を受けて、当該株主提案権の行使を株主本人が行ったことを確認する必要がある。

(ア)　個別株主通知による確認

上場会社である会社において、株主提案権を行使した者が資格要件（議決権数要件・保有期間要件）を満たす株主であるか否かは、個別株主通知に記録された当該株主の株式保有の状況（実務上、その期間は個別株主通知の申出受付日の前日から起算して6か月と28日前の日から申出受付日の前日までの株式保有履歴が通知される。）によって判断される（振替法154条2項・3項、本書61頁参照）。

個別株主通知の会社への到達より後に権利行使がされた場合、厳密には、個別株主通知の申出受付日から権利行使日までの株式保有の状況は会社に通知されないが、個別株主通知の制度趣旨より、個別株主通知の到達から4週間の対抗力が生じる期間内に権利行使がされていれば、会社は、当該期間内は株式保有をしているものと取り扱って差し支えない（会社が正確な株式保有状況を確認したい場合は、情報提供請求権（振替法277条）の行使により確認をすることは可能であるが、かかる確認は義務ではない。大野晃宏ほか「株券電子化開始後の解釈上の諸問題」商事法務1873号52頁（2009））。なお、複数の株主が共同で権利行使を行った場合、全ての株主について、個別株主通知による株主資格の確認が行われる必要がある。

会社が株主提案権の行使期限までに株主提案の権利行使要件の充足が確認できるよう、個別株主通知は、遅くとも、株主総会の日の8週間前までになされる必要があり、会社は、株主提案権の行使が行使期限内にされていたとしても、当該期限内に個別株主通知が会社に到達しなかった場合、株主提案を拒絶することができる（本書62頁参照）。なお、直近上位機関に対する取次請求が受理された時点で、株主に対しては「個別株主通知申出受付票」が交付され、実務上、株主が会社に対して受付票を送付する場合も存するが、受付票の存在は、当該株主が個別株主通知の申出をしたこと（数日のうちに個別株主通知が到達すること）を示すものの、それ自体が株式保有を裏付けるものではなく、受付票が株主提案権の行使期限までに提出されていても、前記取扱いを変える必要はない。いずれにしても、個別株主通知は会社に対する対抗要件であるから、会社側の任意の判断により、行使期限後に個別株主通知が到達した権利行使を有効と取り扱うことは可能である（複数の株主間で不合理な取扱いの差異を生じないよう株主平等の観点での考慮は必要である。）。

(イ)　本人確認書類の確認

個別株主通知とは別に、会社は、提案株主の本人確認を行う必要がある。株主が会社に対して直接権利の行使を行う際に、本人確認書類の提出が必要であることについては、株式取扱規程に定めを置いているのが通常である。

記載例：株式取扱規程における規定例

> （株主確認）
> 第○条　株主（個別株主通知を行った株主を含む。）が請求その他株主権行使（以下「請求等」という。）をする場合、当該請求等を本人が行ったことを証するもの（以下「証明資料等」という。）を添付し、または提供するものとする。ただし、当会社において本人からの請求等であることが確認できる場合はこの限りでない。
> 2　当会社に対する株主からの請求等が、証券会社等および機構を通じてなされた場合は、株主本人からの請求等とみなし、証明資料等は要しない。
> 3　代理人により請求等をする場合は、前2項の手続のほか、株主が署名または記名押印した委任状を添付するものとする。委任状には、受任者の氏名または名称および住所の記載を要するものとする。
> 4　代理人についても第1項および第2項を準用する。

（コメント）

上記規定例は、全国株懇連合会の株式取扱規程モデル第10条の定めに従っている（全株懇モデルⅠ 111頁）。

いかなる書類を株主本人の本人確認書類とするかについては、全国株懇連合会の「株主本人確認指針」（2008年12月5日決定、2020年10月16日最終改正）が公表されており、①請求書への実印押印と印鑑証明書の提示、②運転免許証、健康保険証や国民年金手帳等の原本またはコピーの提示、③法人株主の場合には登記事項証明書等などの方法が挙げられている（本書196頁参照）。

また、株主提案権が代理人によって行使された場合は、株主本人の授権による代理権の有無を確認するため、委任状または本人の意思が確認できる書面等と株主の本人確認書類の提出を求めるとともに、合わせて、代理人の本人確認書類の提出も求めることになる。

外国居住株主等の選任した常任代理人による株主提案権の行使の可否については、前述のとおり議論があり、株主提案権のような個別性の強いものは常任代理人への委任事項にはなじまないとする見解もあるが（反対説もある。本書53頁以下参照）、実務上は、常任代理人についての資格が確認できれば、株主本人の株主提案権の不行使の意思が明確に確認できない限り、常任代理人を通じて行使された株主提案権は、有効な権利行使として取り扱うのが無難である。

⑵　保有期間要件の充足期間

株主提案権を行使する株主が、権利を行使するための「総株主の議決権の100分の1以上または300個以上の議決権」という議決権数要件（本書49頁参照）を、株主提案権を行使した日からいつまで継続している必要があるかについては、①株主総会終結まで充足している必要があるとする見解、②株主名簿の基準日まで充足している必要があるとする見解、③行使日と基準日のいずれか遅い日までとする見解に分かれるが、会社側の取扱いとしては、実務上、③の見解に従った運用が一般的である（本書50頁参照）。すなわち、①の見解は、実体法的には素直な解釈とも思われるが、株主総会の直前、または株主総会開催中に議決権数要件をチェックするのは実務上極めて困難である。また、②の見解は、基準として明確であり、株主提案権は提案株主自身が議決権を行使できる事項に限り認められると解すべきであることから（会社法303条4項、305条3項）、内容として妥当であるものの、株主提案権が基準日後に行使される場合もある。したがって、実務上、③の見解に従い、基準日前に行使されれば基準日時点まで株式を保有していればよく、基準日後に行使された場合には行使日まで株式を保有していればよいとの取扱いが妥当と解されている（宮谷隆＝奥山健志『株主総会の準備事務と議事運営』505頁（中央経済社、第5版、2021）、久保利英明＝中西敏和『新しい株主総会のすべて』183頁（商事法務、改訂2版、2010）、松山・株主提案13頁）。

したがって、会社としては、株主提案権の権利行使日が、株主総会の基準日よりも前である場合は、個別株主通知によって権利行使の時点で提案株主が議決権数要件を充足していることを確認するとともに、機構からの総株主通知によって提案株主が基準日において株式を保有をしていることが確認できれば、当該権利行使日後も当該株主総会の基準日まで提案株主が議決権数要件を充足していたと判断して差し支えないと考えられる（会社が、基準日までの正確な株式保有状況を確認したい場合には、情報提供請求権（振替法277条）の行使により確認をすることは考えられる。)。

⑶　行使期限

株主提案権は、株主総会の日の８週間前までに権利行使される必要がある。

この８週間前の日が日曜日その他の休日に当たるときは、８週間前の日の翌日（翌日も休日である場合は、翌々日）が権利行使期限となる（株主にとって権利行使期間が伸長される）と解されている（本書51頁参照)。

株主は、株主提案権の行使時点においては、株主総会の正確な日時を知り得ないため、例えば、例年よりも株主総会の日程が前倒しになった結果、株主提案権の行使が前記要件を満たさなかった場合には、株主からのクレームも想定される。しかしながら、株主が、十分な時間的余裕をもって権利行使することは可能であり、またそれを期待し得るから、会社としては、前記要件を厳格に適用し、権利行使期限を途過した株主提案は、一律に取り上げないという運用で問題ない。

なお、期限に遅れた提案の取扱いについては、後述する（本書98頁参照)。

3　実質的要件のチェック

⑴　議題と議案

書面投票制度の採用が義務付けられている会社に対する株主提案権の行使に際しては、会社の解散を求める議題や特定の取締役の解任を求める議題のように、議題の性質上具体的な提案を必要としないものを除き、「議題」のみならず、自己の議案の通知請求権（会社法305条）の行使として、株主総会参考書類の記載事項である「議案」の内容が、株主提案の内容に盛り込まれている必要がある（本書55頁、59頁参照)。

一方、自己の議案の通知請求権のみが行使された場合、すなわち株主提案の内容として議題の記載がなく、議案のみが提案された場合には、およそ議案である以上、論理的には常に一定の議題を前提としていると考えられるから、形式上は議案のみの提案であるとしても、当該議案の内容から合理的に推測し得る議題の追加提案を含むものと解することができる（本書54頁参照）。したがって、会社としては、当該議案から客観的に読みとれる議題の名称を付して、株主総会に付議すれば足りる。

⑵　議題が株主総会決議事項であること

取締役会設置会社の株主総会においては、会社法上株主総会の決議事項と定められた事項および定款で定めた事項に限り、決議することができる（会社法295条2項）。したがって、これら株主総会の目的である事項に該当しない事項を議題とする株主提案は無効である（本書55頁参照）。

㈠　定款変更議案の提案による株主総会決議事項の拡張

会社法上の株主総会決議事項ではない事項（取締役会の専決事項である業務執行の決定等）に関する議案であっても、これを株主総会決議事項とする定款変更議案と合わせて提案すれば、有効な株主提案となる（本書56頁参照）。

例えば、定款により剰余金の配当等の決定を、取締役会決議事項とし、かつ、株主総会では決議できないことを定めている会社（会社法459条、460条）においても、かかる定款規定を削除する定款変更議案と合わせて、同議案が可決されることを条件とする剰余金の配当議案を提案すれば、有効な株主提案となる。

㈡　勧告的提案の可否

法令または定款に定められた事項ではない株主総会の権限外の事項に関する勧告提案（可決されても拘束力を持たない提案）が株主提案の対象として認められるかについて、会社法上の株主総会の決議事項ではない以上、認められないと考えるのが通常である（会社法コンメ⑺43頁〔松井秀征〕、江頭・株式会社法342頁、注釈会社法⑸69頁〔前田重行〕等）。

裁判例においても、勧告的提案を株主提案の目的にすることを否定するものが多い（大阪地判平成元・4・5資料版商事法務61号15頁、東京高決令和元・5・27資料版商事法務424号118頁参照。後者の令和元年東京高決は、「株式等の大規模買付行為に関する対応方針」を株主総会の決議事項とする定款規定のある会社において、当該対応方針の廃止は株主総会の権限の範囲に属する事項に含まれないとして、「株式等の大規模買付行為に関する対応方針」の廃止の件を株主提案の目的とすることはできないとした。また、名古屋地決令和3・7・14資料版商事法務451号121頁は、会社法297条1項に基づく少数株主による株主総会の招集請求について、株主総会の権限外の事項（2021年4月24日付で無償割当ての効力が発生した新株予約権の無償取得の件）について、招集請求権を行使することを否定している。)。

これに対し、フェイス事件決定（京都地決令和3・6・7資料版商事法務449号90頁）は、子会社の普通株式全部の現物配当（株式分配型スピンオフ）を議題とし、配当の効力発生日は追って定めること、配当の効力発生の条件を、産業競争力強化法（産競法）に基づく事業再編計画の認定を経済産業大臣より受けること、および、子会社の普通株式につき東京証券取引所の上場承認を得られることとすること等を内容とする株主提案権の行使について、当該提案について可決されたとしても勧告的な意味のみを有するとの見解が一定の妥当性を有することは否定できないとしつつ、「特段の事情がない限り、株主総会の決議事項に属する事項については株主提案権の対象と解するのが相当である」と判示した。同決定は、提案議案自体は、事業再編計画の認定や上場承認が得られない可能性があることなどから、勧告的な意味のみを有する可能性を認めつつ、株式分配型スピンオフは株主総会の特別決議を要する剰余金の配当（会社法309条2項10号）に当たると指摘して、株主総会の決議事項に属する事項であることを理由に株主提案権の対象とすることを認めたものであり、およそ株主総会の決議事項に属する事項とはいえない勧告的提案にかかる理が妥当するものではないが、法的拘束力を有しない勧告的提案であっても、株主提案の対象となる余地を認めたものとして注目される。

なお、株主総会の権限外の事項について、これを株主総会決議事項とする定款変更議案と合わせて提案すれば、有効な株主提案となることは、前記の取締役会の専決事項の場合と同様である。

(ウ)　合併契約、事業の全部または重要な一部の譲渡に関する契約等の承認の議案

合併契約、事業の全部または重要な一部の譲渡に関する契約の承認等、株主総会決議事項ではあるものの、性質上会社側の発議によってのみ株主総会に付議されることが適切である事項について、株主提案権の行使が許されるかについても問題となる。

この点については、①このような事項についての株主提案も許されるとする見解（旧商法下の文献として服部榮三「株主提案権」代行リポート60号3頁（1982)、

竹内昭夫『改正会社法解説』103頁（有斐閣、新版、1983）、会社法下の文献として会社法コンメ(7) 101頁〔青竹正一〕）、②合併等について株主提案がなされても合併契約やこれについての取締役会決議がない以上、株主提案は許されないとする見解（旧商法下の文献として大隅＝今井・会社法論（中）37頁、会社法下の文献として森本滋ほか「〔座談会〕会社法への実務対応に伴う問題点の検討――全面適用下の株主総会で提起された問題を中心に」商事法務1807号28頁・29頁〔相澤哲発言〕（2007）、邉英基「実務問答会社法　第55回　株主提案と組織再編・自己株式取得」商事法務2272号56頁（2021）。なお、後者の2つの文献は、会社が任意に勧告的提案として受け付けることは可能とする。）、③会社が提案した合併契約の修正については認められるとする見解（旧商法下の文献として上柳克郎＝鴻常夫＝竹内昭夫編集代表『新版注釈会社法⒀株式会社の解散・清算、外国会社、罰則』51頁〔今井宏〕（有斐閣、1990））、④株主が会社のために合併契約を締結した場合には事後的に承認する余地もあり得るとする見解（森本ほか・前掲28頁〔岩原紳作発言〕）、⑤株主総会の権限に属する事項であるため株主提案として提案することを肯定しつつ、このような提案は決議として可決されても取締役会に対する拘束力を持たない勧告的提案としてのみなし得るとする見解（森田章「提案権による株主提案の範囲――勧告的提案の可能性」上柳克郎先生還暦記念『商事法の解釈と展望』65頁（有斐閣、1984）、注釈会社法(5) 72頁〔前田重行〕）がある。

この点、合併を例に考えると、単に「A社と合併すること」といった抽象的な提案については、法定の株主総会決議事項であるか疑問があるほか（会社法が定める株主総会決議事項はあくまで合併契約の承認であり、合併契約の記載事項も法定されている。会社法783条1項、795条1項、749条、751条、753条、755条等参照）、簡易要件を満たさない場合の合併契約の締結には取締役会の決議を要するものと解されていることからすれば（会社法362条4項、399条の13第5項17号、416条4項19号）、取締役会設置会社が合併を行うに際して、株主総会の権限事項は、会社が締結した合併契約の承認に限定されているとして、株主は、会社が締結した合併契約の承認以外の事項を適法に提出することはできないとする前記②の否定説には、一定の理由があると考えられる。一方で、前記①⑤の見解は、「A社と合併すること」といった抽象的な提案内容も株主総会の権限に属する事項であると解しているようであり、実務的には、かかる見解の相違があることを踏まえて、合併契約の法定記載事項（会社法749条、751条、753条、755条）を具体的に特定して株主提案権の行使があった場合のみならず、前記のような抽象的な提案がされた場合であっても、保守的に、有効な株主提案として取り上げるか否かが検討課題となると考えられる。

もっとも、仮に、かかる株主提案の議案が株主総会において承認されたとしても、当該会社の取締役に、承認された合併等を実現する方向に向けた行動を取るべき法的義務は課せられないと考えられる（前記⑤の見解参照）。自社の企業価値や事業価値の向上のために合併等の組織再編・事業譲渡等を行うか否かの判断およびその具体的な諸条件の決定は、その事柄の性質上、高度の経営判断が求められることから、取締役会の判断に委ねられると解すべきであり、株主の多数の意思により承認された内容であるとしても、取締役がこれに拘束されると解すべきではないからである。

(3)　議案が法令・定款に違反しないこと

株主は、法令・定款に違反する議案を提案することはできず、このような提案がなされた場合、会社はこれを不適法なものとして拒否することができる（会社法305条6項）。もっとも、定款に違反する議案の提案については、当該定款違反を治癒する定款変更議案と合わせて、条件付きの提案の形を取れば、有効なものとして取り扱わなければならない（本書56頁参照）。

なお、議案の一部に法令違反が含まれる場合に議案全体を取り上げないことが可能かについては、東京地決平成25・5・10資料版商事法務352号34頁は、「議案の一部に法令に違反する内容が含まれる議案については、株主提案の対象とはなり得ないと解するのが相当である」との判断を示している。

以下、実務上問題となり得る役員の選任および解任議案について、個別に述べる。

(ア)　役員（取締役・監査役）選任議案

定款で定める取締役の員数の上限（「当会社の取締役は○○名以内とする。」という定款所定の上限員数）を超える取締役の選任議案は、定款に違反する議案であるから、有効な株主提案として認められない。もっとも、株主が、定款に定める上限を増加させる定款変更または役員の解任も併せて提案する場合は、かかる提案も可能である。

株主が役員選任議案を提案する株主総会において、会社側も、役員選任議案の提出を行っている場合があるが、株主の提案した役員候補者の数と会社の提案した役員候補者の合計数が、定款に定める役員の上限員数を超えることになったとしても、株主提案が定款に違反することにはならない。例えば、取締役の員数の上限が5名の会社において、会社側が甲・乙・丙・丁・戊の5名を取締役候補者とする取締役選任議案を提案した場合において、株主側からA・Bの2名を取締役候補者とする取締役選任議案の株主提案が行われた場合、当該株主提案は有効である。

もっとも、会社提案と株主提案の取締役選任議案の候補者の合計数が定款所定の取締役の上限員数を超える場合、取締役に選任される者をどのように決定すべきかが問題となる。この点、採決方法について特段の定めのない場合は、候補者1人ずつ採決を行い、出席株主の議決権数の過半数の賛成（会社法341条）を受けた候補者が定款所定の取締役の上限員数5名に達した場合は、それ以降の候補者については採決を行わない取扱いとなるとの見解がある（森本滋ほか「〔座談会〕会社法への実務対応に伴う問題点の検討――全面適用下の株主総会で提起された問題を中心に」商事法務1807号21頁〔岩原紳作発言〕(2007)）。この見解は、定款に定めた取締役の上限員数を超えて取締役を選任することは定款違反となり許されないことに基づくものであるが、この見解に従った場合、候補者をどの順番で付議するかによって結論が変わり得ることとなる。

そこで、会社が議場に諮って承認された場合には、全候補者について個別採決を行い、定款所定の取締役の上限員数5名を上回る数の候補者が出席株主の議決権数の過半数の賛成を受けた場合は、得票数が多い順に選任するという取扱いをすることも可能であると考えられる（森本ほか・前掲20頁〔岩原発言〕、実務相談(2)634頁〔神尾衞〕）。さらに、株主総会の承認による場合のほか、議長の議事整理権により、かかる得票数の上位者から当選したものとする取扱いを採用することが許されるとする見解もある（中村直人「モリテックス事件判決と実務の対応――東京地裁平成19年12月6日判決の検討」商事法務1823号21頁(2008)、石井裕介＝浜口厚子「会社提案と対立する株主提案に係る実務上の諸問題」商事法務1890号27頁(2010)。一方、議長の判断で行わせることに反対意見を述べるものとして、田中亘「株主総会における議決権行使・委任状勧誘」岩原紳作＝小松岳志編『会社法施行5年　理論と実務の現状と課題』9頁（有斐閣、2011）がある。)。

なお、定款の上限員数を超えた取締役が選任されることを回避するために、株主が有する1議決権についての投票数を、候補者の数ではなく定款の員数の上限に相当する数に限定すればよいとの見解も存在するが、投票数をこのように限定としたとしても、定款の上限員数を超える候補者が過半数の賛成を得る可能性はあり（例えば、総議決権数が100個、定款の取締役の上限員数が3名の会社において、合計4名の候補者の提案があった場合、議決権1個につき3票の投票権を与えたとすると、総投票数は300個であり、これを4で割ると75となるから、4名全員が過半数である50票超を獲得する可能性がある。）、その意味において、常に実効的ではない。

したがって、会社提案と株主提案の取締役選任議案の候補者の合計数が定款所定の取締役の上限員数を超える場合に、各株主が賛成できる候補者の上限を何名とするかについては、①候補者の数だけ賛成票を投じられるとする見解と、②選任できる取締役の員数の数についてのみ賛成票を投じられるとする見解（森本ほか・前掲19頁〔森本滋発言〕、吉本健一「株主総会における取締役選任決議の採決方法」法学新報109巻9＝10号630頁（2003））があるが、いずれの方法も可能であり、論理的にいずれかを採用しなければならないわけではないと考えられる（石井＝浜口・前掲30頁注19、松山・株主提案41頁参照）。ただし、②の考え方を取る場合、定款の上限員数を超えて賛成の議決権行使を行った株主については、全候補者について議決権行使を無効とすることになると考えられるため、株主の予測可能性を確保するため、賛成票を投じられるのが定款の上限員数に限定される旨を招集通知等に明確に記載しておく必要がある。

株主総会の日以前の議決権行使書面等の集計によって、定款の上限員数を超える候補者が過半数の賛成を得る見込みがない場合は、前記いずれの採決方法によっても、結論は変わらない。また、株主提案の候補者の全員が出席株主の議決権数の過半数の賛成を得られないことが事前に明らかとなっている場合は、株主提案の取締役選任議案について候補者ごとの個別採決を行う必要はなく、会社としては、株主提案の取締役選任議案全体をまとめて否決すれば足りる。

㈠　役員（取締役・監査役）解任議案

取締役または監査役を解任する議案（会社法339条）が株主から提案された場合において、かかる議案が可決されると取締役または監査役の員数が法令に定める員数の下限（会社法331条5項、335条3項等）を下回ることになったとしても、そのことによって、株主提案が定款に違反するものとはならない。仮に、かかる株主提案が可決された場合は、会社において、臨時株主総会を開催して新たな取締役・監査役の選任を行うか、一時取締役・一時監査役の選任（会社法346条）を行う必要が生じることになる。

また、当該株主総会の終結の時をもって任期満了により退任する役員（合わせて、直ちに再任される議案が提出される場合を含む。）の解任議案を提出することができるかについては、かかる解任議案は許されないとする見解がある（神崎克郎「株主提案権行使の法的問題」商事法務1070号6頁（1986））。一方、理論的には、株主総会の終結時における任期満了に先立ち、解任決議の承認可決時に解任の効力が発生すること、また、当該役員が再任される場合には解任理由が再任の可否の判断にも影響することや、退職慰労金支給の当否の判断にも影響し得ることから、これを取り上げるべきとの見解がある（上柳克郎ほか「〔座談会〕最近の株主総会の運営に関する訴訟をめぐる諸問題」別冊商事法務92号64頁以下〔河本一郎発言〕（1987））。この点、東京高決平成24・5・31資料版商事法務340号30頁は、当該株主総会の終結によって任期が満了する取締役7名の解任議案（うち6名については会社提案の取締役選任議案において再任予定）について、いずれも不適法とは認め難いと判断している。

⑷　議案の明確性

株主提案による議案を株主総会に付議するためには、議案としての具体性・明確性が備わっている必要がある。

例えば、剰余金の配当議案において、「剰余金の配当を1株当たり10円以上とする」といった一義的に支給額が確定しない内容の提案が行われたとしても、株主総会の決議事項（会社法454条1項）の内容の特定を欠いており、不適法である。

また、東京地決平成25・5・10資料版商事法務352号34頁は、「『ストック・オプションや株式を保有する取締役や執行役が、プットオプションを保有しコールを売却することなどの手段によるヘッジを行うことを原則として禁止する。報酬委員会は、そのためのガイドラインを作成し、株主に開示しなければならない。』という条項を、定款に記載する。」という提案について、既に付与されたストックオプションを対象とする部分は効力を生じないし、禁止すべき行為も曖昧である等として、「無効である部分を多く含む上に、内容としても明確性を欠く」ことを理由に、適法な株主提案権の行使とは評価できないとした。定款変更議案については、どこまでが明確性を欠くことを理由に不適法となるかについて一義的な線引きは困難である場合も多く、実務上、判断に迷う場合には、念のため取り上げておくということも考えられる。

⑸　提出議案数の制限に反しないこと

令和元年改正会社法において、株主提案権の濫用的な行使を制限するため、取締役会設置会社の株主が自己の議案の通知請求権（会社法305条）を行使する場合において、当該株主が同一の株主総会において提出することができる議案の数の上限を10個とする規定が新設された（同条4項）。

すなわち、会社法305条4項前段は、取締役会設置会社の株主が自己の議案の通知請求権を行使する場合において、「当該株主が提出しようとする議案の数が十を超えるときは、前三項の規定は、十を超える数に相当することとなる数の議案については、適用しない。」と規定する。

これは、10個を超える数に相当する数（例えば、12個の提案がなされた場合は2個）の議案について、会社が株主の自己の議案の通知請求を拒絶することができることを意味する。したがって、10個を超える数の議案について自己の議案の通知請求権が行使された場合も、直ちに10個を超える部分が不適法となるものではなく、会社において、任意に10個を超える数の議案を招集通知に記載することは可能である（一問一答（令和元年改正）64頁、神田秀樹ほか「〔座談会〕令和元年改正会社法の考え方」商事法務2230号19頁〔石井裕介・神田秀樹発言〕(2020）参照)。

この提出議案数の制限は、あくまで自己の議案の通知請求権（会社法305条）の行使を制限するものであり、議題提案権（会社法303条）や議場における議案提案権（いわゆる修正動議。会社法304条）は制限の対象とならない（一問一答（令和元年改正）57頁参照。ただし、これらの権利も、民法の一般原理である権利濫用の法理による制約は受ける。本書88頁参照)。また、取締役会非設置会社においても、当該提出議案数の制限は適用されない（一問一答（令和元年改正）56頁参照)。

㋐　議案の上限である「十」個の数え方

会社法305条4項は、「当該株主が提出しようとする議案の数が十を超えるとき」に適用されるが、提案議案の数が「十」を超えるか否かの議案の個数は、提案株主が一の議案として提案しているかどうかという形式面ではなく、原則として、何を内容としているかという実質面に着目して数えることとされている（一問一答（令和元年改正）54頁）。

そして、会社法305条4項は、同項の制限との関係で、議案の数の制限を形式的に適用すると不都合が生じることが想定され、議案の数をどのように取り扱うべきかが特に問題となりやすいと考えられる一部の議案について、議案の数の取扱いを以下のとおり規定している（会社法305条4項1号ないし4号）。

> 一　取締役、会計参与、監査役又は会計監査人（以下「役員等」という。）の選任に関する議案　当該議案の数にかかわらず、これを一の議案とみなす。
> 二　役員等の解任に関する議案　当該議案の数にかかわらず、これを一の議案とみなす。
> 三　会計監査人を再任しないことに関する議案　当該議案の数にかかわらず、これを一の議案とみなす。
> 四　定款の変更に関する二以上の議案　当該二以上の議案について異なる議決がされたとすれば当該議決の内容が相互に矛盾する可能性がある場合には、これらを一の議案とみなす。

なお、上記の会社法305条4項各号が定める議案の数の取扱いは、あくまで、同項による提出議案数の制限との関係においてのみ意味を有するものであり、株主総会における議案の上程形式や採決方法を拘束または制約するものではない（神田秀樹「『会社法制（企業統治等関係）の見直しに関する要綱案』の解説〔Ⅱ〕」商事法務2192号8頁（2019)、齊藤真紀「株主提案権の規制」ジュリスト1542号30頁（2020)、飯田秀総「株主提案権に関する規律の見直し」法律のひろば73巻3号22頁（2020)）。

以下、会社法305条4項各号が定める各議案についての取扱いを述べる。

⒜　役員等の選任・解任・不再任に関する議案（会社法305条4項1号ないし3号）

一般的に、役員等（取締役、会計参与、監査役または会計監査人を指す。会社法305条4項1号参照）の選任または解任等に関する議案は、一候補者ごとに1個の議案を構成すると解されている。

もっとも、会社法305条4項1号ないし3号は、同項の議案の数の制限との関係においては、①役員等の選任に関する議案、②役員等の解任に関する議案、および③会計監査人を再任しないことに関する議案について、それぞれの区分ごとに、候補者の数にかかわらず、これらを1個の議案とみなすと規定している。

ここで、役員等の選任または解任に関する議案は、役員等の種類ごとに区分して、それぞれ1個の議案として取り扱うのではなく、役員等の種類にかかわらず（つまり、取締役であるか監査役であるかといった区別はせず）、役員等の選任または解任等に関する議案を、それぞれ1の議案として取り扱うこととされている（一問一答（令和元年改正）55頁）。

具体的には、(a)役員等の選任議案は、全ての役員等の種類の候補者を含めて1個の議案とし（例えば、取締役A・B・Cおよび監査役D・Eを選任する旨の議案は、役員等の選任に関する1個の議案と取り扱われる。）、(b)役員等の解任議案は、全ての役員等の種類の対象者を含めて1個の議案として（例えば、任期中の取締役A・B・Cおよび任期中の監査役D・Eを解任する旨の議案は、役員等の解任に関する1個の議案と取り扱われる。）、それぞれ取り扱うことになる（その結果、例えば、任期中の取締役A・B・Cおよび監査役D・Eを解任し、取締役F・G・Hおよび監査役I・Jを選任する旨の議案は、役員等の選任に関する1個の議案および役員等の解任に関する1個の議案の合計2個の議案と取り扱われる。また、同様に任期中の取締役A・B・Cおよび監査役D・Eがいる場合において、そのうち取締役Aのみを解任し、取締役Fを選任する旨の議案も、やはり合計2個となる。）。

なお、前記のとおり、会計監査人を再任しないこと（不再任）に関する議案（会社法305条4項3号）は、会計監査人の選任または解任（同項1号・2号）の議案とは別のものとして取り扱われる（同項3号）。会計監査人の任期は、選任後1年以内に終了する事業年度のうち最終のものに関する定時株主総会の終結の時までであるが（会社法338条1項）、当該定時株主総会において「別段の決議」がされなかったときは再任されたものとみなされるとされており（同条2項）、会計監査人を再任しない旨（不再任）の決議は、当該「別段の決議」に該当する。したがって、現任の会計監査人を再任しない旨（不再任）の議案を提出しつつ、合わせて、会計監査人の選任議案を提出した場合、会社法305条4項に基づく議案の数は2個となる。もっとも、上記「別段の決議」には、会計監査人を再任しない旨の決議のほか、「現任の会計監査人甲の後任として会計監査人乙を選任する」旨の決議も該当すると考えられており（会社法コンメ⑺511頁〔山田純子〕）、実務上、会計監査人の交代の局面における会社提案の議案としては、現任の会計監査人を再任しない旨（不再任）の議案は提出されず、現任の会計監査人の後任である趣旨を示した会計監査人の選任議案のみが上程されるのが通常である。このため、定時株主総会の終結時における会計監査人の交代を求める株主提案の場合も、現任の会計監査人の不再任と新たな会計監査人の選任を求める2つの議案の提案としてではなく、後任である会計監査人の選任に関する1つの議案として提案される場面があると考えられる。

⒝　定款の変更に関する議案（会社法305条4項4号）

定款変更に関する株主提案は、関連性のない多数の条項を追加する定款の変更に関する議案であっても、株主が当該議案を分けて提出しない限り、形式的に1つの議案として取り扱うこともある。もっとも、このような取扱いをそのまま会社法305条4項の制限に適用した場合、提出議案数の制限を導入する意義が半減することになる。そこで、同項の提案議案数の制限との関係における定款変更議案の数え方については、原則として、提案の形式ではなくその内容に着目して議案の数を数え、提案事項ごとに1個の議案と捉えることが相当である。例えば、定款変更議案について、「当会社の商号を○○に変更する」という議案と「当会社の本店の所在地を○○に変更する」という議案を、提案株主が1つの定款変更議案として提案してきたとしても、その内容に着目すれば、それぞれ別個の定款変更記載事項を変更する議案であるから、2個と数えるべきことになる（竹林俊憲ほか「令和元年改正会社法の解説〔Ⅱ〕」商事法務2223号8頁（2020）参照）。

他方、提案内容に着目すれば2個以上の定款変更議案であるとみるべき場合も、これらの議案について異なる議決がされたとすれば当該議決の内容が相互に矛盾する可能性があるときは、それらの議案の内容に密接な関連性が客観的に認められ、表裏一体のものとしてまとめて可決することが念頭に置かれて提出されていると考えることが合理的であるため、議案の数の制限との関係における議案の数の取扱いとしては、これらの議案については1個の議案とみなすことが相当である。

そこで、会社法305条4項4号は、定款の変更に関する2個以上の議案が提出された場合において、「異なる議決がされたとすれば当該議決の内容が相互に矛盾する可能性がある場合」には、1個の議案とみなすと定めている。

本号にいう「異なる議決がされたとすれば当該議決の内容が相互に矛盾する可能性がある場合」とは、一部の議案について可決され、他の議案について否決される場合の組合せ（例えば、AおよびBという2つの議案については、①議案A可決で議案B否決、および、②議案A否決で議案B可決の2つの組合せがある。）のうち、いずれかの組合せにおいて議決の内容が相互に矛盾することとなる場合を意味するとされている（すなわち、可決・否決の組合せのうち、ある結果となる場合には矛盾しないが、別の結果になる場合には矛盾するときは、個数制限との関係では、「異なる議決がされたとすれば当該議決の内容が相互に矛盾する可能性がある場合」に含まれることになる。神田秀樹ほか「〔座談会〕令和元年改正会社法の考え方」商事法務2230号19頁〔竹林俊憲発言〕（2020））。

「異なる議決がされたとすれば当該議決の内容が相互に矛盾する可能性がある場合」の具体例としては、例えば、以下のような事例が該当すると考えられている。

① (a)監査等委員会設置会社に移行する旨の定款変更と、(b)取締役の任期を2年から1年にする旨の定款変更が提案された場合、(b)の議案が可決され(a)の議案が否決されても、議決の内容は相互に矛盾しないが、(a)の議案が可決され(b)の議案が否決された場合、議決の内容が相互に矛盾することとなるから、1個の議案と扱うことになる（神田ほか・前掲18頁〔石井裕介発言〕）。

② 監査役会設置会社が監査等委員会設置会社に移行する場合において、(a)監査等委員会の設置とそれに伴う規定の整備をするという議案、(b)監査役の廃止とそれに伴う規定を整備するという議案、および、(c)監査役会の廃止とそれに伴う規定の整備をするという定款変更議案が提出された場合、(a)、(b)および(c)の各議案は、いずれかのみが可決または否決される場合、議決の内容が相互に矛盾することとなる場合があるから、1個の議案と扱うことになる（一問一答（令和元年改正）61頁）。

③ 定款条項中の全ての「我が社」を「当会社」に形式的に改める定款変更議案は、その一部のみが可決され、残りが否決された場合、定款に求められる形式的な統一性を欠くことになるという意味において、議決の内容が相互に矛盾するといえることから、対象となる条項が多くても、1個の議案と扱う（齊藤真紀「株主提案権の規制」ジュリスト1542号29頁（2020））。

上記の「異なる議決がされたとすれば当該議決の内容が相互に矛盾する可能性がある場合」に当たるか否かの判断において、提案の理由を考慮するか、考慮するとしてどのように考慮するか等は、解釈によるとされている（神田秀樹「『会社法制（企業統治等関係）の見直しに関する要綱案』の解説〔Ⅱ〕」商事法務2192号7頁（2019）は、これを考慮するとしても相当限定的なものとなると考えられるとする。)。

この点に関して、定款に定める目的の変更として、(a)貸金業を追加するという議案と、(b)不動産管理業を追加するという議案が提出された場合、個数制限との関係では、基本的に2つの議案と判断して良いと考えられるものの、提案の理由を考慮するという解釈もあり得ることから、そのような解釈によっては1個の議案として取り扱うとの結論もあり得なくはないと指摘する見解がある（神田ほか・前掲18頁〔竹林発言〕)。

また、取締役と監査役に定年を設けるという定款変更議案について、取締役と監査役の職責は異なるため、いずれか一方のみに定年があるという結果となっても、当然に議決の内容が相互に矛盾するとはいえないとしつつ、当該議案が、各役員の職務に相応しい定年を一律に設けるという趣旨に基づくものであれば、1個の議案とみなしてよいとして、提案の理由次第で提案が持ち得る意味が異なる場合もあるとする見解がある（齊藤・前掲29頁、30頁)。

(イ)　複数の株主により共同で株主提案権を行使する場合の取扱い

自己の議案の通知請求権は、複数の株主により共同して行使することが可能であるが（本書50頁参照)、そのような共同行使の場合も、会社法305条4項の提出議案数の制限は、それぞれの株主単位で適用することとされている（一問一答（令和元年改正）52頁参照)。

例えば、具体例として、以下のような事例が考えられる。

①　株主AとBが共同して10個の議案を提出した場合、株主AとBは、それぞれ10個の議案を提出したこととなるため、いずれも、単独でも他の株主と共同してでも、別途議案を提出する場合、制限の対象となる。

②　株主AとBが共同して7個の議案を提出した場合、株主AとBは、それぞれ7個の議案を提出したこととなるため、いずれも、単独でも他の株主と共同してでも、別途議案を3つまで提案する場合は制限の適用はないが、別

途議案を4つ以上提出する場合、制限の対象となる。

例えば、①の場合で、株主Aがさらに株主Cと共同して自己の議案の通知請求権を行使しようとしても、会社は株主Aによる請求を拒絶することができることになる。その場合、株主Cが単独では自己の議案の通知請求権の議決権数要件を満たすことができないときは、株主Cによる自己の議案の通知請求権も不適法となると考えられる。

(ウ)　会社による拒絶する議案の決定方法

株主が10個を超える数の議案について自己の議案の通知請求権を行使した場合、株式会社は、当該請求の全体を拒絶できるわけではなく、10個を超える部分のみ拒絶することができる。

当該拒絶できる議案の決定方法について、会社法305条5項は、「十を超える数に相当することとなる数の議案は、取締役がこれを定める」としつつ、当該請求をした株主が「議案相互間の優先順位を定めている場合」には、「当該優先順位に従」うとしており、株主が優先順位を定めたときを除き、提案議案のうちどれを付議し、どれを拒絶するかの判断について、取締役に裁量を認めている。これは、株主提案権を行使する株主の意思を尊重する必要性と会社の事務負担の程度を考慮して採用された規律である（竹林俊憲ほか「令和元年改正会社法の解説〔Ⅱ〕」商事法務2223号9頁（2020）参照）。

もっとも、取締役は、株主が優先順位を指定していないからといって、どの議案を付議または拒絶するかを決定するに際し、無制限に恣意的な判断を行うことができるわけではなく、株主ごとに合理的な理由なく異なる取扱いをする場合、株主平等原則（会社法109条1項）に違反すると判断される可能性もある（一問一答（令和元年改正）64頁）。

このため、例えば、株式取扱規程において、会社法305条5項に基づく拒絶対象議案の選定に関するルールを予め定めておくことも可能である。具体的な選定方法として、株主の記載順に着目した方法（横書きの場合には上から、縦書きの場合には右から数えて決定する方法等）が考えられるとする見解がある（一問一答（令和元年改正）63頁）。

会社法305条6項の実質的に同一の議案の連続提案の制限など議案の内容の制限との適用の先後関係については、まず、請求の対象となる10個の議案が会社法305条4項・5項の規律に従って特定された上で、さらに内容の制限に抵触するものは排除されるという関係にあるとされている（このため、最終的に、取り上げられる株主提案議案は10個未満となることがありうる。一問一答（令和元年改正）65頁、神田秀樹「『会社法制（企業統治等関係）の見直しに関する要綱案』の解説〔Ⅱ〕」商事法務2192号9頁（2019）、齊藤真紀「株主提案権の規制」ジュリスト1542号31頁（2020））。なお、会社法305条4項・5項の議案の数の制限による規定により拒絶された議案は、株主総会に提出されておらず、議決権の行使の対象となっていない以上、会社法305条6項の実質的に同一の議案の連続提案の制限の趣旨は妥当しないため、提案株主は、次の株主総会において再び提出することが可能である（一問一答（令和元年改正）67頁）。

⑹　同一の議案の連続提案の制限に反しないこと

自己の議案の通知請求権を行使しようとする議案について、当該議案が実質的に同一の議案につき株主総会において総株主（当該議案について議決権を行使することができない株主を除く。）の議決権の10分の1（これを下回る割合を定款で定めた場合にあっては、その割合）以上の賛成を得られなかった日から3年を経過していない場合は、自己の議案の通知請求権を行使することはできない（会社法305条6項）。

「実質的に同一」であるか否かは、具体的なケースに即して判断することとなる。例えば、配当の増額を内容とする利益処分案は、たとえ1株当たりの配当額が同じでも、事業年度が異なれば同一の議案ではないと解されている（本書58頁参照）。もっとも、過去に会社が蓄積した利益剰余金の払出しを求める趣旨の剰余金の配当議案であった場合で、会社の財務状況や事業環境等に大きな変化が生じていないような時は、議案の具体的な文言や数値は異なっていても、意図する実質的な内容が同一または類似する関係にある場合に該当するとして、「実質的に同一の議案」であると判断される余地も十分に存するとの指摘がある（太田洋「会社法下の株主提案権」ジュリスト1346号40頁（2007））。また、取締役の員数を5名から8名に増員する定款変更議案が否決された後に、5名から10名に増員する議案を提出することが、「実質的に同一」に当たるかについて見解が分かれることは前述のとおりである（本書58頁参照）。このほか、取締役の選解任に関する議案に関しては、ある特定の人物を取締役として選任するか否かは当該個人の資質に基づいて判断されると思われるので、同一の候補者の取締役選任議案は議案の実質的同一性を肯定できると考えられる一方、ある取締役を解任するか否かは基本的に各事業年度ごとの業務遂行結果に基づいて判断されることになると考えられるため、同一の取締役の解任議案であっても事業年度が異なれば議案の実質的同一性は否定されると解される場合が多いとの見解がある（太田・前掲40頁）。

いずれにせよ、株主提案権が行使された時点における会社の状況等も踏まえた実質判断となり、明らかに「実質的に同一」であるとはいえない微妙なケースでは、実務上、念のため株主提案を取り上げておくという対応も考えられる。

なお、「賛成を得られなかった日から3年を経過していない場合」とは、①株主提案権行使の日から逆算して3年内に決議がされていたこととする見解、②提案された議案が審議されるべき株主総会の日を基準として過去3年内とする見解がある（本書58頁参照）。この点、②の見解による場合、定時株主総会の開催予定日が数日前後することにより前前々年度の定時株主総会で否決された議案の拒絶の可否が左右され、合理性に欠ける面がある（例えば、X年6月25日開催の定時株主総会で当該議案が否決された場合、X＋3年の定時株主総会の開催日が6月25日以前であれば拒絶可能となるが、同月26日以降であれば拒絶できないことになる。なお、①の見解による場合、株主総会の日の8週間前までに株主提案権が行使されている以上、定時株主総会の開催日が6月であれば拒絶できることになる。）。会社法305条6項は、「賛成を得られなかった日から3年を経過していない場合」、自ら提出しようとする議案の要領の通知の「請求をすることができる」とする同条1項を適用除外とするものであり、かかる文言上も、否決の決議から3年以内は権利行使（請求）ができないとする①説が自然と思われる。もっとも、株主提案をできる限り認める方向で考えるとすれば②の見解が妥当であろうとの見解もある（﨑田直次編著『株主の権利――法的地位の総合分析』181頁〔西脇敏男〕（中央経済社、1991））。

なお、自己の議案の通知請求をしたが、提出議案数の制限（上記(5)）によって拒絶された場合には、当該議案については連続提案の制限は適用されず、次の株主総会で再度自己の議案の通知請求をすることができる（一問一答（令和元年改正）67頁）。

(7)　株主提案権の権利濫用

株主権の行使も、民法の一般原理である権利濫用の法理に服し（民法1条3

項)、濫用的な株主権の行使は認められないと解される。この点について、東京高決平成24・5・31資料版商事法務340号30頁は、「株主提案権といえども、これを濫用することが許されないことは当然であって、……株主提案権の行使が権利の濫用として許されない場合がある」と判示している。

学説上、株主権の行使が権利濫用となる要件は、①株主たることと関係のない利益のために株主の権利が行使され、②これにより会社の利益が侵害されることであるとするのが通説的見解であり（大隅健一郎「株主権の濫用」同『会社法の諸問題』170頁（有信堂高文社、新版、1983))、株主の主観的要件と会社の利益侵害という客観的要件が求められている。もっとも、株主権の行使について権利濫用の有無が問題とされた裁判例においては、株主の主観的な目的のみに言及し、会社の利益の侵害に明示的には言及していない裁判例が多数存在する（東京高決昭和40・4・27ジュリスト396号113頁、東京高判平成元・7・3金判826号3頁、東京地判平成3・4・18金判876号30頁、名古屋地判平成13・10・25金判1149号43頁等)。そして、前記東京高裁平成24年決定は、株主提案権の行使が「主として、当該株主の私怨を晴らし、あるいは特定の個人や会社を困惑させるなど、正当な株主提案権の行使とは認められないような目的に出たものである場合には、株主提案権の行使が権利の濫用として許されない場合がある」として、株主の主観的目的のみを根拠として権利濫用が認められるとの規範を示しており、裁判所は、少なくとも、株主の私怨を晴らし、あるいは特定の個人や会社を困惑させるといった目的の悪質性の高い事案では、主観的要件のみをもって権利濫用が認められると解していると思われる（実際、当該東京高裁平成24年決定では、特定の従業員を取締役に選任する旨の株主提案議案が権利濫用に該当するとされたが、当該議案を取り上げることにより会社の利益が侵害されるか否かは問題とされていない。)。

なお、前記東京高裁平成24年決定の事案における株主提案は、提案議案数が58議案に上り、提案理由もかなりの長さになるものであったことから、会社側は、株主提案の全体が権利濫用に該当するとの主張を行ったが、裁判所はかかる主張は認めず、各議案ごとの内容に照らして権利濫用等が認められる一部の議案についてのみ不適法との判断を行った。実務的には、株主提案の個数が58個もの多数に上る場合、現実的に審議・採決に多大な時間を要し、招集通知の印刷コストも高額に上ることになるから、およそ正当な権利行使とは言い難いが、裁判所は、かかる提案議案数および提案理由の長さという事情のみでは当然には権利濫用とは認めなかった（なお、前記東京高裁平成24年決定は、当該事例の疎明資料の下では、全体として権利の濫用とまではいうことはできないが、今後の立証によっては、当該株主提案が全体として権利の濫用と認められる余地があるとしている。)。

なお、令和元年会社法改正の立案過程においては、専ら人の名誉を侵害すること等を目的とする提案等を制限する旨の規定を新設する改正も検討されたが、国会審議の結果改正法には盛り込まれなかった。しかし、権利の濫用に当たる提案がされた場合には従前どおり一般法理に基づいてそのような提案を拒絶することは可能であるとされている（神田秀樹ほか「〔座談会〕令和元年改正会社法の考え方」商事法務2230号18頁〔神田秀樹発言〕(2020)、一問一答（令和元年改正）49頁)。

4　会社提案との関係の整理（代替提案か追加提案か）

株主提案の議案が、会社提案の議案の内容と矛盾または一部が重複するものであるときは、会社提案と両立する追加提案と整理すべきか、択一的な関係に立つ代替提案と整理すべきかなど、議案の立て方が問題となる場合がある。また、会社提案との関係如何によって、両議案の審議・採決の方法等が変わり得ることとなり、株主の議決権行使の有効性の判断にも影響が生じる。

このような場合の判断や対応の基準について、会社法および会施規は、明示的な規律を設けていない。したがって、会社側としては、「株主総会は株主の意思を会社運営に反映させる重要な場である」との株主総会の原則に鑑み、株主（提案株主に限られない。）の意思が適切に反映される合理的な対応を取ることが求められる。そして、株主に両議案の関係がわかるよう、招集通知・株主総会参考書類の記載にも配慮が必要となる。

以下、株主提案がなされることが多く、かつ、会社提案との関係が問題となりやすい、取締役選任議案・剰余金の配当議案を例として論じる。

(1)　取締役選任議案

まず前提として、取締役選任議案については、議題（株主総会の目的事項である事項）が「取締役選任の件」であるのか、選任される取締役の員数を含めた「取締役○名選任の件」であるのかについては、員数の記載も議題の内容を構成し、株主総会の決議により議題に記載された員数を超えて取締役を選任することはできないと考えるのが一般的である（東京高判平成3・3・6金判874号23頁参照。このため、株主総会の場における修正動議（会社法304条）として、取締役選任議案について選任すべき取締役の員数を増員する議案を提出することは、議題の範囲を超えるものとして認められないと取り扱うのが通常である（株主総会ガイドライン246頁、中央三井信託銀行証券代行部編『［平成21年版］株主総会のポイント』343頁（財経詳報社、2009）参照）。これに対し、株主総会は、議題に記載された員数に拘束されることなく、これを超えて取締役を選任することができるとの見解として、注釈会社法(6)10頁〔今井潔〕、阿部一正ほか『条解・会社法の研究5株主総会』別冊商事法務163号31頁〔江頭憲治郎発言〕(1994)、田中・会社法219頁等がある。本論点については石井裕介＝浜口厚子「会社提案と対立する株主提案に係る実務上の諸問題」商事法務1890号25頁（2010）参照）。

そして、取締役選任議案について、会社が甲・乙・丙の3名を取締役候補者とする取締役選任議案を提案し、株主からA・B・Cの3名を取締役候補者とする取締役選任議案の株主提案が行われた場合、この株主提案は、①会社提案と両立する追加提案（会社提案の甲・乙・丙の3名選任の件とは別個の議題として、A・B・Cの3名を取締役に選任することを求めるもの）である場合と、②会社提案と両立しない代替提案（会社提案の甲・乙・丙の3名に代えて、A・B・Cの3名を取締役に選任することを求めるもの）である場合があり得る。株主提案権の行使は株主総会の日の8週間前までに行われる必要があり、その時点では会社提案の内容は不明であるのが通常であるから、特段の事情のない限り、株主提案は会社提案とは別個の議題を提出する①の追加提案の趣旨であると理解すべき場合が多いと考えられるが、株主提案の内容から合理的に判断できない場合は、提案株主に趣旨を確認する必要がある（石井＝浜口・前掲26頁）。

株主の提案が前記①の趣旨であるときは、会社は、会社提案の「取締役3名選任の件」と株主提案の「取締役3名選任の件」という別個の議題が提出されているものとして、それぞれを別個審議し、採決を行えば足りる（両議案ともに可決された場合は、合計6名の取締役が選任されることになる。なお、会社提案と株主提案の取締役候補者の合計数が定款所定の取締役の上限員数を超えた場合の取扱いについては、本書76頁参照）。一方、前記②の趣旨であるときは、両者は両立しない関連する議案であるので、会社としては、「取締役3名選任の件」という1つの議題の中で、会社提案の議案を変更する趣旨の提案がなされたものとして、一括して審議の上採決するべきである（前記のとおり、取締役選任議案の議題に員数が含まれるとする一般的な見解によれば、議題は「取締役3名選任の件」であるから、選任される取締役の上限は3名となる。石井＝浜口・前掲26頁）。

また、会社提案と株主提案の取締役選任議案に共通の候補者が存在する場合がある。例えば、会社提案の「取締役5名選任の件」と別個の議題として、株主提案の「取締役4名選任の件」が提出された場合において、会社提案の候補者が「A・B・C・D・E」の5名であり、株主提案の候補者が「A・F・G・H」の4名であった場合である。このような場合、実務上、①重複候補者を会社提案の候補者のままとし、株主提案の取締役候補者から重複候補者を除くという取扱いと、②会社提案と株主提案のそれぞれに、同一の候補者が含まれたままとする取扱いがあり、いずれも可能と考えられる（石井＝浜口・前掲27頁）。

前記①の株主提案の取締役候補者から重複候補者を除く取扱いによる場合、提案株主は、候補者全体で適切な構成となる経営陣を提案している可能性があるため、株主総会参考書類には、元々の株主提案は重複候補者を含むものであったことを明示し、当該重複候補者に係る提案株主の提案理由も記載することにより、株主が、株主提案の候補者全員に賛成し、会社提案に含まれる重複候補者に個別に賛成することにより、提案株主に賛同する株主が当初の株主提案の内容に沿った賛成の議決権行使を行えるよう配慮するべきものと考えられる（本書97頁のとおり、株主提案の議案の内容が、会社提案の議案と全く同一の内容である場合、会社としては、会社提案の議案として取り扱うことができるものの、株主提案権の行使の撤回がない限り、会社提案と同一内容の議案が株主提案として株主から提出された旨を記載するとともに、株主提案における「提案の理由」が会社提案における提案の理由と同一でない限り、株主提案の「提案の理由」についても株主総会参考書類に記載するべきことになると考えられ、かかる趣旨を踏まえた取扱いをする必要がある。）。

一方、前記②の会社提案と株主提案に同一の候補者が含まれたままとする取扱いによる場合、同一の候補者について会社提案と株主提案とで賛否の異なる議決権行使がなされる可能性がある。しかし、かかる議決権行使をした株主の意思は、会社提案議案または株主提案議案が提案する一方の経営陣の一員としては賛成であるが、一方の経営陣の一員としては反対である趣旨のものとして合理的に解釈可能であり、論理的に矛盾した投票として無効とする必要はないと考えられる。その結果、同一の候補者について、会社提案か株主提案かの一方で議案が可決され、他方では否決される事態が生じたしても、少なくとも一方の候補者として過半数の賛成があった以上、取締役として有効に選任されたものとして取り扱うことができると考えられる（石井＝浜口・前掲28頁）。

なお、取締役選任議案は、複数の候補者が一括して提案されている場合も、一人の候補者の選任が一議案を構成すると考えられており（江頭・株式会社法408頁注⑶参照。このため、書面投票に際しても各候補者について格別に賛否を諮る必要がある。会施規66条1項1号イ）、会社または提案株主が意図したとしても、「候補者A・B・Cは必ずセットで選任されなければならない」といった拘束を議案に付すことはできない（石井＝浜口・前掲26頁参照）。また、「会社提案の候補者Dに代えて、株主提案の候補者Eを選任するべきである。」というように、特定の会社提案の候補者と特定の株主提案の候補者とを二者択一的な関係に立つものとして、双方に賛成の議決権行使をしてはならないという制限を付すことについては、一候補者が一議案を構成することから、同様に、かかる制限をすることもできないとする見解がある一方（石井＝浜口・前掲26頁参照）、提案株主の提案の趣旨に従い、二者択一の取扱いを許容する見解もある（阿部ほか・前掲39頁〔稲葉威雄発言〕）。この点、一候補者が一議案を構成することからすれば、株主は各候補者について格別に賛否を表明できると考えるのが自然であるし、特定の候補者同士を二者択一の関係にあるとして、双方に賛成の議決権行使をしてはならず、双方に賛成する議決権行使は無効とする取扱いをしようとする場合、株主提案の内容によっては賛否の集計が極めて煩雑となることもあり、そのような二者択一の取扱いを会社の裁量により選択する余地があるとしても、少なくとも、会社が、かかる取扱いを義務付けられることはなく、個別に賛否を諮る取扱いを選択することが可能であると考えられる。

⑵　剰余金の配当議案

剰余金の配当議案において、会社が「剰余金の配当を1株当たり30円とする」ことを内容とする議案を提出する場合において、株主が「剰余金の配当を1株当たり50円とする」との議案を提出した場合、通常は①会社提案と両立しない代替提案（会社提案の1株当たり30円に代えて、1株当たり50円の配当を求める）であると解されるが、②会社提案と両立する追加提案（両議案は関連性のない独立の議案であり、会社提案の1株当たり30円とは別に、1株当たり50円の株主提案が可決されれば、合計80円を配当する。）を求める趣旨であることもあり得る（追加提案の実例として、提案株主が希望する配当額から会社提案の配当額を控除した残額を「追加配当額」として支払いを求めた、日比谷総合設備株式会社の2008年6月総会の株主提案議案がある。「平成20年6月総会　株主提案権の事例分析（上）」資料版商事法務296号48頁（2008）参照）。株主提案議案が提案される時点では、会社側の剰余金の配当議案の内容は株主には明らかになっておらず、通常は、株主提案は当期の期末配当はこの金額にすべきとの趣旨で提案を行うため、基本的には代替提案と捉えるのが合理的と考えられるが、判断できない場合には、会社としては提案株主に趣旨を確認することが望ましい。

前記①の代替提案の趣旨である場合は、会社は、会社提案と株主提案がそれぞれ分配可能額の範囲内にあるかを確認することになるが、前記②の追加提案の趣旨である場合は、会社提案と株主提案を合わせて分配可能額の範囲内であるか否かを確認することになる。そして、株主の提案が前記②の趣旨であるときは、会社は、それぞれを全く別個の議案として審議し、採決を行えば足りる（両議案ともに可決された場合は、1株当たり合計80円の剰余金の配当を行うことになる。）。前記①の趣旨である場合は、両者は両立しない関連する議案であるので、会社としては一括して審議の上採決すべきことになる。

ところで、一般に、会社提案と株主提案とで両立しない場合、これらの両方に賛成の議決権行使をすることは、論理的に矛盾した投票となるため、いずれの議案についての議決権行使も無効とするのが実務の取扱いである（このような場合としては、例えば、会社側と株主側から、同一の事項について異なる内容の定款変更議案が提案されている場合について、その両方に賛成の議決権行使をした場合などが挙げられる。）。

しかし、剰余金の配当議案について、会社提案と株主提案とが両立しない代替提案である場合（前記①のように、株主提案が、会社提案の1株当たり30円に代えて、1株当たり50円の配当を求めるような場合）は、慎重な検討を要する。この場合、会社提案と株主提案とは、両方が同時に可決されることはない択一的な関係にあるという意味においては、両立し得ないものであるが、株主の立場から見れば、「できれば50円欲しいが、これが否決された場合は少なくとも30円欲しい」という意思の下に、両議案に賛成の議決権行使をすることはあり得る。したがって、両議案に賛成の議決権行使をすることが、当然には論理的に矛盾したものとは認められないようにも思われる。代替提案の両方に賛成してはならないとの明確な規律が存在しない以上、かかる議決権行使は当然に無効とはならないと考えられる（石井裕介＝浜口厚子「会社提案と対立する株主提案に係る実務上の諸問題」商事法務1890号24頁（2010）、田中亘「委任状勧誘戦に関する法律問題」金判1300号8頁（2008））。

もっとも、両方に賛成の議決権行使を可能とする場合、会社提案と株主提案が共に出席議決権数の過半数を獲得する可能性があり、そのような場合、両者が両立しない代替提案の関係にある以上、株主総会においてまず先に付議した案が可決されると、残りの議案は採決されないこととなり（森本滋ほか「〔座談会〕会社法への実務対応に伴う問題点の検討――全面適用下の株主総会で提起された問題を中心に」商事法務1807号19頁〔森本滋発言〕（2007）参照）、どちらを先に付議するかで結論が異なるという問題が生じ得る。両方に賛成する議決権行使を無効とする取扱いをすれば、両方の議案が過半数の賛成を得る事態を回避することができるし、過半数の賛成を得るのはより多くの得票を得た方の議案となるため、株主意思の適正な反映の観点からも合理的である。また、両議案が二者択一の関係にある以上、株主に一方のみに賛成票を投じることができるとの制約を課すことも不合理ではない。そこで、招集通知または株主総会参考書類等に、会社提案と株主提案とが代替提案の関係にあり、両方に賛成の議決権行使をしないよう求める断り書き（後記記載例参照）を明記して予め株主に周知している場合には、会社提案と株主提案の両方に賛成している議決権行使書面または委任状は、矛盾するものとして、無効として取り扱ってよいと考えられる（松山・株主提案38頁、田中・前掲8頁、石井＝浜口・前掲24頁）。

ただし、この方法による場合、会社提案と株主提案とで票が割れ、両方とも否決されるリスクが相対的に高まる（例えば、20円の会社提案に40％、30円の株主提案に30％、いずれにも反対に30％の得票が得られた場合、少なくとも20円の配当を求める株主が70％いたにもかかわらず、配当がゼロとなる帰結は、株主意思の反映の観点から適切であるか疑問がある。）。会社が、提案株主との合意の下に、株主提案議案を追加提案の形に修正すれば（前記事例では、会社提案の20円に加えて、10円の配当を求める追加配当議案に修正することになる。）、会社提案の部分について票が割れる事態を回避することができるため、実務上かかる方策も選択肢として考えられる（石井＝浜口・前掲29頁、江頭憲治郎＝中村直人編著『論点体系会社法⑵株式会社Ⅱ』617頁〔松井秀樹〕（第一法規、第2版、2021））。

記載例：招集通知における代替提案である旨の記載例

> 決議事項
> 〈会社提案（第１号議案から第３号議案まで）〉
> 第１号議案　剰余金の配当の件
> 第２号議案　取締役５名選任の件
> 第３号議案　監査役１名選任の件
> 〈株主提案（第４号議案）〉
> 第４号議案　剰余金の配当の件
> 本議案は、会社提案の第１号議案の代替提案ですので、第１号議案と第４号議案の双方に賛成されることのないようご留意下さい。双方に賛成の議決権を行使された場合、無効として取り扱わせていただきます。

5　適法・不適法の判断

⑴　議案が適法である場合の処理

株主提案権の行使および提案の内容が適法であれば、取締役会は、これを株主総会の議題とし、または招集通知にその提案に係る議案の要領を記載することを定めなければならない（稲葉・改正会社法135頁）。

会社としては、当該議案を株主総会における審議の対象とするために、招集通知・株主総会参考書類等への記載について検討を行い、株主総会を招集する取締役会（会社法298条）において、株主提案のあった議題を株主総会の目的事項（同条１項２号）として決議すると共に、株主提案の議案についての株主総会参考書類の記載内容（会施規63条３号イ）等を決議することとなる。

⑵　不適法である場合の処理

株主提案の行使および提案の内容が上記の形式的要件・実質的要件を欠くために不適法である場合、これを不採用とするための手続は法定されておらず、必ず取締役会等によって決議しなければならないわけではない。

ただし、株主提案が不適法であることの判断は取締役会で行うべきとの見解もある（実務相談⑵627頁編注〔元木伸〕）。なお、当然のことではあるが、適法か違法かは客観的に定まるものであり、取締役会が恣意的に判断できるものではない。

また、提案株主から提案した議案の不採用を理由に株主総会決議取消訴訟が提起される可能性もあることなどから（適法な株主提案を会社が無視した場合に、株主総会の決議取消事由となる場合があることについては、本書100頁参照）、実務的には、取締役会において、当該提案を不採用とするか否か、および、その理由について十分に審議することが望ましく、取締役会議事録上に、かかる審理の経過および結果を記載または記録しておくべきである（株主総会を招集する取締役会において、株主総会の目的事項を決定する際にかかる審議を行うことは、実務的にそれほど負担とは思われない。)。

(3)　反対提案の処理

株主による反対提案（例えば、会社提案によるX社との合併契約承認の件に対して、X社とは合併すべきでないというような提案）が認められるか否かについては、反対提案は、一方が成立すれば他方は当然に否決となり、議案については原案と実質上同一の決議に関するものであるとして、これを消極的に解する見解がある（森田章「提案権による株主提案の範囲――勧告的提案の可能性」上柳克郎先生還暦記念『商事法の解釈と展望』62頁（有斐閣、1984)、大隅＝今井・会社法論（中）43頁)。条文上も、旧商法232条ノ2は、株主は「会議ノ目的タル事項ニ付其ノ株主ノ提出スベキ議案ノ要領ヲ前条ニ定ムル通知ニ記載又ハ記録スルコトヲ請求スルコト」ができると規定しており、具体的な議案の提案を含まない反対提案は、同条が予定するところではないとの指摘がなされていたが（稲葉威雄ほか「改正会社法セミナー（第12回)」ジュリスト786号96頁〔森本滋・前田庸発言〕(1983))、会社法305条1項も、同様に「株主総会の目的である事項につき当該株主が提出しようとする議案の要領を株主に通知すること」を株主は請求できるものと規定しており、旧商法232条ノ2と同様の解釈が妥当すると考えられる。そして、東京地判平成26・2・27平成25年(ワ)第18383号（判例集未登載）は、会社提案の取締役選任議案の取締役候補者を選任しない旨の反対提案について、「議決により法的な効果を生じさせる積極的な提案内容を含むものではないから、会社法305条1項及び会社法施行規則93条1項所定の『議案』には当たらない」ことを理由に、消極説に立っている（弥永真生「『特定の者を取締役として選任しない旨の提案』と議案提案権」ジュリスト1467号2頁（2014）参照)。

以上に照らせば、反対提案を株主総会の議案として取り上げることは、法的に必須ではないと考えられる。ただし、実務上、株主による反対提案を独立の議案として取り上げない場合であっても、株主総会参考書類において、株主による反対提案の提案の理由等を会社提案議案の参考事項として記載する取扱いが望ましいと思われる。

なお、株主提案権制度の狙いが、株主提案の議案としての可決ということよりも、その提案を通しての株主・会社経営者間の意思の疎通を図り、両者の対話を促進するとともに、その提案が予め招集通知や参考書類に記載されることによって株主間のコミュニケーションを推進するという点にあることを考えると、提案することを是認する方が株主提案権制度を設けた趣旨に一層合致する旨の見解もある（注釈会社法(5) 74頁〔前田重行〕）。また、実際上は会社提案に反対する提案とはいっても、単純に反対するという提案ではなく、会社提案に対する修正提案的な要素を含んでいる場合も多いから、たとえ反対提案が許されないとしても、多くは修正提案として認められると思われるとの指摘もあり（注釈会社法(5) 74頁〔前田重行〕）、会社としては、純粋な反対提案であるか、修正提案として取り上げるべき内容を含むかについては、検討を要すると考えられる。

(4)　会社提案と同一内容の株主提案の処理

株主提案の議案の内容が、会社提案の議案と全く同一の内容となることがある（これは、偶然に内容が一致する場合と、会社側が、株主提案を会社提案として取り入れた場合の、いずれの場合も存在する。）。

このような場合、会社としては、同一内容の議案を会社提案と株主提案の2つの議案として取り上げなければならないわけではなく、会社提案の1つの議案として取り扱うことができる。ただし、その場合も、株主提案が全く無かったように取り扱うことはできず、株主総会参考書類において、会社提案と同一内容の議案が株主提案として株主から提出された旨を記載するとともに、株主提案における「提案の理由」が会社提案における提案の理由と同一でない限り、株主提案の「提案の理由」についても株主総会参考書類に記載するべきことになると考えられる（大阪株式懇談会編『会社法　実務問答集Ⅲ』171頁〔北村雅史〕（商事法務、2019）。なお、取締役選任議案について、会社提案と株主提案とで一部候補者が重複した場合の対応については、本書91頁以下参照）。

なお、株主提案と同一内容の会社提案を上程することについて、提案株主に対して説明を行い、株主が株主提案権の行使を撤回した場合は、会社としては、株主総会参考書類において株主提案についての特段の記載をすることを要しない。

⑸　期限に遅れた提案の処理

株主総会の日の8週間前の行使期限より後に株主提案が会社に到達した場合には、提案の趣旨にもよるが、次回の株主総会についての提案として扱うべきであるとの見解がある（元木・改正商法93頁等）。これに対し、株主提案権を行使した株主の意思は、通常はあくまでも、当期総会に提案することであり、次期総会に付議することまで予定していたわけではないと思われることを理由に、次期総会の提案として取り扱うことを希望するとの条件付提案の場合を除き、当然に次期総会の議案としなければならないということは疑問であるとする見解がある（注釈会社法⑸81頁〔前田重行〕）。

いずれにしても、次回の株主総会についての提案として扱うべきであるとする見解も、それが提案株主の合理的意思と考えられることを前提とするものと考えられる。したがって、①株主が、特にその提案を提出すべき株主総会を指定し、その指定が次の株主総会において提案する意思が全くないことを明確にしているものや、②取締役の任期が2年の会社において、取締役選任議案について候補者を提案していたが、株主提案権の行使後の株主総会において定款で定める数の取締役が全員選任されており、翌年の株主総会において新たに取締役を選任する余地のない場合など、その議案の内容に照らし、次回の株主総会において提案する余地のないもの（元木・改正商法93頁）、③各事業年度の決算内容・資金需要に照らして、その都度判断されるべき剰余金の処分（配当）議案など、議案の性質から特定の株主総会に関して株主提案権が行使されたと理解すべきもの（神崎克郎「株主提案権行使の法的問題」商事法務1070号3頁(1986)、商事法務研究会編『株主総会ハンドブック』62頁（商事法務研究会、新訂第3版、2000））については、次回の株主総会についての株主提案として取り扱う必要はないと考えられる。これ以外の場合、提案株主の意思が明らかでない以上、実務的には、株主の意向を書面等により確認するのが適切であると考えられる。

なお、次回の株主総会における提案として取り扱う場合、提案株主は、株主提案権を行使するための議決権数要件（総株主の議決権の100分の1以上の議決権または300個以上の議決権）を、当該次回の株主総会についての基準日時点まで充足している必要がある（神崎・前掲3頁、商事法務研究会編・前掲62頁）。したがって、会社としては、この点を改めて判断することとなる。

⑹　適法な株主提案を無視した場合の効果

議題提案権の行使および提案の内容が適法であるにもかかわらず、会社がこれを無視して株主総会の目的としなかった場合には、100万円以下の過料に処せられる（会社法976条19号）。また、自己の議案の通知請求が適法になされたにもかかわらず、これを無視して株主に通知しなかった場合にも、100万円以下の過料に処せられる（同条2号）。そして、これらによる損害があれば、取締役に対する民事責任の追及も可能である（注釈会社法⑸85頁〔前田重行〕）。

また、提案株主は、自らの株主提案議案が拒絶された場合、会社に対し、自己の議案の通知請求権（会社法305条）を被保全権利として、株主提案議案を取り上げることを求める仮処分を申し立てることが可能である（株主総会ガイドライン276頁参照）。ただし、かかる仮処分命令は、仮の地位を定める仮処分命令（民事保全法23条2項）に該当するため、保全の必要性が認められるためには、「争いがある権利関係について債権者に生ずる著しい損害又は急迫の危険を避けるためこれを必要とするとき」に該当する必要がある（この点、東京地決平成24・5・28資料版商事法務340号33頁は、株主提案に係る適法な議案が、可決可能性が極めて乏しいか可決されても実現可能性がないもの等である一方、会社が既に招集通知の校了を終えて印刷作業を開始しており、仮に申立てが認められた場合は招集通知の作成が間に合わず、株主総会が開催できない事態も予想できることを、保全の必要性を欠く理由として挙げている。これに対し、株主提案が無視された場合に、その権利を本案訴訟において実現することは、時間的制約に鑑み事実上不可能であり、事後的な救済方法も限られているから、株主提案権を無視された株主の救済方法として、仮の地位を定める仮処分によるべき必要性は高い一方、株主提案権は、特定の株主総会における議題または議案を提案する権利であるから、申立てが認容され、債務者らがこれに従って履行すれば、その性質上、事後的に当該提案がなかったことにすることは不可能であるから、保全の必要性は、保全命令により債務者らが被る不利益または損害も踏まえて、より慎重に判断すべきものと解されとしつつ、保全の必要性を認めた事例として、東京地決平成25・5・10資料版商事法務352号34頁がある。）。

適法な株主提案権の行使を無視した株主総会において成立した株主総会決議の決議取消事由への該当性に関しては、自己の議案の通知請求が無視された結果、招集通知や株主総会参考書類に株主の提案した議案が記載されず、当該株主提案と同一の議題について別の内容の決議が成立したときは、当該成立した同一議題の決議は、決議の方法が法令に違反するとして会社法831条1項1号の株主総会決議取消事由に該当すると考えられる（江頭・株式会社法342頁、稲葉・改正会社法136頁）。

これに対し、議題提案権の行使および提案の内容が適法であるにもかかわらず、会社がこれを無視して株主総会の目的としなかった場合（すなわち、無視された株主提案と同一の議題について決議がなされない場合）については、当該株主総会において成立した全ての決議について株主総会決議取消事由に該当するとする見解（服部榮三「株主提案権」代行リポート60号4頁（1982））もあるが、同一の議題について決議がなされていない以上、原則として決議取消しの問題は生じないと解される（東京地判昭和60・10・29金判734号23頁、江頭・株式会社法342頁、稲葉・改正会社法135頁）。この点、東京高判平成23・9・27資料版商事法務333号39頁は、「①当該事項が株主総会の目的である事項と密接な関連性があり、株主総会の目的である事項に関し可決された議案を審議する上で株主が請求した事項についても株主総会において検討、考慮することが必要、かつ有益であったと認められるときであって、②上記の関連性のある事項を株主総会の目的として取り上げると現経営陣に不都合なため、会社が現経営陣に都合のよいように議事を進行させることを企図して当該事項を株主総会において取り上げなかったときに当たるなど、特段の事情が存在する場合」について、同一議題について決議がなされていなくとも、例外的に決議取消事由に該当するとしている。

第3
適時開示の要否

金融商品取引所の規則上、株主提案権が行使された事実やこれに対する会社の対応は、適時開示事由としては挙げられておらず、また当該事由が「その他上場会社の運営、業務若しくは財産又は当該上場株券等に関する重要な事項」とのバスケット条項に直ちに該当するものではないと考えられるため、株主提案権が行使されたこと等を適時開示するか否かは、会社が任意に判断することができると考えられる。

なお、株主提案の内容が、それが決定されたり発生したりすると適時開示の対象となるような事由であれば、それに対する会社の対応も、適時開示の対象となる事由の関連事項として、適時開示しておく方が無難であるとの見解がある（太田洋「株主提案と委任状勧誘に関する実務上の諸問題」商事法務1801号41頁注7（2007））。また、会社側において適時開示を行わなくても、株主提案権を行使した株主がその事実や提案の内容を公表することもあるため、その点も踏まえて検討することが必要となる。

実務上、株主提案権の行使に際して会社により行われる適時開示は、株主提案権の行使に関する書面を受領した旨および株主提案の内容または概要を開示するもの、これに加えて株主提案に対する会社の意見を開示するもの（株主提案議案への意見のほか、例えば、株主提案議案に対して議決権行使助言会社が賛成推奨をした場合に、当該賛成推奨への会社の反対意見を開示する例もある。）などがある（牧野達也「株主提案権の事例分析(1)――2020年7月総会～2021年6月総会」資料版商事法務449号71頁（2021）参照）。

記載例：適時開示（プレスリリース）

A　株主提案の行使に関する書面を受領した旨および株主提案の概要を開示する例

○年○月○日

各　位

会 社 名　株式会社○○○○
代表者名　代表取締役社長○○○○
（コード番号○東証プライム）

問合せ先　取締役○○○○
（TEL ○－○○○○－○○）

株主提案権の行使に関するお知らせ

当社は、○年○月○日付で、同年○月○日開催予定の当社第○期定時株主総会における株主提案権の行使に関する書面を受領いたしましたので、下記のとおり、お知らせいたします。

なお、かかる株主提案に関する当社取締役会の方針につきましては、当該株主提案の内容を慎重に検討したうえで、株主の皆さまへお知らせする予定です。

記

1. 提案株主
 (1) 氏名：個人株主であるため開示は控えさせていただきます。
 (2) 保有株式：○○株（発行済株式総数の○％〔○年○月○日現在〕）

2. 提案内容の概要
 提案１　○○○○の件
 提案２　○○○○の件

以上

B　株主提案の行使に関する書面を受領した旨および株主提案の内容ならびに株主提案に対する会社の意見を開示する例

○年○月○日

各　位

会 社 名　株式会社○○○○
代表者名　代表取締役社長○○○○
（コード番号○東証プライム）
問合せ先　取締役○○○○
（TEL ○－○○○○－○○）

株主提案に係る当社の対応に関するお知らせ

当社は、当社株主より、○年○月○日付で、同年○月○日開催予定の当社第○期定時株主総会における株主提案権の行使に関する書面を受領し、同年○月○日開催の当社取締役会においてかかる株主提案に対する取締役会の反対意見を決議いたしましたので、下記のとおり、お知らせいたします。

記

1. 提案株主

⑴　提案株主名：株式会社○○○○
⑵　保有株式：○○○株（発行済株式総数の○%〔○年○月○日現在〕）

2. 株主提案の内容および当社取締役会の反対意見
以下の⑴提案の内容および⑵提案の理由は、株主から提出された株主提案権行使書の内容をそのまま記載したものであります。

株主提案○○○○の件
⑴　提案の内容
（省略）
⑵　提案の理由
（省略）
⑶　当社取締役会の意見
当社取締役会は株主提案に反対いたします。
（理由は省略）

以上

第4
招集通知・株主総会参考書類等の作成

株主提案の議案を有効なものとして取り上げる場合、会社側としては、株主提案に対応した招集通知・株主総会参考書類・議決権行使書面・委任状参考書類・委任状用紙を準備する必要がある。

1　招集通知

書面・電磁的方法により招集通知を発出する会社においては、株主が議題提案権を行使した場合、提案された株主総会の目的事項（議題）を、決議事項として（狭義の）招集通知に記載・記録することを要する（会社法298条1項2号、299条4項）。

また、株主が自己の議案の通知請求権を行使した場合、当該株主が提出しようとする議案の要領を（狭義の）招集通知に記載・記録することが必要となる（会社法305条1項）。ただし、（狭義の）招集通知の記載事項が株主総会参考書類に記載されていれば、それをもって足りるとされており（会施規73条4項）、議案の要領の記載は株主総会参考書類の議案の記載をもって代替することが可能である。

なお、電子提供措置適用会社においては、議案の要領について電子提供措置をとることが必要となり、株主に送付する招集通知（アクセス通知）に記載・記録する必要はない（会社法325条の4第4項。ただし、実際には、株主提案に係る議案の要領だけを独立のファイルとしてアップロードするのではなく、従前の実務と同様に狭義の招集通知に相当する資料に記載してアップロードするか、株主総会参考書類をアップロードしていることをもって、議案の要領について電子提供措置をとっているものと整理することが考えられる。）。

ここにいう「議案の要領」の意義について、東京地判平成19・6・13判タ1262号315頁は、株主総会の議題に関し、当該株主が提案する解決案の基本的内容について、会社および一般株主が理解できる程度の記載をいうものと解すべきであるとしており、また、議案の提案の理由は「議案の要領」には含まれないと判示している。

（狭義の）招集通知の具体的な記載例は、以下のとおりである（札幌高判平成9・6・26資料版商事法務163号262頁においては、「会社提案」は「取締役提案」とするのが正確であるとして、「会社提案」という記載の適否が争われたが、裁判所は、かかる記載も違法ではないとしている。）。

記載例：株主総会参考書類の作成が必要な会社の決議事項の記載例

（会社提案）
第1号議案　剰余金の処分の件
第2号議案　定款一部変更の件
（株主提案）
第3号議案　取締役○名選任の件
　　　　　　議案の要領は、後記の株主総会参考書類○頁に記載のとおりです。

なお、株主提案について、会社が形式を整えるために当該提案の趣旨を損なわない限度で加筆・修正し、招集通知に記載・記録するのは差し支えなく、株主総会参考書類の記載についても同様に加筆・修正することができると考えられる（実務相談(2) 641頁〔稲葉威雄〕、Q&A株主総会(1) 601頁〔吉田清見〕）。

2　株主総会参考書類・委任状参考書類

(1)　株主総会参考書類

書面投票制度を採用する会社においては、株主による議決権行使を実効的なものとするため、株主総会の招集の通知に際して、議決権行使の参考となるべき事項を記載した株主総会参考書類を交付しなければならない（会社法301条、298条1項3号。電子提供制度適用会社においては、株主総会参考書類に記載すべき情報について電子提供措置をとることになる（会社法325条の2第1号）。）。電子投票制度を採用する会社においても同様である（会社法302条、298条1項4号）。なお、議決権を有する株主の数が1,000人以上である場合には、金商法に従って委任状を交付する場合を除き、書面投票を採用しなければならないため（会社法298条2項）、必然的に、議決権の行使について参考となるべき事項を記載した株主総会参考書類を交付しなければならない。

株主総会参考書類の作成が必要な会社において、議案が株主の提出に係るものである場合、株主総会参考書類には、以下の事項を記載する必要がある。

株主提案の場合における株主総会参考書類記載事項

① 議案が株主の提出に係るものである旨（会施規93条１項１号）
② 議案に対する取締役（取締役会設置会社である場合にあっては、取締役会）の意見があるときは、その意見の内容（会施規93条１項２号）
③ 株主が自己の議案の通知請求（会社法305条１項）に際して提案の理由（当該提案の理由が明らかに虚偽である場合または専ら人の名誉を侵害し、もしくは侮辱する目的によるものと認められる場合における当該提案の理由を除く。）を会社に対して通知したときは、その理由（会施規93条１項３号）
④ 議案が取締役（株式会社が監査等委員会設置会社である場合にあっては、監査等委員である取締役を除く。）、監査等委員である取締役、会計参与、監査役または会計監査人の選任に関するものである場合において、株主が自己の議案の通知請求（会社法305条１項）に際して、候補者の略歴等会社法施行規則74条から77条までに定める事項（当該事項が明らかに虚偽である場合における当該事項を除く。）を会社に対して通知したときは、その内容（会施規93条１項４号）
⑤ 議案が次のイまたはロに掲げる事項に関するものである場合において、株主が自己の議案の通知請求（会社法305条１項）に際して当該イまたはロに定める事項（当該事項が明らかに虚偽である場合における当該事項を除く。）を株式会社に対して通知したときは、その内容（会施規93条１項５号）
イ　全部取得条項付種類株式の取得　会社法施行規則85条の２に規定する事項
ロ　株式の併合　会社法施行規則85条の３に規定する事項

上記のうち③ないし⑤（会施規93条１項３号から５号まで）に掲げる事項が株主総会参考書類にその全部を記載することが適切でない程度の多数の文字、記号その他のものをもって構成されている場合（株式会社がその全部を記載することが適切であるものとして定めた分量を超える場合を含む。）にあっては、「当該事項の概要」を記載すれば足りるとされている（会施規93条１項柱書）。

２以上の株主から同一趣旨の議案が提出されている場合には、株主総会参考書類には、その議案およびこれに対する取締役（取締役会設置会社である場合にあっては、取締役会）の意見の内容をまとめて記載することができる。ただし、その2以上の株主から同一の趣旨の提案があった旨を記載する必要がある（会施規93条2項）。

提案の理由についても、2以上の株主から同一趣旨の提案の理由が提出されている場合には、株主総会参考書類には、その提案の理由をまとめて記載することができる（会施規93条3項）。

なお、旧商法下では、議案を提出した株主の議決権の数が、議案が株主提案である場合の参考書類記載事項とされていた（旧商法施行規則17条1項柱書）ものの、会社法下では株主総会参考書類に記載する必要はない。

記載例：株主総会参考書類における株主提案の議案の記載例

〈株主提案〉
第○号議案は、株主（3名）からのご提案によるものであります。
第○号議案　剰余金の配当の件
本議案は、第1号議案（会社提案）に対する代替提案ですので、双方に賛成されることのないようご留意下さい。(注)

1. 提案の内容
第○期の期末剰余金の配当として、1株当たり30円を配当する。
(1) 配当財産の種類
金銭
(2) 株主に対する配当財産の割当に関する事項およびその総額
当社普通株式1株につき金30円　総額○○○円
(3) 剰余金の配当が効力を生じる日
○年○月○日
2. 提案の理由
○年○月期の予想連結当期純利益は1株当たり○円であるところ、当社が従来の1株当たり年○円の配当を継続するとすれば、連結配当性向は○％という極めて低い水準となる。……（以下略）
取締役会の意見
取締役会としては、本議案に反対します。
当社グループでは……（以下略）

（注）　会社提案の剰余金の処分（配当）議案と株主提案の議案が代替提案の関係にあることを記載した例である。なお、（狭義の）招集通知の決議事項の記載（記載例は本書95頁参照）や議決権行使書面において、かかる記載をすることも考えられる。

⑵　委任状参考書類

会社が、書面投票制度に代えて委任状勧誘を行う場合、または、書面投票制度と委任状勧誘規制（本書150頁参照）に則った委任状勧誘を併用することを選択した場合には、委任状参考書類において、同一の事項（勧誘府令39条）の記載が必要となる（ただし、書面投票制度と委任状勧誘を併用する場合は、一定の事項の記載を省略することができる。詳細は、本書173頁参照）。

⑶　提案理由等の文字制限

株主総会参考書類の記載事項について、旧商法下では、提案理由に400字以内という文字数の制限が課されていた（旧商法施行規則17条１項１号）ものの、会社法下では明確な文字数の制限はされていない。

もっとも、会社法では、会施規93条１項３号（提案の理由）、４号（役員等の略歴等）および５号（全部取得条項付種類株式の取得・株式の併合）に掲げる事項が、株主総会参考書類にその全部を記載することが適切でない程度の多数の文字、記号その他のものをもって構成されている場合（株式会社がその全部を記載することが適切であるものとして定めた分量を超える場合を含む。）には、当該事項の概要を記載すれば足りるとされており（会施規93条１項柱書）、株主の提案理由の分量によっては概要を記載することもできる。また、委任状参考書類についても同様の規定が設けられている（本書172頁参照）

「その全部を記載することが適切でない程度の多数」とは、旧商法下での「400字」を意味するものではなく、会社が株主総会参考書類の他の記載事項の量との関係を考慮しつつ、適切に判断すべきこととなる（論点解説481頁）。会社が一律に文字数の制限を定める場合には、前述した権利行使の方法を制限する場合と同様に、定款による委任を受けた株式取扱規程等においてこれを定めることが考えられる（記載例は本書64頁の記載例Ｂ参照）。

概要の作成を誰が行うかについては、まずは、提案株主自身に作成を求め、提案株主の協力が得られない場合においては、会社側が概要を作成することが多いと思われる（弥永真生『コンメンタール会社法施行規則・電子公告規則』498頁（商事法務、第３版、2021)、森本滋ほか「〔座談会〕会社法への実務対応に伴う問題点の検討――全面適用下の株主総会で提起された問題を中心に」商事法務1807号17頁〔三笘裕発言〕(2007))。なお、株主の作成した提案理由等が上記の字数を超える場合であっても、必ず概要を作成しなければならないというものではない。概要の作成にかかる株主とのやり取りの手間や、会社側で作成した要約の内容を巡って争いが生ずることを避ける観点から、株主の提案理由等が不相当に長大であるといった事情がなければ、そのまま株主総会参考書類等に記載することも考えられる。

なお、株主総会参考書類における「提案の理由」等の記載はWeb開示の対象となるが（会施規94条）、Web開示によってインターネット上で開示する場合も、以上の文字制限を課すことは問題ないと解されている。もっとも、Web開示の場合は、書面に記載する場合の印刷コストの増加といった問題は生じないから、提供した提案理由等の正確性を巡って後日紛争が生ずることを回避するため、会社側の対応として、株主提案における提案理由をそのまま全てWeb開示の対象とすることも考えられる（森本ほか・前掲18頁〔相澤哲発言〕）。また、電子提供制度適用会社において、株主総会参考書類に記載すべき「提案の理由」等の情報について電子提供措置をとる場合についても同様に考えられる。

(4)　取締役会の意見の記載

会社側は、株主提案の議案に対する取締役会の意見があるときは、株主総会参考書類・委任状参考書類にその意見の内容（会施規93条1項2号、勧誘府令39条1項2号）を記載することができる。この「取締役会の意見」の記載は、意見がない場合は記載を要しないものであるが、通常は、株主提案に対する何らかの取締役会の意見を記載することが多い。なお、株主提案の議案の提案理由等と異なり、かかる取締役会の意見の記載については、記載する分量について特段の制約は置かれていない。これは、会社としては、株主に取締役会の立場を十分に説明する必要があることによるものである（弥永・前掲497頁）。提案株主側も、委任状勧誘を行えば、自ら作成する委任状参考書類において提案の理由等を何らの制約もなく記載することも可能であり、会社側が、会社作成の株主総会参考書類・委任状参考書類において、株主提案の議案の提案理由を一定の分量に制限しつつ、取締役会の意見をその分量を大きく超えて記載しても、法的に問題ないと考えられる（太田洋「株主提案と委任状勧誘に関する実務上の諸問題」商事法務1801号28頁（2007））。

3　議決権行使書面・委任状用紙

会社が、書面投票制度を採用する場合には議決権行使書面を、これに代えて委任状勧誘を行う場合には委任状用紙を準備する必要がある（なお、書面投票制度と委任状勧誘の併用の可否については、本書137頁参照）。

(1)　議決権行使書面

書面投票制度を採用している会社においては、投票用紙として議決権行使書面を株主に交付する必要がある（会社法301条1項）。

電子提供制度適用会社においても、議決権行使書面については、株主の氏名・名称や議決権数等の情報を含むことから、電子提供措置をとる負担が大きくなるおそれがあるため、電子提供措置をとらず、株主に対して書面で交付することができるものとされている（会社法325条の3第2項）。実際上も、議決権行使書面をダウンロード、印刷して返送することは株主にとっては煩雑であり、議決権行使比率の低下を招くおそれもあることから、議決権行使書面については、電子提供措置をとらず、招集通知と合わせて書面により交付するという対応が多くなるものと考えられる（塚本英巨＝中川雅博「株主総会資料電子提供の法務と実務」61頁（2021、商事法務））。

株主提案があった場合の議決権行使書面の記載例は、以下のとおりである（なお、比較のため、株主提案がない場合の記載例も掲載する。）。

記載例：議決権行使書面

4.　議案および賛否の表示方法(C)

【株主提出議案がない場合】

［記載例］

＊以下の欄に賛否をご記入（○印で表示）ください。

第1号議案	賛	否
第2号議案	賛	否

（ご注意）

議案に対し賛否の表示をされないときは、会社提出議案につき賛成の表示があったものとして取り扱います。

【株主提出議案がある場合】

［記載例］

＊以下の欄に賛否をご記入（○印で表示）ください。

第１号議案	会社提出原案に対し	賛	否
第２号議案	会社提出原案に対し	賛	否
	株主提出原案に対し	賛	否
第３号議案	株主提出原案に対し	賛	否

（ご注意）

議案に対し賛否の表示をされないときは、会社提出原案につき賛成、株主提出原案に対し反対の表示があったものとして取り扱います。

（記載上の注意）

⑴　議決権行使書面には、各議案について株主が賛否の意思表示ができるようにする（会社法施行規則第66条第１項第１号）。会社法施行規則第66条第１項第１号は、棄権の欄を設けることを認めているが、棄権は実質上、提案に反対するということであり、棄権の意見を聞く意味に乏しいと考える。［記載例］の第２号議案は、会社提出原案と株主提出原案とを同号の議案としてまとめているが、同じ議題についての議案であっても株主提案の議案を別号議案とすることもできる。

⑵　役員等の選任・解任、会計監査人の不再任議案において、その候補者が２名以上であるときは、各候補者について賛否の意思表示を記載できるようにする（会社法施行規則第66条第１項第１号）。例えば次のように空欄を設け、ここに選任を否とする候補者の氏名または株主総会参考書類に付した番号を記載できるようにする。

【株主提出議案がない場合】

［記載例］

＊以下の欄に賛否をご記入（○印で表示）ください。

第○号議案	賛	否	（ただし候補者のうち　　　　　　　を除く。）

（ご注意）

⑴　議案に対し賛否の表示をされないときは、会社提出原案につき賛成

の表示があったものとして取り扱います。

(2)　第○号議案の一部の候補者につき否とされる場合は、「賛」に○印を表示の上、当該候補者の番号（株主総会参考書類記載の候補者番号）を但書欄にご記入ください。

【株主提出議案がある場合】

［記載例］

＊以下の欄に賛否をご記入（○印で表示）ください。

第○号議案	会社提出原案に対し	賛	否
	（ただし候補者のうち　　　　　　を除く。）		
	株主提出原案に対し	賛	否
	（ただし候補者のうち　　　　　　を除く。）		

（ご注意）

(1)　議案に対し賛否の表示をされないときは、会社提出原案につき賛成、株主提出原案につき反対の表示があったものとして取り扱います。

(2)　第○号議案の一部の候補者につき否とされる場合は、「賛」に○印を表示の上、当該候補者の番号（株主総会参考書類記載の候補者番号）を但書欄にご記入ください。

出典：一般社団法人日本経済団体連合会経済法規委員会企画部会「会社法施行規則及び会社計算規則による株式会社の各種書類のひな型〔改訂版〕」（2022年11月1日、2023年1月18日更新）148頁以下

株主総会の招集を決定する取締役会において、株主から提出された議決権行使書面に議案に対する賛否が記載されていない場合に、各議案に対して賛成、反対または棄権のいずれかの意思表示があったものと取り扱う旨を決定し、これを議決権行使書面に記載することが可能である（会社法298条1項5号、会施規63条3号ニ、66条1項2号）。そして、議決権行使書面に賛否の表示がない場合の取扱いについては、株主提出議案がある場合には、「議案に対し賛否の表示をされないときは、会社提出原案につき賛成、株主提出原案につき反対の意思表示をしたもの」と決定するのが一般的である（前記記載例参照）。会社側は、かかる決定を行っておくことにより、議決権行使に特段の関心がないなどの理由で、賛否の記載をしない議決権行使書面が株主から返送された場合、自

己に有利な議決権行使をしたものと取り扱うことが可能となる（なお、この点について、賛否の記載のない議決権行使書面については会社提出議案と株主提出議案の全てについて同一の取扱いをすべきとする見解もあるが、通説は、前記の「議案に対し賛否の表示をされないときは、会社提出原案につき賛成、株主提出原案につき反対の意思表示をしたもの」とする取扱いも認められるとしている。稲葉・改正会社法166頁、札幌高判平成9・1・28資料版商事法務155号109頁、大阪地判平成13・2・28金判1114号21頁）。

このほか、実務上、会社提案と株主提案とが対立している局面においても、一般株主が議案の中身をよく吟味せずに議決権行使書面を返送する結果、会社提案と株主提案の全てに賛成（または反対）の議決権行使がなされる場合が少なくない（澤口実「株主提案権の今」資料版商事法務340号23頁（2012））。そこで、株主提案がある場合の議決権行使書面の賛否の欄の記載については、議決権行使に関心の薄い株主が安易に会社提案と株主提案の全ての「賛」の欄に○を付けることを可能な限り回避するため、会社提案と株主提案の議案の賛否の欄を分けるほか、株主提案に対する取締役会の意見も合わせて記載するなどの工夫がされることがある。

記載例：議決権行使書面（会社提案と株主提案の賛否の欄を分け、取締役会の反対意見を記載する例）

議　案		第1号議　案	第2号議　案
会社提案		賛	賛
		否	否

議　案		第3号議　案
株主提案		賛
		否

（ご注意）
取締役会は、株主提案に反対しております。第3号議案につき、取締役会の意見に賛成の場合は「否」に、株主提案に賛成の場合は「賛」に○印を記入して下さい。

また、前記のとおり、会社提案と株主提案とが両立しない関係に立ち、両方に賛成する議決権行使は無効と取り扱う場合や（本書93頁参照）、会社提案と株主提案の役員候補者の数の合計数が定款所定の上限員数を超えるために、定款所定の上限員数を超えて賛成の議決権行使がなされた場合には無効として取り扱う場合など（本書77頁参照）、会社提案と株主提案との相互の関係が議決権行使の有効性に影響を与える場合は、そのことを株主に明確に周知しておくべきと考えられ、その旨の注記を議決権行使書面に記載しておくことが考えられる。

記載例：議決権行使書面（取締役選任議案について定款に基づく上限数を記載する例）

議　案	第1号議　案	第2号議　案	（下の候補者を除く）
会社提案	賛	賛	
	否	否	

議　案	第3号議　案	（下の候補者を除く）
株主提案	賛	
	否	

（ご注意）
取締役会は、株主提案に反対しております。
当社定款第○条の定めにより、当会社の取締役は10名以内となりますので、第2号議案と第3号議案の取締役候補者合計15名のうち10名を超える賛成のご表示がされている場合は、第2号議案および第3号議案に関する議決権行使はいずれも無効として取り扱います。
議案に対し賛否の表示をされないときは、会社提出原案につき賛成、株主提出原案につき反対の表示があったものとして会社は取り扱います。

(2)　委任状用紙

会社が、書面投票制度に代えて委任状勧誘を行うことを選択した場合、または、書面投票制度と委任状勧誘規制に則った委任状勧誘を併用することを選択した場合（本書134頁参照）、委任状勧誘規制の要件を充たす委任状用紙を株主に交付しなければならない（金施令36条の2第1項）。なお、電子提供制度適用会社においても、委任状用紙について電子提供措置をとる必要はないが（会社法325条の2参照）、委任状用紙を任意にウェブサイトに掲載することは妨げられない。

会社作成の委任状用紙の記載例は、以下のとおりである（なお、提案株主側が委任状勧誘を行う場合の委任状用紙の記載例は、本書141頁参照)。

記載例：委任状用紙（会社作成）

委任状

○年○月○日

○○○○株式会社　御中

株主　住所

氏名

私は、株主＿＿＿＿＿＿＿を代理人として定め、以下の事項を委任します。

1. ○年○月○日開催の貴社第○回定時株主総会（継続会または延会を含む。）に出席して、下記の議案につき私の指示（○印で表示）に従って議決権を行使すること。ただし、各議案につき賛否の表示をしていない場合、原案につき修正案が提出された場合および議事進行等に関連する動議が提出された場合は、白紙委任します。
2. 復代理人を選任すること。

記

〈会社提案（第1号議案から第3号議案まで)〉

第1号議案	原案に対し	賛	否
第2号議案	原案に対し	賛	否
	(ただし候補者のうち　　　　を除く。)		
第3号議案	原案に対し	賛	否

〈株主提案（第4号議案・第5号議案)〉

第4号議案	原案に対し	賛	否
第5号議案	原案に対し	賛	否
	(ただし候補者のうち　　　　を除く。)		

（ご注意）

第2号議案および第5号議案の一部の候補者につき否とされる場合は、「賛」に○印を表示の上、当該候補者の番号（「招集ご通知」添付の議決権の代理行使に関する参考書類記載の候補者番号）を但書欄にご記入ください。

委任状の記載および取扱いに関し、留意を要する主な事項は以下のとおりである。

(a)　委任状用紙には、議案ごとに賛否を記載する欄を設けなければならない（金施令36条の2第5項、勧誘府令43条本文。ただし、棄権の欄を設けることは可能である（勧誘府令43条但書）。）。「議案ごとに」とされているため、複数の議案を一括して賛否を記載する欄を設けること（例えば、「第1号議案から第○号議案　賛・否」というようなもの）は認められない。

(b)　株主が賛否の記載のないまま委任状を返送した場合、当該株主は賛否の判断を代理人に委ねたものと解釈され、かかる委任状も有効である。しかし、実務上は、株主から返送される委任状に賛否の記載がない場合に備えて、前記記載例のとおり、賛否の表示がないときには、受任者に一任する旨を注記するのが一般的である。

(c)　会社作成の委任状の場合、会社としては、一般的に、代理人名の欄は空欄のまま返送してもらうことを前提に、代理人名を記載せずに株主に送付する。勧誘者である会社が、株主から代理人名が空欄のままの委任状用紙の返送を受けた場合、会社自身は代理人として議決権行使をすることができないため（本書204頁参照）、総務部長等の会社関係者を代理人に指名し（定款において、代理人資格を株主に限定している会社では、当該指名を受ける者は株主である必要がある。）、その者に議決権の代理行使をさせるのが通常である。なお、議決権の代理行使のための委任状においては、受任者の欄が補充されておらず空欄のままの白紙委任状でも、その所持者は委任状の所持自体によって受任者たる資格を主張でき、その者のなした議決権の代理行使は有効であると解されているため（実務相談⑵888頁〔田辺明〕、東京地判昭和44・1・21商事法務474号27頁）、議決権行使の際に代理人欄を補充する必要はない。

株主が委任状用紙の代理人欄を補充して代理人を指定した場合は、指定された者が会社関係者であり、かつ、同人が議決権の代理行使を行うことに支障がない場合は、同人が受任者として議決権を行使すればよい。指定された会社関係者が議長である社長・役員席に座る役員等であった場合など、議決権の代理行使を行うことに事実上支障がある者であった場合は、会社としては、復代理人の選任を委任事項としていれば（前記記載例参照）、代理人欄に記載された者が選任した復代理人であるという位置付けで、任意の者に議決権の代理行使をさせることが可能である。復代理人の選任を委任事項としていない場合は、代理人欄に記載された者が、議決権の代理行使を行うこととなる（ただし、代理人欄に代表者名が記載された場合、株主意思の合理的解釈により、会社に議決権の代理行使をする者の選択を認める趣旨として取り扱うことが考えられることについては、本書193頁参照）。この点、採決の方法として投票を採用した場合において、株主である取締役・監査役・従業員らが投票を行わなかった事例について、投票によって意思を表明しない者の議決権を、その内心を推測して議案に賛成する旨投票したものと取り扱うことは許されないと解するのが相当であり、議長において当該議案について各株主の賛否の意思を明確に認識していたからといって、投票したのと同様に議決権を行使したものと扱うことは許されないとした裁判例がある（大阪地判平成16・2・4資料版商事法務240号104頁）。議長や役員席に座る役員等が議決権行使を行う場合、採決方法として投票を行う場合に投票するべきことは勿論、拍手による採決を行う場合も、議決権行使の有無について疑義を回避するためには、拍手等の議決権行使を行うことを示す挙動を行うことが無難であることについては注意を要する（宮谷隆＝奥山健志『株主総会の準備事務と議事運営』354頁（中央経済社、第5版、2021）参照）。一方、指定された者が会社関係者以外の者であった場合、会社が、当該委任状を利用することは困難である。

なお、委任状の勧誘行為の法的性質は、株主に対する議決権代理行使を第三者に委任することの媒介契約の申込みであると考えられているところ（本書192頁参照）、会社が代理人欄を白紙にした委任状を送付するのは、何人を代理人に選定するかを会社に一任することを求める趣旨であり、株主が代理人欄に特定の者の氏名を記入して委任状を返送してきた場合、勧誘者と被勧誘者との間の意思の合致がないため、会社としては、代理人欄に記載された者を代理人として選任すべき義務はなく、指定された者が受任する義務もないと考えられている（実務相談(2)964頁〔吉田昴〕）。このほか、代理人欄に自分の名前を記載した委任状、代理人欄に会社名を記載した委任状等の効力については、後述する（本書193頁参照）。

(d)　書面投票制度における議決権行使書面の場合、複数の役員等の選任・解任に関する議案および複数の会計監査人の不再任に関する議案については、各候補者の選任、各役員等の解任および各会計監査人の不再任について賛否の記載欄を設けることが求められる（会施規66条1項1号イ～ハ)。しかし、委任状勧誘における委任状用紙にはかかる各候補者・各役員等ごとの賛否の記載欄は勧誘府令上明示的には求められていない。

もっとも、取締役・監査役の選任議案については、候補者1名につき1議案を構成すると考えられているため、委任状用紙についても議決権行使書面と同様に候補者ごとに賛否の記載をできるようにする必要がある（本書167頁参照)。

(e)　委任状に基づく代理人の権限は、委任状に記載のない事項には及ばないのが原則である。もっとも、例外的に、①総会の延期・続行、議長の選任その他議事の運営に関する手続的事項、②招集通知に掲げられた株主総会の目的たる事項から一般に予見され得る範囲内における原案修正（追加・変更）の決議、③特定の議題に関連して付議されることが合理的に予測され得る事項（例えば、計算書類承認決議における検査役の選任、会計監査人の総会出席要求）については、代理権授与行為の合理的解釈により、委任状用紙に直接これについての記載がなくても、代理人は当然に議決権行使の権限を有するとの見解もある（大隅＝今井・会社法論（中）67頁、株主総会ガイドライン256頁、Q&A株主総会(1) 1123頁参照)。

ただし、この点については異論もあるため（本書221頁参照)、議事進行の動議や修正動議への対応についても代理人への授権の対象としたいと考える場合は、委任状用紙記載の委任事項において、その旨を明記しておくべきであると思われる。前記の委任状用紙（会社作成）の記載例における「ただし、（中略）原案につき修正案が提出された場合および議事進行等に関連する動議が提出された場合は、白紙委任します。」との記載は、このような趣旨を明記するものである。一般的に、議事進行の動議については、株主またはその代理人のみならず、議長も提出することができると考えられており（株主総会ガイドライン238頁、Q&A株主総会(2) 1549頁)、かかる文言によって、議長が議事進行の方法について議場に諮る場合の議決権行使についても委任の対象であることが明示されていることになる。

(f)　実務上、委任状用紙において修正動議に対する対応のために、「原案につき修正案が提出された場合……白紙委任します。」と記載すること（前記記載例参照）が認められるか否かが問題とされることがある。

この点、かかる委任状用紙の記載があると、①株主提案を行った提案者の委任状勧誘の場合、提案者の提案に係る議案に反対する株主（被勧誘者）の議決権について当該議案が修正されれば、当該修正案への賛否が勧誘者に一任されることになり、特に当該修正案が原案とその実質的な趣旨を同じくする場合には被勧誘者の合理的意思と整合しない形で議決権の代理行使が行われることとなり不当であるし、②会社が委任状勧誘者である場合も、会社が、当初提出議案を修正したときは、原案には賛成であるが合理的に考えて修正案には反対の意思を有すると考えられる株主（被勧誘者）の議決権についても当該修正案への賛否が勧誘者に一任されることになり、やはり不当であることを理由に、かかる文言を委任状用紙に記載しても、当該文言に従って議決権の代理行使をすることは、委任の限界を超えるものとして、私法上無効であるとする見解がある（太田洋「株主提案と委任状勧誘に関する実務上の諸問題」商事法務1801号36頁（2007））。しかし、株主提案を行った株主による委任状勧誘に対して、委任状を返送する株主は、通常当該株主提案に賛成の株主であるから、前記①が問題となる場面は実際には稀であると思われる。また、前記②についても、委任状勧誘者が委任者の合理的意思に明らかに反する背信的な修正動議を行ったような場合に、前記委任文言に基づく議決権行使を無効とし、あるいは受任者としての善管注意義務違反を問題とすべき場面があり得るとしても、委任者である株主がかかる委任事項に同意して委任状用紙を提出している以上、上記委任状用紙の文言を一律に無効とする必要性はないと考えられる（田中亘「委任状勧誘戦に関する法律問題」金判1300号5頁（2008）参照）。かかる委任状用紙の文言を一律に無効とすれば、勧誘者が十分な数の委任状を確保した場合に相手方が修正動議を提出すれば、委任状を無意味ならしめることが可能となり、不合理であるとの批判もある（寺田昌弘ほか「委任状争奪戦に向けての委任状勧誘規制の問題点」商事法務1802号36頁（2007））。このようなことから、原則として、委任状用紙における「原案につき修正案が提出された場合……白紙委任します。」との記載も有効であると考えるべきである。

また、委任状争奪戦が行われる場合には、委任状の記載要領を委任状用紙と同封して株主に提供する場合も多い（本書120頁の記載例参照）。

記載例：委任状記載要領（会社作成）

委任状記載要領

当社の提案する各議案にご賛成いただける場合，下記の記載例に従い，委任状に必要事項をご記載のうえ，議決権行使書面とともに当社までご返送くださいますようよろしくお願い申し上げます。

①委任状をご作成いただける日付をご記載ください。

②当社よりご送付した招集通知の封筒記載のとおり株主様のご住所・お名前を署名または記名押印ください。

③空欄のままご返送ください。

④第１号議案から第３号議案の「賛」の欄に○印をご記入ください。

⑤第４号議案および第５号議案の「否」の欄に○印をご記入ください。

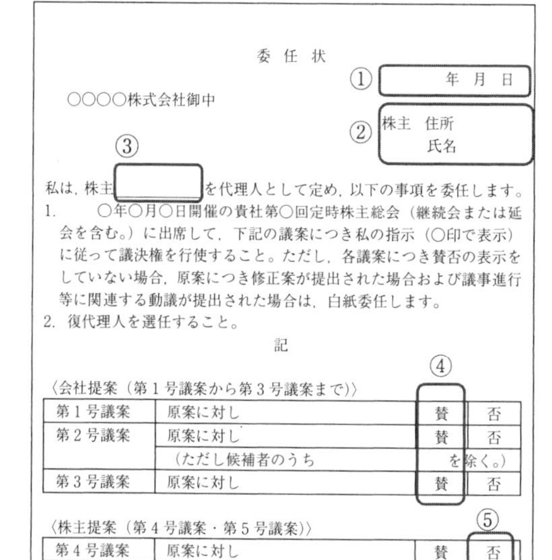

委　任　状

①　年　月　日

○○○○株式会社御中

②　株主　住所
氏名

私は，株主③［　　　］を代理人として定め，以下の事項を委任します。

1.　○年○月○日開催の貴社第○回定時株主総会（継続会または延会を含む。）に出席して，下記の議案につき私の指示（○印で表示）に従って議決権を行使すること。ただし，各議案につき賛否の表示をしていない場合，原案につき修正案が提出された場合および議事進行等に関連する動議が提出された場合は，白紙委任します。

2.　復代理人を選任すること。

記

〈会社提案（第１号議案から第３号議案まで）〉 ④

議案	内容	賛	否
第１号議案	原案に対し	賛	否
第２号議案	原案に対し	賛	否
	（ただし候補者のうち　を除く。）		
第３号議案	原案に対し	賛	否

〈株主提案（第４号議案・第５号議案）〉 ⑤

議案	内容	賛	否
第４号議案	原案に対し	賛	否
第５号議案	原案に対し	賛	否
	（ただし候補者のうち　を除く。）		

（ご注意）

第２号議案および第５号議案の一部の候補者につき否とされる場合は，「賛」に○印を表示の上，当該候補者の番号（「招集ご通知」添付の議決権の代理行使に関する参考書類記載の候補者番号）を但書欄にご記入ください。

4　株主総会資料の電子提供

電子提供制度適用会社においては、株主総会の招集に際しての決定事項（会社法298条1項各号の事項）、株主総会参考書類や議決権行使書面に記載すべき事項、自己の議案の通知請求権が行使された場合に当該請求に係る議案の要領、（定時株主総会において株主に提供される）計算書類等について、電子提供措置をとらなければならない（会社法325条の3第1項）。電子提供措置とは、電磁的方法により株主が情報の提供を受けることができる状態に置く措置のことであり、一般的には、Webサイトへファイルをアップロードしておくことになる。他方で、電子提供措置をとる場合には、株主総会参考書類等を招集通知と合わせて株主に交付することは不要である（会社法325条の3第2項、325条の4第3項）。なお、実際には、議決権行使書面については電子提供措置をとらず、株主に交付することが一般的となると考えられるほか（本書110頁参照）、議決権行使の促進等の観点からは、後記の書面交付請求をしたか否かにかかわらず、株主総会参考書類ないしそれに類する資料等を招集通知と合わせて株主に交付することも実務上は有力な選択肢となるものと見込まれる。

電子提供措置は、株主総会の日の3週間前の日または招集通知を発した日のいずれか早い日から株主総会の日後3か月を経過する日までの間、継続してとらなければならない（会社法325条の3第1項）。株主総会の日までの間に、一定期間以上電子提供措置の中断（サーバのダウン等によりアップロードされたファイルが閲覧できなくなったり、ハッカーやウイルス感染等による改ざんが生じた場合等をいう。）が生じた場合には、株主総会の招集の手続が法令に違反したものとして、株主総会の取消事由となる場合がある（会社法325条の6、一問一答42頁）。

電子提供制度適用会社においても、それ以外の会社と同様に、狭義の招集通知を株主総会の日の2週間前まで株主に対して送付する必要があるが（「アクセス通知」とも呼ばれる。）、招集通知に記載すべき事項は、株主総会の日時・場所や電子提供措置をとっている旨およびそのURL等の情報に限定されている（会社法325条の4第1項・2項）。また、株主総会の基準日までに書面交付請求をした株主に対しては、招集通知と合わせて株主総会参考書類等の記載事項を記載した書面を交付しなければならない（会社法325条の5）。

なお、電子提供措置をとるに際して、議決権代理行使の「勧誘」との関係が問題となり得ることに留意を要する（本書160頁参照）。

5　招集通知の発送時期

会社法上は、公開会社は、株主総会の日の2週間前までに招集通知を株主に発送する必要がある（会社法299条1項）。なお、前記4記載のとおり、電子提供制度適用会社においても、株主総会の日の2週間前まで株主に対して狭義の招集通知（アクセス通知）を送付する必要がある（会社法325条の4第1項）。

もっとも、株主に対して十分な議案の検討期間を与え、委任状の勧誘または自己の提案する議案について賛成の議決権行使を要請する勧誘を行うための時間を確保するため、2週間より前に招集通知を発送することが考えられる。コーポレートガバナンス・コード補充原則1－2②においても「上場会社は、株主が総会議案の十分な検討期間を確保することができるよう、招集通知に記載する情報の正確性を担保しつつその早期発送に努めるべきであり、また、招集通知に記載する情報は、株主総会の招集に係る取締役会決議から招集通知を発送するまでの間に、TDnetや自社のウェブサイトにより電子的に公表すべきである。」とされているが、かかる要請等を受けて、招集通知の早期発送や発送前の電子的公表は一般的な実務となっている（2020年7月から2021年6月の間に定時株主総会を開催した全国証券取引所上場会社（新興市場を除く。）に対するアンケート調査結果によれば、株主総会の日の21日前と回答した会社が最も多く（回答会社の24.1％）、次に多いのが22日前と回答した会社（回答会社の13.0％）となっており、法定期限の14日前と回答した会社は回答会社の9.5％にとどまる結果となっている（商事法務研究会『株主総会白書2021年度版』商事法務2280号78頁(2021))。)。

この点、上場会社は、株主総会における議決権行使を容易にするための環境整備として、①定時株主総会を開催する他の上場会社が著しく多い日と同一の日を、定時株主総会の日と定めないこと、②株主総会の招集の通知を株主総会の日の2週間前よりも早期に発送すること、③株主総会の招集の通知、株主総会参考書類または委任状参考書類、計算書類・事業報告・連結計算書類、およびこれらの書類を修正した場合は、その旨を記載した書類および修正前の書類を、株主総会の日の3週間前の日よりも前に電磁的方法により投資者が提供を受けることができる状態に置くこと、④株主総会の招集の通知および株主総会参考書類等を要約したものの英訳を作成し、投資者が提供を受けることができる状態に置くこと、⑤株主（当該株主が他人のために株式を有する者である場合には、当該株主に対して議決権の行使に係る指図権その他これに相当する権利を有する実質的な株主を含む。次⑥において同じ。）が電磁的方法により議決権（議決権の行使に係る指図権その他これに相当する権利を含む。次⑥において同じ。）の行使を行うことができる状態に置くこと、⑥その他株主の株主総会における議決権の行使を容易にするための環境整備に向けた事項を行うよう努めることとされている（東京証券取引所の有価証券上場規程446条、有価証券上場規程施行規則437条）。本書10頁以下に記載のとおり、議決権電子行使プラットフォームを利用し、かつ、招集通知の英訳を招集通知の発送と同時に掲載すれば、国内外を問わず機関投資家は、招集通知の発送日から議案の情報を取得することができ、議決権行使の指図も会社が定める締切日まで行うことができるため、より長期間の検討期間を確保することができる。

第５
株主名簿閲覧・謄写請求

1　株主名簿閲覧・謄写の意義

株主は、株主提案を行い、または会社提案に対して反対することを決定した場合、委任状勧誘を行うに先立ち、株主名簿の閲覧・謄写の請求を行うのが一般的である。具体的には、委任状勧誘に際して株主名簿の閲覧・謄写を行う目的として、会社の株主構成を把握することが挙げられる。上位の株主がいわゆる安定株主によって占められている場合などには、委任状勧誘を行っても手間、時間および費用がかかるのみで、コストに見合った効果を得ることは期待できないことから、株主名簿を閲覧・謄写し、会社の株主構成を把握しようと努めることが一般的である。もっとも、昨今、上場会社の外国人持株比率が上昇傾向にあったところ（東京証券取引所が2022年７月に公表した2021年度の株式分布状況調査の結果において、外国法人等の株式保有比率は30.4％を占めている。）、外国人の保有する株式は、信託銀行や証券会社等の保管機関（カストディアン）により保護預かりされている場合が多く、このような場合、株主名簿には当該外国人株主自体の記載はない。そのため、かかる場合には、株主名簿を閲覧・謄写したのみでは実質的な権利者を把握することができない。

2　閲覧・謄写の要件

株主は、会社の営業時間内であればいつでも請求の理由を明らかにした上で株主名簿の閲覧または謄写を請求することができる（会社法125条２項）。

そして、会社は、株主から株主名簿の閲覧または謄写の請求をされた場合には、以下の事由に該当しない限り請求を拒否することができない（会社法125条３項）。

① 請求者がその権利の確保または行使に関する調査以外の目的で請求を行ったとき（会社法125条３項１号）

② 請求者が会社の業務の遂行を妨げ、または株主の共同の利益を害する目的で請求を行ったとき（会社法125条3項2号）
③ 請求者が株主名簿の閲覧または謄写によって知り得た事実を利益を得て第三者に通報するため請求を行ったとき（会社法125条3項3号）
④ 請求者が、過去2年以内において、株主名簿の閲覧または謄写によって知り得た事実を利益を得て第三者に通報したことがあるものであるとき（会社法125条3項4号）

旧商法下では、前記のような株主名簿の閲覧・謄写請求に対する拒絶事由が条文上明確に規定されておらず、閲覧・謄写請求が不当な意図・目的によるものであるなど、その権利を濫用するものと認められる場合に、請求を拒否できるものと解されていた（最判平成2・4・17判時1380号136頁）。会社法においては、株主名簿の閲覧・謄写請求がいわゆる名簿屋による名簿の入手に利用されるといった弊害の防止や、プライバシー保護の観点から、従前、会計帳簿の閲覧・謄写請求の拒絶事由として規定されていた事由（旧商法293条ノ7）と同様の事由が、株主名簿の閲覧・謄写請求の拒絶事由として規定された（相澤哲＝岩崎友彦『株式（総則・株主名簿・株式の譲渡等）』別冊商事法務295号31頁（2006））。

この点、フタバ産業事件第一審決定（名古屋地岡崎支決平成22・3・29資料版商事法務316号209頁）は、株主が、複数の目的を示して株主名簿の謄写を求める仮処分を行った場合において、その目的のうちの1つに金融商品取引法に基づく損害賠償請求訴訟の原告を募る目的が含まれていたところ、当該損害賠償請求権は単独で行使することが可能であること等を理由として、当該目的は会社法125条3項1号の拒否事由（請求者がその権利の確保または行使に関する調査以外の目的で請求を行ったとき）に該当すると判断した。その上で、「謄写目的が複数存在し、その1つが謄写を拒否できる場合に当たる場合には、併存する正当な目的とそうでない目的のいずれが主たる目的であるかにより決するのが相当」であるとして、結論として株主の被保全権利（株主名簿を謄写する権利）を肯定した（ただし、保全の必要性がないことを理由に結論としては仮処分申立てを却下しており、抗告審（名古屋高決平成22・6・17資料版商事法務316号198頁）および特別抗告・許可抗告審（最決平成22・9・14資料版商事法務321号58頁）もこれを是認した。）。

前記１のとおり、株主名簿の閲覧謄写は委任状勧誘のためにも必要となるところ、東京地決平成 24・12・21 金判 1408 号 52 頁は、「議決権の代理行使を勧誘するなど、自己に賛同する同志を募る目的で株主名簿の閲覧謄写の請求をすることは、株主の権利の確保又は行使に関する調査の目的で行うものと評価すべき」と判示し（同様の立場を前提とすると思われる決定として、東京高決平成 20・6・12 金判 1295 号 12 頁、東京地決平成 22・7・20 金判 1348 号 14 頁）、また会社が株主総会の開催を決定しておらず、基準日も設定されていない状態であるとしても、かかる事情は保全の必要性を否定する一事情となるに過ぎず、株主名簿の閲覧謄写権の有無には影響がないと判示した。

また、「請求者が当該株式会社の業務と実質的に競争関係にある事業を営み、又はこれに従事するものであるとき」（平成 26 年改正会社法による改正前会社法 125 条３項３号）については、請求者が競業者であるということのみで閲覧・謄写の拒絶を認めるべき合理的理由はないとの指摘があり、また立法論としても存在理由がないとして批判的な見解が多かったことから、平成 26 年改正会社法によりかかる規定は削除されることとなった。

3　閲覧・謄写の手続

⑴　請　求

備置書類の閲覧謄写については、会社所定の書式での申込書の提出が求められることが多い。会社としても、閲覧謄写等の請求に応じるか否かの判断に必要な情報を効率的に収集するため、一定の書式を用意しておくことにはメリットがある（本書 128 頁の記載例参照）。

また、株主名簿の閲覧・謄写請求権は、振替法 154 条の「少数株主権等」に該当するため、個別株主通知が必要である。

上場会社について、株主名簿の書換は、株主の請求によっては行われず、総株主通知に基づき原則として年２回のみ行われるため（振替法 152 条１項）、最新の株主の状況が株主名簿にリアルタイムで反映されているわけではない。したがって、例えば委任状勧誘に利用する目的で、基準日株主の正確な情報を入手したい場合には、当該基準日に係る名寄せ作業の完了を待って閲覧・謄写請求を行うか、当該基準日時点の内容への書換が完了した後の株主名簿の閲覧・謄写を求める旨を明示して請求することが必要となると考えられる。

⑵　会社が任意に応じない場合の対応

株主名簿の閲覧・謄写請求に対し、会社が任意に応じない場合、株主は裁判所を通じて閲覧・謄写請求権の実現を目指すことになる。緊急に株主名簿の閲覧・謄写を行う必要がある場面においては、仮処分の手続（仮の地位を定める仮処分）によるのが一般的である。

仮処分命令が発令されるためには、会社法上、閲覧謄写請求権が認められるほかに、保全の必要性が認められる必要がある。この点、帳簿の閲覧・謄写請求仮処分における保全の必要性一般については、これらの仮処分が、いわゆる満足的仮処分（仮処分命令により、本案の目的が達成されてしまう類型の仮処分）であることを踏まえ、請求者に存する著しい損害等緊急切実な保全の必要性と会社が仮処分により受ける不利益とを比較衡量して、やむを得ないと認められる程度に被保全利益が重大かつ緊急である場合に限り認容されるべきものとされる（大隅健一郎「株主権に基づく仮処分」中田淳一ほか編『保全処分の体系〔下巻〕』667頁（法律文化社、1970））。もっとも、株主名簿の閲覧謄写により会社に損害が生じることは考えにくいので、会計帳簿の閲覧謄写等と比べ、要求される保全の必要性の程度は低いとする見解もある（清水研一「帳簿・会計書類・株主名簿の閲覧謄写仮処分」金融法務事情1409号35頁（1995）。東京地決平成24・12・21金判1408号52頁は、「株主名簿は、会社法上、その備置きが要求されており、株主であれば、原則としていつでもその閲覧謄写を請求できる性質のものであり、それにより会社に何らかの損害が発生することは通常考え難い」と判示する。）。また、閲覧謄写申込書の記載例（本書128頁参照）に記載の誓約事項に同意して申し込んだケースなど、請求者側が閲覧謄写の対象となる資料につき適正な利用を誓約した場合、かかる事実は、保全の必要性を肯定する方向で考慮される場合がある。例えば、フタバ産業事件抗告審決定（名古屋高決平成22・6・17資料版商事法務316号198頁）は、会社側が、「会社法125条3項1号にいう株主の権利の確保又は行使に関する調査の目的に限定して利用し、それ以外の目的（金融商品取引法上の請求を行う者を勧誘する目的を含むがこれに限らない。）には利用しない。」との内容の誓約書が提出されるのであれば、最新の株主名簿の閲覧等に応じる旨の和解案を提示した事実を指摘し、前記東京地裁平成24年決定は、「債権者が債務者株主の個人情報を公開買付勧誘目的及び委任状勧誘目的以外に利用しないことを誓約しているのであるから、債権者に本件株主名簿を閲覧謄写させることにより、債務者に何らかの損害が生ずるとは解さ

記載例：備置書類閲覧謄写等申込書（株主名簿に限らず、法定の備置書類の閲覧謄写請求に一般的に利用可能な申込書の例）

<table>
<tr><td colspan="5">備置書類閲覧謄写等申込書
年　　月　　日</td></tr>
<tr><td colspan="5">○○株式会社　御中</td></tr>
<tr><td>氏名・名称</td><td colspan="2">(印)</td><td rowspan="2">申込者区別</td><td rowspan="2">1. 株主
2. 債権者</td></tr>
<tr><td>住所</td><td colspan="2"></td></tr>
<tr><td rowspan="3">申込資格の明細</td><td>所有株式数</td><td colspan="3">株</td></tr>
<tr><td>債権の種別・金額</td><td colspan="3">円</td></tr>
<tr><td>代理人であることを証明する書類</td><td colspan="3"></td></tr>
<tr><td>申込書類名</td><td colspan="2"></td><td>請求内容</td><td>1. 閲覧
2. 謄写
3. 謄本 / 抄本交付</td></tr>
<tr><td>閲覧謄写等の希望日</td><td colspan="4"></td></tr>
<tr><td>目的</td><td colspan="4"></td></tr>
<tr><td colspan="5">注）申込書類を株主または債権者としてどのような権利の確保または行使に関して用いる目的であるか、申込書類により知り得た事実を申込者以外の者に開示する予定の有無、当該相手方の氏名または名称、当該相手方への開示の内容および開示の理由、当該相手方による利用方法等について、できる限り詳細にご記載下さい（裏面および別紙等の使用も可）。</td></tr>
<tr><td>申込者のご誓約事項</td><td colspan="4">・　私は、閲覧等に当たり、貴社の指示に従います。
・　私は、本申込みにより取得した情報（貴社株主の個人情報を含むが、これに限らないものとします）を上記目的以外に使用せず、また、上記目的に記載し貴社の許諾を受けた場合を除き、当該情報を第三者に開示・漏洩しないことを誓約いたします。
・　私は、上記に違反した場合、その結果生じる全ての責任を負担します。</td></tr>
<tr><td>ご注意事項</td><td colspan="4">※　上記申込みによる請求は、法令に従い認められない場合があります。
※　特別口座の株主の方は届出印、一般口座の株主の方は原則として実印を押印し印鑑証明書を添付して下さい。
※　代理人による請求の場合は代理権を証明する書面および代理人の本人確認資料を添付して下さい。
※　謄本 / 抄本の交付に当たっては、複写1枚につき10円を申し受けます。
※　閲覧、謄写は指定された場所において行い、指定場所以外には書類を持ち出さないで下さい。</td></tr>
</table>

れない」と判示した。

閲覧・謄写を命じる仮処分命令が下された場合、会社は不服があれば保全異議等により争うことになる。もっとも、仮処分命令は、かかる不服申立てにより当然に執行力を失うものではなく、合わせて執行停止の申立てを行う必要がある点に留意が必要である。

4　閲覧・謄写の実行

閲覧謄写とは、自分の目で記載内容を見てその写しを自分でとるという意味であり（東京地方裁判所商事研究会編『類型別会社訴訟Ⅱ』654頁（判例タイムズ社、第３版、2011））、会社が負う義務は、株主に対し、（営業時間中に）場所を提供して株主名簿の閲覧・謄写をさせることのみである。株主は、会社に対して謄本・抄本の交付を求めることはできず、また会社のコピー機の利用許可等、閲覧・謄写作業への協力を求める法的権利はない。しかし、上場企業における株主名簿は大部にわたることも多く、事実上はコピー機等を利用した謄写が必須となる。閲覧謄写に関する上記の解釈によれば、株主側でデジタルカメラやコピー機を持ち込んで謄写を行うことが原則となるが、会社側としては、株主が閲覧・謄写のために長時間会社に滞在することは、情報管理等の観点から望ましくないため、実務上は株主からコピー費用相当額の支払いを受けて任意に謄本・抄本を交付することも少なくない。もっとも、特定の株主に対してのみかかる取扱いを行うことは、株主平等原則の観点から問題となり得る。

なお、株主名簿管理人が置かれている場合には、株主名簿の備置場所は株主名簿管理人の営業所となり（会社法125条１項括弧書）、また「営業時間内」とあるのも株主名簿管理人の営業時間を指すと解される（会社法コンメ(3) 291頁〔前田雅弘〕）。したがって、閲覧謄写も株主名簿管理人（通常は証券代行会社）において行うことが原則であるが、実際には会社において実施されている場合もある。

第6
委任状勧誘を行うか否かの判断

1　委任状勧誘制度と書面投票制度の関係

書面投票制度とは、株主総会に出席しない株主が書面によって議決権を行使することを可能とする制度であり、同制度を採用する会社においては、株主総会の招集者は、株主総会の招集に際して、法定の事項を記載した株主総会参考書類および株主が株主総会に出席せず各議案につき賛否を表明できる議決権行使書面を交付しなければならない（会社法298条1項3号・2項、301条、325条）。なお、電子提供制度適用会社においても、少なくとも、議決権行使書面については、電子提供措置をとらず、株主に交付することが一般的となるものと考えられる（本書121頁参照）。

会社法施行前は、議決権を有する株主が1,000人以上の大会社について、書面投票制度の採用が義務付けられていたが、会社法施行後は、大会社に限らず、議決権を行使できる株主の数が1,000人以上の全ての会社について、書面投票制度の採用が義務付けられている（会社法298条2項、325条）。また、書面投票制度の採用が義務付けられない会社でも、株主総会の招集の際に書面投票制度の採用を取締役会で決定することにより、同制度を採用することが可能である（会社法298条1項3号・4項）。

委任状勧誘制度と書面投票制度とは、いずれも、株主総会に出席しない株主の意思を決議に反映することができるよう便宜を図るという共通の機能を有しているが、以下のような相違がある（本書133頁の表9参照）。

①　法定の参考書類等の交付

書面投票制度を採用した場合、当該制度を採用した会社は、上場会社であるか非上場会社であるかにかかわらず、法定の事項を記載した株主総会参考書類および議決権行使書面の交付が義務付けられる（会社法301条）。

これに対し、委任状勧誘制度においては、上場会社の株式についてこれを行う場合には後述のとおり法定の参考書類および委任状用紙の交付が求められるが、非上場会社の株式について行う委任状勧誘には、このような法的な規制はない（もっとも、非上場会社における委任状勧誘の場合も、事実上、委任状勧誘規制を参考にして行う例が少なくない。）。

② 議決権行使の効果の発生

委任状勧誘の結果、委任状が株主から返送されたとしても、当該委任状に基づく議決権行使の効果は、当該委任に基づき、代理人が株主総会の会場で議決権を行使して初めて発生する（間接投票）。そして、代理人が委任状記載の株主の賛否の指示に違反した議決権行使をした場合の効果については、単なる委任関係上の義務違反があるに過ぎず、義務違反の議決権行使それ自体は有効とする見解と、無権代理として無効とする見解がある（かかる議論については、本書238頁参照）。

一方、書面投票制度の場合、他人の行為を介在させず、株主が議決権行使書面を会社に提出することのみによって、議決権行使の効力が発生する（直接投票）。したがって、議案の賛否に関する株主の意思を確実に決議に反映するという意味においては、委任状勧誘制度よりも、書面投票制度が優れているともいえる。

③ 修正動議に関する対応

書面投票制度を採用した会社において、株主総会の会場において修正動議が出された場合、議決権行使書面上の会社提案の原案に対する賛否の記載から合理的に解釈して(a)会社提案の原案に賛成の議決権行使書面については、修正動議には反対として取り扱い、(b)会社提案の原案に反対の議決権行使書面については、修正動議に関しては棄権（賛否不明）として取り扱うのが一般的である（稲葉・改正会社法168頁等）。したがって、議決権行使書面の場合、修正動議に賛成の議決権行使をしたものと取り扱うことはできない。

一方、委任状の場合は、委任事項の内容によっては、修正動議に対し、議決権行使書面よりも柔軟な対応を可能とすることができる。例えば、実務上、「原案に対して修正案が提出された場合……白紙委任します。」との文言が委任状に記載されることがあるが、この場合、代理人は、委任者の合理的意思に反しない限度で、修正動議に対して賛否の議決権行使をすることが可能となる（なお、当該委任文言の有効性については、本書220頁参照）。

④　議事進行に関する動議に対する対応

書面投票制度による議決権行使は、あくまで「議案」について株主総会に先立って議決権を行使するものであり、本人も代理人も株主総会には出席しないため、株主総会の会場において、議長不信任の動議など、議事進行に関する動議が提出された場合、書面投票制度に基づく議決権行使書面によっては、株主の意思を動議処理に反映することはできない（したがって、例えば、議決権行使書面に、「議場の動議について一括して賛成あるいは反対する」「議事進行上の動議については、議長の判断に従って議決権を行使する」旨の表示をすることは、書面投票制度の制度趣旨に照らし認められないと解されている（元木・改正商法327頁、大隅＝今井・会社法論（中）75頁、稲葉威雄ほか「改正会社法セミナー（第18回）」ジュリスト793号95頁（1983）等）。）。

一方、委任状の場合は、代理人が株主総会に出席しているので、議事進行の動議対応について委任を受けた代理人は、議事進行の動議の採決において議決権を行使することができる。したがって、委任状によるときは、勧誘者に有利になるよう議事進行の動議に関する議決権行使をすることで、議事運営に影響を与えること（会社が勧誘者である場合は、議事運営を容易にすること）が可能である。

このようなことから、実務上、書面投票制度を採用する会社においても、議事進行の動議への対応を考慮して、会社に協力的な大株主等に株主総会に出席してもらうか、あるいは、そのような大株主等から、「議事進行等に関連する動議が提出された場合は、議長に協力して議決権を行使すること」といった内容を委任事項とする包括委任状を得ておくことが多い（本書137頁参照）。

委任状勧誘制度と書面投票制度は、原則として、任意に選択することが可能である。前述のとおり、議決権を有する株主の数が1,000人以上の会社においては、書面投票制度の採用が法律上義務付けられるが（会社法298条2項）、当該会社が上場会社である場合は、議決権を行使できる株主全員に対し、後述の委任状勧誘規制に従った委任状用紙を交付して委任状勧誘をしたときは、書面投票制度の適用はない（会社法298条2項但書、325条、会施規64条、95条2号）。また、書面投票制度が義務付けられない会社において、書面投票制度を採用するか委任状を利用するかは、会社が任意に選択することができる。なお、書面投票制度を義務付けられる会社が非上場会社である場合は、書面投票制度に代えて、任意に委任状勧誘制度を選択することはできない。

一方、株主提案・委任状勧誘の局面では、会社側において、書面投票制度と委任状勧誘制度を併用するか否かが問題となる場合がある。この点については、本書134頁以下を参照されたい。

表９：書面投票制度と委任状勧誘制度の主要な相違点

	書面投票制度	委任状勧誘制度
制度の採用の義務付けの有無	議決権を行使できる株主の数が1,000人以上の会社（上場会社が委任状勧誘規則に従って議決権を行使できる株主の全部に対して委任状勧誘を行う場合を除く。）（会社法298条２項）	委任状勧誘を行うことの法的な義務付けなし
法規制の適用	書面投票制度を採用した全ての株式会社に会社法・会社法施行規則の規制の適用あり	上場会社の株式について委任状勧誘を行う場合のみ委任状勧誘規制の適用あり
議決権行使の方法	直接投票	間接投票（代理人による株主総会の会場での議決権行使が必要）
議事進行に関する動議への対応	対応不可	対応可能
修正動議への対応	議決権行使書面の記載が原案に賛成である場合は、修正動議に反対として取り扱い、原案に反対である場合は、修正案について棄権（賛否不明）として取り扱う	委任事項の定め方によって、より柔軟な対応可能
一部の株主のみに対して行うことの可否	不可	会社が行う委任状勧誘の場合は不可（ただし、書面投票制度を採用した会社が、全株主に対して議決権行使書を送付した上で、重ねて一部の株主に対して委任状勧誘を行う場合は可能）

一部の議案のみへの適用の可否	不可	可能（ただし、書面投票制度を義務付けられる会社が、これに代えて行う委任状勧誘の場合は不可）
書面の会社への提出期限	議決権行使書面の提出期限は、原則、株主総会の日時の直前の営業時間の終了時だが、別途、会社が行使期限（株主総会の日時以前の時で、招集通知を発した時から2週間を経過した日以後の特定の時であることが必要）を設けることが可能（会施規69条）	委任状用紙の提出時期について特段の制限はなく、株主総会当日の提出も可能

2　会社側における検討

(1)　会社の取り得る選択肢

株主が1,000人以上の会社においては、書面投票制度の採用か（会社法298条1項3号）、あるいは同制度に代えて委任状勧誘規制に則った委任状勧誘を行うことが義務付けられる（同条2項）。株主提案権が行使され、あるいは株主側の委任状勧誘が行われる場合に、これに対抗するために会社が取り得る選択肢としては、以下の5つがある。なお、電磁的方法による議決権行使を認めるか否かについては、書面投票制度の採用（または委任状勧誘の実施）とは別に検討および決議（同条1項4号）が必要になる。

①　全株主について書面投票制度のみを採用する。
②　全株主について委任状勧誘制度のみを採用する。
③　全株主について書面投票制度を採用し、委任状勧誘規制の適用を受けない方法で一部株主から委任状の取得を行う。
④　全株主について書面投票制度を採用し、委任状勧誘規制に従って一部株主のみに委任状勧誘を行う。
⑤　全株主について書面投票制度と委任状勧誘制度を併用する。

選択肢①～⑤のうちどの手段を選択するかについては、検討を要する。

まず、書面投票制度のみを採用する場合（選択肢①）と委任状勧誘制度のみを採用する場合（選択肢②）の特徴および相違は、前述のとおりである（本書130頁以下参照）。

上場会社では、書面投票制度を採用している会社が大半であるため、書面投票制度のみを採用する場合（選択肢①）には、通常の株主総会と異ならない。もっとも、会社が、株主に対して、単に議決権行使を促す場合やそれを超えて会社提案に賛成の議決権を行使することを要請する場合については、委任状勧誘規制が適用されないと考えられており（本書158頁参照）、会社は、会社提案議案への賛成票を確保するため、株主に対して議決権行使書面を送付した上で、その提出の勧誘を行うことも考えられる。

しかし、書面投票のみでは、議事進行の動議への対応ができず（本書132頁参照）、修正動議への柔軟な対応も困難である（会社原案について会社側が修正動議を提出する場合には、議決権行使書面では、会社原案に賛成の株主も会社原案の修正案に反対と取り扱わざるを得ないが、委任状用紙に修正動議の際の対応を白紙委任としていれば、会社原案の修正案に賛成として取り扱うこともできる。本書131頁参照）。そこで、これらの動議対応のために、書面投票制度の採用に加えて、会社経営者側の大株主等の一部の株主から委任状を取得しておくことが考えられる（選択肢③または④）。なお、実務上、委任状勧誘規制の適用を受けないよう配慮しつつ、一部の株主から委任状を取得することも行われているが（選択肢③。後記(4)包括委任状の取扱い参照）、株主提案・委任状勧誘が行われる局面においては、慎重を期して、委任状勧誘規制に則り一部の株主から委任状を取得することも考えられる（選択肢④。書面投票制度を採用している場合、株主総会参考書類の記載事項は委任状参考書類において記載を省略することができ、管轄の財務局長への委任状用紙・委任状参考書類の写しの提出も不要となることなどから、委任状勧誘規制に則りつつ追加的な委任状勧誘を行うことは、それほど困難ではない。）。

さらに、株主側が相当数の委任状を取得している場合など、会社経営者側の大株主等から委任状を取得するだけでは動議処理に不安がある場合等においては、書面投票制度を採用せずに、全株主に対して委任状用紙を交付して委任状勧誘のみを行うという選択も考えられる（選択肢②。前述のとおり、書面投票制度を義務付けられる会社であっても、委任状勧誘規制に従って議決権を行使できる全株主に対して委任状勧誘を行う場合は、書面投票制度を採用しないという選択も認められる。)。

書面投票制度に重ねて全株主に対して委任状勧誘を行う場合（選択肢⑤）もある。かかる手段を採ることのメリットとしては、議決権行使書面と委任状用紙が重複提出された場合には、常に委任状が優先するとの見解が有力であり（本書234頁参照）、株主の取得した委任状によって議決権行使書面による議決権行使が覆滅されてしまうリスクを可及的に小さくすること、一般株主からも動議処理対応のための委任状を取得し得ることなどがある。他方で、書面投票制度に重ねて全株主に対して委任状勧誘を行う場合、株主に対して議決権行使書面に加えて委任状用紙を送付することになるため、株主の混乱を招くおそれがあることから、会社としては、議決権行使書面と委任状の関係性を説明する書面を同封するなどの工夫が必要になる。また、株主側作成に係る委任状と異なり、会社が作成した委任状については、それが会社作成のものであると確認できる場合には、本人確認書類の提出を必要としないと取り扱うことも考えられることから（本書196頁参照）、会社が全株主に委任状用紙を送付した場合、当該委任状が勧誘株主の手に渡る可能性もある（議決権行使書面と委任状用紙が重複提出された場合は、常に委任状用紙による議決権行使を優先させるという見解が有力であり、委任状用紙が提案株主に渡ると、勧誘株主に議決権行使書面による議決権行使を覆滅する手段を与えることとなる場合がある。)。

会社としては、各事案の特性等に応じ、選択肢①～⑤のいずれかを選択することになる。

なお、前記のとおり、電磁的方法による議決権行使を認めるかは別途検討が必要になるところ、機関投資家向けの議決権電子行使プラットフォームを採用する場合には、電子投票制度を採用する必要があるほか、個人投資家の議決権行使を容易にするという観点でも電子投票制度の採用は有用であるため、近年、これらを採用する会社は増加している（本書15頁参照）。株主提案・委任状勧誘が実施される株主総会においては、機関投資家からの賛同獲得および個人株主の議決権行使率の上昇が重要であることが多く、電子投票制度の採用を積極的に検討することが考えられる。

(2)　一部の株主に対する委任状勧誘

前述の選択肢④については、会社による一部株主のみに対する委任状勧誘が可能であるのかが、株主平等原則との関係で問題となる。

この点については、株主全員に書面投票制度による議決権行使書面を送付している場合において、重ねて、一部の株主のみに対して議決権代理行使の委任を勧誘する場合は、一部株主のみを対象とする勧誘も可能であると解されており（江頭・株式会社法359頁、前田重行『株主総会制度の研究』254頁（有斐閣、1997)、実務相談(2) 683頁〔稲葉威雄〕、大隅＝今井・会社法論（中）67頁、河本一郎＝今井宏『会社法――鑑定と実務』62頁（有斐閣、1999))、かかる選択肢も認められる。

(3)　書面投票制度と委任状勧誘制度の併用

前述の選択肢⑤については、書面投票制度が導入された昭和56年商法改正時の立案担当者が、株主を混乱させることになることを理由に、書面投票制度と委任状勧誘の併用は許されないとの見解を示しているが（稲葉・改正会社法170頁)、株主の混乱は議決権行使書面と委任状との関係を会社側が明確に説明することで回避可能であるし、勧誘府令は、株主総会参考書類に記載した事項については委任状参考書類への記載を要しないとするなど（本書173頁参照)、書面投票制度と委任状勧誘制度の併用を必ずしも排除していないと考えられ、選択肢⑤の方法も可能であると考えられる（太田洋「株主提案と委任状勧誘に関する実務上の諸問題」商事法務1801号34頁（2007))。

(4)　包括委任状の取扱い

書面投票制度の採用に加えて、議事進行の動議対応等のために一部株主のみからの委任状の取得を企図する場合、実務上は、委任状勧誘規制の適用を受けないよう、配慮することが多い（前述の選択肢③)。

具体的には、委任状勧誘規制の適用を受ける委任状勧誘に該当しないよう、ⅰ大株主から過去の慣行に従って自発的な提出を受ける、ⅱ元社員であって現株主である者が勧誘を行う、ⅲ総務部長等の社員であって現株主である者が勧誘を行うという態様で、10人以下の大株主から委任状を受けることが一般的である。これらのうちⅱ、ⅲは、委任状勧誘規制の適用除外事由である「当該株式の発行会社又はその役員のいずれでもない者が行う議決権の代理行使の勧誘であつて、被勧誘者が10人未満である場合」（金施令36条の6第1項1号。本書152頁の(a)）に該当するよう配慮するものである。

もっとも、いずれの態様についても、実態としては、会社や取締役による勧誘に応じて包括委任状が提出されているものと評価され（例えば、前記iiiの場合に、総務部長等が会社を離れて個人的な立場で委任状勧誘を行っているわけではなく、会社ないし代表取締役の代行者・代理人として勧誘をしていると評価される危険性がある。）、委任状勧誘規制の適用が問題となり得る場面があると思われる。このようなことから、実務上、少なくとも、大株主から取得する包括委任状には、議案について賛否の欄を記載するなど、委任状勧誘規制の実質的な要件を満たすよう配慮しておくことが考えられる。

3　株主側における検討

(1)　書面投票制度と委任状勧誘制度

株主側においても、他の株主から株主提案への賛成票や会社提案への反対票を確保しようとする場合には、委任状勧誘を実施するか、すなわち、会社が採用する書面投票制度を利用するか、それに加えて委任状勧誘を行うかについて、検討する必要がある。

前述のとおり、株主は、一定の要件を満たせば自己の提案する議案の要領を会社が株主に送付する株主総会参考書類に記載させることができる（会社法305条）。そのため、株主は、わざわざ自ら委任状勧誘を行わなくても、会社を介して、会社の費用により、株主提案とそれに関する自らの意見を他の株主に伝えることができる。また、株主が、会社が採用する書面投票制度を利用して、株主提案に賛成し、会社提案に反対する議決権行使を要請する場合についても、委任状勧誘規制は適用されないと考えられており（本書157頁参照）、このような議決権行使書面による議決権行使を勧誘することで、株主は一定の効果を得ることもできる。

委任状勧誘を行う場合、委任状参考書類および委任状用紙の印刷・郵送費用や作成のための弁護士費用などが生じる。会社側が行う委任状勧誘にかかる費用については、会社による負担が認められると考えられている一方で、株主が行う委任状勧誘にかかる費用については、原則として会社が負担することはできないと考えられている（大隅＝今井・会社法論（中）67頁、龍田節「株式会社の委任状制度——投資者保護の観点から」インベストメント21巻1号28頁（1968）。ただし、今井・議決権代理59頁は、会社が義務として償還を要求されると解することは困難であるが、補償し得るとする。)。また、仮に株主が会社との委任状争奪戦に勝利し、それによって会社の株式価値が上昇した場合であっても、株主は、委任状勧誘に係るコストの全額を負担する一方で、その株式保有割合に応じた分しかかかる株式価値上昇の利益を享受することができない。

もっとも、株主が会社が採用する書面投票制度を利用する場合、賛否の記載のない議決権行使書面については、会社提案に賛成、株主提案に反対として取り扱われることが一般的であり、株主に不利な取扱いがなされていることに加え、株主提案については、一般的に、株主総会参考書類に記載することのできる文字数に制限が設けられること、株主総会参考書類には会社の反対意見が併記されることといった制約があることなどから、株主が委任状勧誘を行うことにメリットはある。

また、株主が書面投票制度を利用する場合、他の株主の議決権行使の意思表示は、各株主から会社に対して議決権行使書面が提出されることにより行われるのに対し、委任状勧誘を行う場合は、他の株主から勧誘株主に対して委任状用紙が提出され、勧誘株主自身が代理人として議決権行使をすることになるため、株主としては、自らに賛成する他の株主の議決権行使状況を直接把握することができる。

以上のような委任状勧誘のメリット・デメリットに加え、株主名簿閲覧・謄写請求権の行使により取得した株主名簿を基にして会社の株主構成の分析を行うことで得られる、委任状勧誘を行った場合にどの程度委任状を獲得することができるかという見込みも、委任状勧誘の実施の判断に際しての重要な要素となる。

なお、株主も一部の株主に対してのみ委任状勧誘を行うことは認められるため、株主は、大株主のみを対象として委任状勧誘を行うことができる。また、発行会社またはその役員のいずれでもない者が10人未満を対象に勧誘を行う場合、委任状勧誘規制は適用されないため（金施令36条の6第1項1号)、株主は、会社に株式保有割合の高い株主がいる場合には、委任状勧誘規制の適用を受けずに当該株主のみを勧誘することも考えられる。

(2)　一部議案についての委任状勧誘

株主が、株主提案について賛同を求める場合や、会社提案議案の一部については反対であるがその他の議案については賛成である場合など、株主総会に上程される議案の一部についてのみ委任状勧誘を行いたい場合が存在する。勧誘府令43条本文が「議案ごとに」賛否を記載する欄を設けなければならないとしていることから、委任状勧誘を行う際には、当該株主総会に提案される全ての議案について賛否の欄を設けた委任状用紙を交付する必要があるのか、すなわち、一部議案についての委任状勧誘の可否が問題となる。

勧誘府令43条本文が、委任状用紙において、「議案ごとに」賛否を記載する欄を設けなければならないとするのは、委任状勧誘を行う議案ごとに、それぞれ賛否を記載する欄を設けることを求める趣旨であると考えられる（証券取引法研究会編『証券・会社法制の潮流』233頁〔太田洋〕（日本証券経済研究所、2007））。また、特に株主側の委任状勧誘において、委任状勧誘を行う株主は、通常、招集通知を受領するまで当該株主総会の議案の存否・内容を知り得ないから、一部議案の委任状勧誘が認められないとすれば、株主による招集通知受領前の委任状勧誘が事実上不可能となり、株主に過度の制約となる（寺田昌弘ほか「委任状争奪戦に向けての委任状勧誘規制の問題点」商事法務1802号41頁（2007））。

この点、一部議案についてのみの委任状勧誘を認めると、例えば、株主側が会社の招集通知発送に先立って、会社提案と矛盾する株主提案議案（代替提案）の委任状勧誘を行う場合、株主は対案の存在および内容を知らないまま委任状勧誘に応じてしまう可能性があり、これは委任状勧誘規制の趣旨に反するとも考えられる。しかし、このような場合、当該株主は、会社の招集通知受領後に、先に提案株主に提出した委任状を撤回することが可能であるから、これをもって一部議案のみの委任状勧誘が否定されると解する必要はない（証券取引法研究会編・前掲234頁〔太田〕）。したがって、株主総会に上程される議案のうち一部の議案についてのみ委任状勧誘を行うことは認められると解される（金商法コンメ⑷525頁〔松尾健一〕）。

記載例：委任状（株主作成）

委任状

○年○月○日

○○○　御中

株主　住所
氏名

私は、株主＿＿＿＿＿＿を代理人と定め、以下の事項を委任します。

1. ○年○月開催予定の株式会社○○の第○回定時株主総会（継続会または延会を含む。）に出席して、下記の○○○による株主提案に係る議案につき私の指示（○印で表示）に従って議決権を行使すること。ただし、各議案につき賛否の表示をしていない場合、原案につき修正案が提出された場合および議事進行等に関連する動議が提出された場合は、白紙委任します。
2. 復代理人を選任すること。

記

株主提案1 剰余金の配当の件	原案に対し	賛	否
株主提案2 取締役3名選任の件	原案に対し （ただし、候補者のうち　　　を除く。）	賛	否

（注1）　株主に交付する委任状用紙に、予め賛否の記載をしておくこと（例えば、会社提案については「否」の欄に○を、株主提案については「賛」の欄に○をすることなど）は、当然認められない（本書167頁参照）。もっとも、実務上、委任状用紙に同封する委任状の記載方法を説明するサンプルにおいて、賛成または反対を求めたい議案について予め「賛」「否」の欄に○等の記載をしておき、かかる記載を推奨することが一般的に行われている。

（注2）　役員選任議案の賛否の記載欄については、各候補者ごとに賛否の記載欄を設ける必要がある（本書167頁参照）。

（注3）　委任状争奪戦が行われる場合には、委任状の記載要領を委任状用紙と同封して株主に提供することが多い。会社側作成の委任状記載要領の記載例は本書115頁記載のとおりであるが、株主作成の場合は、本書115頁の記載例と異なり、株主提案に賛成（対立する会社提案については反対）の記載を求めることになる。

第7
招集通知発送前の委任状勧誘

1　招集通知発送前の委任状勧誘の可否

次に、いつから委任状勧誘を行うかが問題となる。勧誘を行う者が会社であるか株主であるかにかかわらず、できるだけ早い段階で委任状勧誘を開始することができれば、自分の意見を株主に伝えて委任状の勧誘を行う時間を長く確保することができ、また返送されてきた委任状に不備がある場合にはあらためて有効な委任状を送り直してもらうための時間を確保することができる。さらには、自己の勧誘内容と反対の賛否の記載がなされた委任状が送られてきた場合に当該株主を説得することも可能となるなどメリットが大きい。

しかし、委任状勧誘を行うに際しては、勧誘を受ける株主に対して委任状参考書類を交付しなければならないため、勧誘の開始時期を前倒しすることには限界がある。例えば、会社が委任状勧誘を行おうとする場合、実務上、株主の混乱を回避するため、全ての議案が確定し、株主に対して招集通知が発送されるまで、勧誘を開始できない場合がある。他方、株主による委任状勧誘については、株主提案に賛成の委任状勧誘を行う場合には、会社による招集通知の発送を待たずに（むしろ会社より早く）勧誘を開始することができるが、会社提案の議案に反対の委任状勧誘を行うことを検討している場合には、勧誘株主が会社提案の議案の内容についての情報を取得して委任状参考書類に十分な記載をすることができるのは招集通知受領後となり、それ以前に勧誘を開始することができないことになる。

また、後述するとおり、委任状の提供を求めずに株主に対して賛成または反対を求める行為であっても、招集通知の発送後など、その後に委任状勧誘を行う場合等には、委任状用紙の提出を求める前の当初の行為が、後の委任状勧誘行為の一環であるとして、議決権の代理行使の「勧誘」に該当し、委任状勧誘規制の対象となる可能性がある点には注意が必要となる（本書158頁参照）。

2　委任状参考書類の記載内容

株主が会社提案の議案について委任状勧誘を行う場合については、委任状参考書類に記載すべき事項は、株主が株主の閲覧・謄写請求権を行使して入手し得る情報を記載すれば足りるように合理化が図られている（一松旬「委任状勧誘制度の整備の概要」商事法務1662号57頁（2003）。本書171頁参照）。もっとも、例えば、新設合併契約や株式移転計画の承認に関する会社提案の議案については、当該新設合併契約や株式移転計画の内容の概要に加えて、新設会社の役員等に関する事項の記載をする必要があり（勧誘府令35条、37条）、株主としては、記載が必要となる情報をプレスリリース等の公開情報からのみでは入手できず、招集通知を受領するまで取得できない可能性もある。したがって、株主にとって、招集通知の受領前に委任状参考書類を作成することは困難を伴うと主張されている（なお、実務上、勧誘者が入手し得る範囲で記載すれば足りるとする見解として、寺田昌弘ほか「委任状争奪戦に向けての委任状勧誘規制の問題点」商事法務1802号37頁（2007））。

この点、モリテックス事件判決（東京地判平成19・12・6金判1281号37頁）においては、株主により、役員選任に関する株主提案がなされ（会社からも株主提案と相反する内容の役員選任議案が株主総会に上程された。）、招集通知の発送前から株主による委任状勧誘が行われた事案について、当該委任状勧誘に際し、会社提案について、委任状に賛否の記載欄が設けられておらず（委任状には、会社から原案と同一の議題について議案が提出された場合等には白紙委任とする旨記載されていた。）、委任状参考書類が交付されていなかったことから、委任状勧誘規制に違反し、会社提案についての議決権行使の代理権授与が無効でないかが問題とされた。裁判所は、委任状勧誘規制の趣旨は、委任状参考書類を交付することにより議案の可否を判断するために十分な情報を一般株主に提供するとともに、委任状に議案ごとに賛否の記載欄を設けることにより、勧誘者に議決権の代理行使を白紙委任することで株主にとって不利な議決権の行使がなされ不測の損害を受けることがないようにすることにあるとした上、①定款に定められた取締役または監査役の員数の関係から、株主提案に賛成の議決権行使の代理権を授与した株主は会社提案に賛成の議決権行使をする余地がないこと等から、株主は会社提案に反対する趣旨で代理権授与を行ったと解され、株主が不測の損害を受けるおそれはないこと、②株主は株主総会参考書類を受領し、会社提案についての情報を得た後に委任状の撤回が可能であり、実際に会社が電話した際に撤回の機会があったことから、情報不足のために株主が不利益を受けるおそれはないこと、③株主提案に賛成するとともに会社提案に反対することの委任状勧誘を行うに当たり、常に会社提案についても委任状に賛否の記載欄を設けなければならないとすると、株主は招集通知受領後に委任状等の作成・送付等を行った上で、株主総会までの残りの期間で委任状勧誘を行わなければならず、招集通知の送付と同時に議決権行使の勧誘をすることができる会社と比較して著しく不利な地位に置かれることなどを理由として、会社提案についての代理権授与を認めたとしても委任状勧誘規制の趣旨に必ずしも反するものではなく、議決権行使の代理権授与の有効性を左右しないとした。

当該判決を前提とすると、株主が会社提案についての委任状勧誘を行う場合において、後に会社から株主総会参考書類が交付される場合には、株主が会社提案について委任状参考書類に必要な情報を記載していなかったとしても、取得した委任状が無効とされる可能性は低いとも思われる（松山・株主提案77～78頁）。もっとも、当該判決の事案では、実質的にも勧誘に応じて委任状を提供した株主に委任状の撤回の機会が与えられており、事後的に株主総会参考書類により会社から株主に情報が提供され、委任状の撤回可能性があるだけでは、必要な情報の記載された委任状参考書類を交付せずに行われた会社提案に反対の委任状勧誘により取得された委任状が無効にならないと一概に言えるかは疑問があるため慎重な検討が必要となる（加藤貴仁「委任状勧誘規制の課題」大証金融商品取引法研究会1号112頁（2010）は、委任状勧誘と招集通知の時期が離れると、委任状を提供した株主が後から送られてきた招集通知に関心を示さない可能性が生じ、事後的な情報開示と代理権授与行為の撤回可能性が確保されていれば委任状勧誘規制の趣旨は保たれるとは言えなくなるとする。）。

第8
株主総会を招集する取締役会

株主総会を招集する際には、会社は、取締役会を開催し、株主総会の日時・場所その他の招集に関する事項の決定を行う必要がある（会社法298条、会施規63条)。会社が、これらの事項を決定した場合、議決権行使書面または株主総会参考書類に記載した事項を除き、招集通知にその内容を記載する必要がある（会社法299条4項、会施規66条4項、73条4項。なお、電子提供制度適用会社においては、招集通知（アクセス通知）には、株主総会の日時・場所、目的事項、電子提供措置をとっているウェブサイトのURL等の基本的な事項のみを記載すれば足り、招集に関するその他の事項については電子提供措置をとることになる（会社法325条の3第1項1号、325条の4第2項)。)。

株主提案権が行使され、かかる提案議案を適法なものとして付議する場合には、(a)株主総会の目的事項（表10の②）として、株主提案に係る議題を決定すること、(b)書面投票制度・電子投票制度を採用する場合には、株主提案の議案も含め、株主総会参考書類の記載事項（表10の⑦(i)）を決定することが必要である。

1　書面投票に関する事項

会社が、書面投票制度を採用する場合、議決権行使書面の賛否の記載のない場合の取扱い（表10の⑦(iii)）を定めることができ、会社は、「議決権行使書面の賛否の記載のない場合、会社提案の議案には賛成、株主提案の議案には反対の意思表示があったものとみなす」旨を定めることができる（かかる取扱いが適法であるとする裁判例として、札幌高判平成9・6・26資料版商事法務163号262頁等がある。)。このような定めを置いた場合、賛否の記載のない議決権行使書面については、会社側に有利な議決権行使がなされたものと取り扱うことが可能となる。なお、議決権行使書面は、原則として株主総会開催日時の直前の営業時間終了時が行使期限となるが、別途行使期限を設けることも可能であり（会施規69条)、その場合は取締役会決議により定める（行使期限の設定に係る留意点については、本書198頁参照)。

2　代理権を証明する方法その他代理人による議決権行使に関する事項

会社は、議決権の代理行使について、①代理人の資格、②代理権を証明する方法、③代理人の数、④その他代理人による議決権の行使に関する事項（定款に当該事項についての定めがある場合を除く。）を定めることができる（会施規63条5号）。

通常、会社の定款には、議決権の代理行使に関して、「株主は、当会社の議決権を有する他の株主1名を代理人として、その議決権を行使することができる。」との制限を置いていることが多いが（本書205頁参照）、このような定款の定めを置いていない会社も、株主総会の招集の際の取締役会において決定することにより、同様の制限を設けることができるほか、株主提案が行われ、株主による委任状勧誘が行われることが予想される状況下においては、委任状の審査の際の便宜のため、当該定款の定めに加えて、代理人の代理権の証明方法として、「株主が代理人により議決権を行使する場合は、代理人の代理権を証明するため、株主が署名または記名押印した委任状および株主の本人確認書類の提出を必要とする。」等と取締役会において定めることが考えられる（本人確認書類としていかなる書類が認められるかについては、本書196頁参照）。委任状の提出時期については特段の限定はないが、現在の会社法の下では法的有効性に議論があり得るものの、議決権行使書面と同様、会社が一定の期限を設けることができるとする見解も存する（本書199頁参照）。

なお、取締役会決議により代理人による議決権の行使に関する事項の制限を行う場合、当該制限は、株主の議決権行使の権利を不当に制約する不合理なものであってはならないと解される。例えば、委任状が、会社と株主に重複して提出された場合に、提出時期の先後によらず、常に会社に直接提出された委任状が優先すると定めることなどは、不当な制約として認められない可能性が高いと思われる。

表10：書面投票・電子投票を採用する場合の決定事項

①　日時・場所
②　株主総会の目的事項があるときは当該事項
③　書面による議決権行使を認めるときはその旨
④　電磁的方法による議決権行使を認めるときはその旨
⑤　定時株主総会の日の決定の理由（次に挙げるいずれかの場合） (i)　当該日が前事業年度に係る定時総会の日の応答日と著しく離れた日である場合 (ii)　当該日と同一の日において定時総会を開催する他の公開会社が著しく多い場合（公開会社において特に理由がある場合に限る。）
⑥　開催場所を過去に開催した場所のいずれとも著しく離れた場所とした場合のその場所を決定した理由（当該場所が定款で定められたものである場合および株主総会に出席しない株主全員の同意がある場合を除く。）
⑦　書面投票または電子投票のいずれかを採用した場合における次の事項 (i)　株主総会参考書類記載事項 (ii)　議決権行使の期限として特定の時を定めるときは、その時 (iii)　賛否の記載のない議決権行使書面の取扱いを定めるときは、その取扱いの内容 (iv)　Web開示により株主総会参考書類に記載しないこととする事項 (v)　書面投票または電子投票の重複行使の取扱いを定めるときは、その事項
⑧　書面投票および電子投票の両方を採用した場合における次の事項 (i)　招集通知を電磁的方法によることを承諾した株主に対しては当該株主の請求があった時に議決権行使書面を交付することとするときは、その旨 (ii)　書面投票と電子投票の重複行使の取扱いを定めるときは、その事項
⑨　代理権（代理人の資格を含む。）を証明する方法、代理人の数その他代理人による議決権の行使に関する事項を定めるとき（定款に当該事項についての定めがある場合を除く。）は、その事項
⑩　議決権の不統一行使に関する通知の方法を定めるとき（定款に定めがある場合を除く。）は、その方法

第3章

招集通知発送後の攻防

第１
委任状獲得に向けた活動

1　委任状勧誘の実施

株主に対して株主総会の招集通知が発送されると、会社提案の議案の内容も明らかとなり、会社側および株主側それぞれの議決権行使書面・委任状の獲得に向けた勧誘活動が本格化する。招集通知の発送から株主総会の日までの期間に、株主との間でどれだけコミュニケーションをとることができるかが委任状勧誘の結果に大きく影響することになる。

2　委任状勧誘に対する法的規制——委任状勧誘規制

委任状勧誘については、法令上、一定の規制がなされている。

すなわち、金商法194条は、「何人も、政令で定めるところに違反して、金融商品取引所に上場されている株式の発行会社の株式につき、自己又は第三者に議決権の行使を代理させることを勧誘してはならない。」と定めており、同条を受けて、金施令および金施令に基づく勧誘府令において、委任状勧誘に関する具体的な規制が定められている。

これら金商法・金施令・勧誘府令における規制を総称して、「委任状勧誘規制」と呼ぶ。

このような委任状勧誘に対する法的規制が置かれているのは、委任状勧誘は、これが適切に運用されないと、取締役の利益のために悪用されたり、株主に誤解を生じさせたりする危険があり、また、株主から多数の議決権の代理行使を委任された者が、株主総会において自己の思うままに決議を行い、もって株価に影響をなさしめようとする可能性もあることから、かかる危険を防止し、株主が議決権行使の判断に必要な情報に基づいて、合理的な議決権行使をなし得るようにする必要があるからである（河本一郎ほか『逐条解説証券取引法』1468頁（商事法務、三訂版、2008)、田中誠二＝堀口亘『コンメンタール証券取引法』1139頁（勁草書房、再全訂版、1996)、神田秀樹監修『注解証券取引法』1343頁（有

表 11：委任状勧誘規制の構成

金商法 194 条		適用範囲	
①	金施令 36 条の 2	委任状の用紙・参考書類の交付	
	i	勧誘府令 1 条〜41 条	参考書類の記載事項
	ii	勧誘府令 42 条	電磁的方法
	iii	勧誘府令 43 条	委任状の用紙の様式
②	金施令 36 条の 3	委任状の用紙・参考書類の写しの金融庁長官への提出	
	iv	勧誘府令 44 条	書類等の写しの提出を要しない場合
	v	勧誘府令 45 条	電磁的記録
③	金施令 36 条の 4	虚偽記載のある書類等による勧誘の禁止	
④	金施令 36 条の 5	参考書類の交付の請求	
⑤	金施令 36 条の 6	委任状勧誘規制の適用除外	

斐閣、1997))。そして、当該規制の目的が、株価への不当な影響等からの投資家保護の趣旨をも有することから、旧商法・会社法ではなく、証券取引法（現：金商法）において規定されていると説明されている（一松旬「委任状勧誘制度の整備の概要」商事法務 1662 号 58 頁（2003））。

以下、委任状勧誘規制の内容について、解説する。

(1)　委任状勧誘規制の適用範囲

(ア)　適用範囲

金商法 194 条は、「何人も、政令で定めるところに違反して、金融商品取引所に上場されている株式の発行会社の株式につき、自己又は第三者に議決権の行使を代理させることを勧誘してはならない。」と定めている。

したがって、委任状勧誘規制が適用されるのは、上場会社の発行した株式についての議決権の代理行使の勧誘に限定される（なお、上場会社の発行した株式であれば、上場されていない株式であっても、適用される。）。非上場会社の株式についての議決権行使に関して、委任状勧誘を行ったとしても、委任状勧誘規制の適用はない。

同条が「何人も」としているように、同条の規制の対象となる主体に制限はなく、上場会社が自ら勧誘する場合だけでなく、会社の役員や株主、さらにはこれら以外の者が勧誘する場合も含まれる。

同条の規制の対象となる行為は、「自己又は第三者に議決権の行使を代理させること」を「勧誘」することである。すなわち、勧誘の対象が議決権の代理行使である場合に限り、委任状勧誘規制は適用される。したがって、例えば、書面投票制度における議決権行使書面の提出を勧誘したとしても、委任状勧誘規制は及ばないと解されている（森本滋ほか「〔座談会〕会社法への実務対応に伴う問題点の検討——全面適用下の株主総会で提起された問題を中心に」商事法務1807号23頁〔岩原紳作発言〕(2007)、太田洋「株主提案と委任状勧誘に関する実務上の諸問題」商事法務1801号33頁（2007)）。

(イ)　適用除外

委任状勧誘規制は、以下の場合には適用されないものとされている（金施令36条の6)。

(a)　当該株式の発行会社またはその役員のいずれでもない者が行う議決権の代理行使の勧誘であって、被勧誘者が10人未満である場合（金施令36条の6第1項1号）

この場合が適用除外とされるのは、勧誘者が会社の内部関係者でなく、かつ、被勧誘者が10人未満という極めて小範囲であることから、委任状勧誘制度の濫用はそれほど問題にならないためである（田中弘一「上場株式の議決権の代理行使の勧誘に関する規制の一部改正について」財政経済弘報126号4頁（1949)、龍田節「株式会社の委任状制度——投資家保護の観点から」インベストメント21巻1号19頁（1968)、今井・議決権代理111頁)。

本号における「役員」の範囲については、会社法上の役員のほか、会社において実質上取締役と類似の支配力・影響力を有する者（相談役・顧問など）を含むと解される（龍田・前掲19頁、今井・議決権代理112頁)。

また、取締役が会社を代表して勧誘する場合は「発行会社」による勧誘に該当するため、本号の「役員の勧誘」には、役員がその地位を離れて純粋に個人として勧誘する場合を含む趣旨であると解されている（今井・議決権代理112頁)。

なお、本号の除外事由の10人未満の判定においては、第3号（後記(c)）による被勧誘者の人数は含まれない（金施令36条の6第2項)。

実務上、書面投票制度の採用に加えて、議事進行の動議対応等のために一部株主のみから包括委任状を取得する場合があるが、その場合にはこの適用除外事由への該当性の検討も含めた配慮が必要となる（本書137頁）。

(b)　時事に関する事項を掲載する日刊新聞紙による広告を通じて行う議決権の代理行使の勧誘であって、当該広告が発行会社の名称、広告の理由、株主総会の目的たる事項および委任状の用紙等を提供する場所のみを表示する場合（金施令36条の6第1項2号）

この場合が適用除外とされるのは、勧誘の一種であるとはいえ、その実体は、勧誘への単なる橋渡しのための新聞広告に過ぎないからである。

したがって、当該新聞広告を見て、新聞広告に指定された場所に赴いた株主に対し、委任状用紙その他を渡すことは「勧誘」に該当し、委任状勧誘規制の適用を受けることになる（今井・議決権代理112頁、田中・前掲4頁）。

(c)　他人の名義により株式を有する者が、その他人に対し当該株式の議決権について、議決権の代理行使の勧誘を行う場合（金施令36条の6第1項3号）

例えば、名義書換未了の株式譲受人が、株主名簿上の株主である譲渡人に対し、委任状の交付を要求するような場合が、該当する。形式的には勧誘の形が取られていても、実質上の株主が議決権を行使するための方法として代理形式が求められているに過ぎず、委任状勧誘規制を適用する必要がないからである（今井・議決権代理112～113頁）。

(2)　議決権代理行使の「勧誘」の意義

(ア)　問題点

前述のとおり、金商法194条は、「何人も、政令で定めるところに違反して、金融商品取引所に上場されている株式の発行会社の株式につき、自己又は第三者に議決権の行使を代理させることを勧誘してはならない」としており、会社または株主が、株主に対し自ら提案する議案への賛同や相手方の提案する議案への反対を求める行為が、自己または第三者に議決権の行使を代理させることの「勧誘」に該当する場合には、委任状勧誘規制に従って委任状用紙・委任状参考書類を作成・交付等する必要がある。

そのため、会社や株主にとって、どのような行為が議決権代理行使の「勧誘」に該当するのかが重要となるが、同条の「勧誘」の意義については、法令上に特段の定義規定はなく、実務上、その意義が問題となる。

なお、この点は、日本の委任状勧誘規制のモデルとなった米国の1934年証券取引所法（Securities Exchange Act of 1934）14条(a)を受けた証券取引委員会（Securities and Exchange Commission）の規則（以下「SEC規則」という。）には、「勧誘（solicitation)」の意義について定義規定が設けられており（SEC規則14a－1(l)(1))、また、「勧誘（solicitation)」から除外される行為が具体的に列挙されるとともに（SEC規則14a－1(l)(2))、詳細に規制の適用が免除される場合に関する規定が設けられている（SEC規則14a－2(a)(b)）ことと対照的である。

(イ)　具体的検討

議決権代理行使の「勧誘」に該当するか否かは、当該行為の目的、内容ならびにそれが行われた時期および状況等を総合的に勘案して決せられる。そして、議決権代理行使の「勧誘」の方法について、金商法194条は「勧誘」とするのみで、その態様について限定を加えていないことから、勧誘が直接株主に対してなされるか否かは問わないものと考えられる。

委任状用紙を提供して株主の署名を求める行為や、株主に対して委任状の作成・交付を要請する行為は、議決権代理行使の「勧誘」に該当するものとして争いはないと考えられる。

また、株主に対して単に委任状用紙を提供するだけであっても、周囲の事情から委任状の提出を求めていると認められる場合には、議決権代理行使の「勧誘」に該当するものと考えられている（龍田節「株式会社の委任状制度――投資者保護の視点から」インベストメント21巻1号18頁（1968）参照)。

実際に問題となるのは、直接は議決権の代理行使を勧誘するものではないものの、その内容や状況等から、実質的には議決権代理行使の「勧誘」に該当するものと考えられるような行為である。具体的には、(a)自己の意見を公表する行為（相手方の意見を批判する行為)、(b)議決権行使を促す行為、(c)相手方の委任状勧誘に応じないように要請する行為または委任状の撤回を求める行為、(d)（委任状を交付せずに）自己の提案した議案に賛成するように要請する行為等が問題となる。

⒜　自己の意見を公表する行為（相手方の意見を批判する行為）

例えば、説明会やプレスリリースによって、株主提案に係る議案に対する会社経営陣の見解を公表したり、株主が会社経営陣を批判したりする行為がこれに該当する。また、会社や株主のWebサイト上に当該株主総会に関するページを特別に設けるなどして自己の意見を公表することもよく行われる。

前述のとおり、議決権代理行使の「勧誘」の方法について、勧誘が直接株主に対してなされるか否かは問わないことから、説明会やプレスリリースなどのように特定の株主に対する行為でなくても議決権代理行使の「勧誘」に該当し得る。

しかし、金商法194条は、政令で定めるところに違反して「議決権の行使を代理させることを勧誘してはならない」としており、「勧誘」は議決権の行使を代理させること、すなわち委任状を交付させることに向けられたものである必要があると解される。また、仮に委任状勧誘規制の適用があるとすると、委任状の取得を望まない者に対して、当該行為に際して株主に委任状用紙および委任状参考書類を交付することを義務付けることになり、かかる負担は結果的に会社、株主間または株主同士のコミュニケーションを阻害し、株主が有益な情報の下に議決権行使の判断を行う機会を奪うことにつながり得る（田中亘「委任状勧誘戦に関する法律問題」金判1300号3頁（2008)、加藤貴仁「委任状勧誘規制の課題」大証金融商品取引法研究会1号108頁（2010)）。したがって、単にプレスリリース等によって、自己の意見を公表するに過ぎない場合は、委任状を交付させることに向けた行為とは言えず、議決権代理行使の「勧誘」には該当しないものと考えられる。

もっとも、既に自ら委任状勧誘を行っている場合には、その状況を総合的に勘案して、当該行為が議決権代理行使の「勧誘」に該当すると判断される局面も考えられる（このような場合には、既に委任状勧誘規制に従った対応（委任状用紙および委任状参考書類の株主への交付等）がなされているものと考えられるので、当該行為が議決権代理行使の「勧誘」に該当することに伴い、改めて何らかの行為が必要となるわけではない。委任状勧誘規制に従って委任状等が交付されている場合において新たな勧誘行為を行う際に、別途委任状用紙等の交付が必要ないことについては、本書166頁参照)。

なお、相手方の委任状勧誘が行われている際に、説明会やプレスリリースを行う場合には、実質的に見ると当該行為が相手方の委任状勧誘に応じないように要請するものであるとも考えられるため、これが議決権代理行使の「勧誘」に該当するかが問題となるが、この点については後述する。

また、自己の意見を表明する行為や相手方の意見を批判する行為が「勧誘」に該当しないとすると、会社が議決権行使書面を送付するだけで委任状勧誘は行わない場合、委任状勧誘を行う株主のみが委任状勧誘規制の制約を受け、会社は自由に意見を表明できることになり、手段の対称性を欠き妥当でないとの指摘がある（寺田昌弘ほか「委任状争奪戦に向けての委任状勧誘規制の問題点」商事法務1802号39頁（2007））。しかし、当該行為が「勧誘」に該当するとして委任状勧誘規制に従って勧誘をしなければならないとしたとしても、会社が行わなければならないのは、各議案の賛否の記載欄が設けられた委任状用紙および勧誘者に関する事項と委任状参考書類に記載すべき事項が株主総会参考書類に記載されている旨が記載された委任状参考書類を株主に対して交付することに限られる（株主（当該株主総会において議決権を行使することができる者に限る。）の全てに対して株主総会参考書類および議決権行使書面が交付されている場合には、委任状用紙および委任状参考書類の金融庁長官への提出義務は免除されており（金施令36条の3、勧誘府令44条）、また、委任状勧誘規制に従って委任状用紙等が交付されている場合には、新たな勧誘行為を行う際に別途委任状用紙等の交付は不要と解される（本書166頁参照）。）。会社は会社法に定められた事項が記載された議決権行使書面および株主総会参考書類を株主に対して交付する必要があることからすると、会社に委任状勧誘規制を及ぼす実質的な意義は大きくないものと考えられる。なお、会社が議決権行使書面の勧誘を行うに際して、勧誘に使用した文書に虚偽記載があったり、意図的に重要な事実を記載せず誤解を与えるような表現があったような場合には、金商法を類推適用して違法性があるとされる可能性があるとの指摘がある（森本滋ほか「〔座談会〕会社法への実務対応に伴う問題点の検討――全面適用下の株主総会で提起された問題を中心に」商事法務1807号23頁〔岩原紳作発言〕（2007））。

⒝　議決権行使を促す行為

実務上、会社が招集通知に議決権行使促進のための文言を記載したり、かかる文言が記載された書面を同封したりするほか、招集通知を発送した後に株主に対して議決権行使促進のための書面を送付することがあるが、これらの行為が議決権代理行使の「勧誘」に該当するかが問題となる。

前述のように、議決権代理行使の「勧誘」といえるためには、委任状を交付させることに向けられた行為である必要があるから、これらの行為についても、議決権行使を促すにとどまり委任状を交付させることに向けたものでない限り、議決権代理行使の「勧誘」には該当しない。なお、相手方が委任状勧誘を行っている場合については後述する。

(c)　相手方の委任状勧誘に応じないように要請する行為または委任状の撤回を求める行為

相手方の委任状勧誘に応じないように要請する行為または委任状の撤回を求める行為は、株主に対して直接呼びかけるものに限られない。相手方による委任状勧誘が行われている際に、それに反対する内容の意見表明や議決権行使促進の書面を送付する行為等も、実質的には委任状勧誘に応じないように要請する行為または委任状の撤回を求める行為に該当するおそれがある。

この点、委任状勧誘に応じないように要請する行為は、「勧誘」に含まれるとする見解がある（龍田節「株式会社の委任状制度――投資者保護の視点から」インベストメント21巻1号18頁（1968））。しかし、「議決権の行使を代理させること」という文言から「議決権の行使を代理させないようにすること」と解することは、条文の文言を拡張解釈しなければ困難である（太田洋ほか「委任状勧誘に関する実務上の諸問題――委任状争奪戦（proxy fight）の文脈を中心に」証券取引法研究会研究記録10号40頁〔森本滋発言〕（2005））。そして、委任状勧誘規制に違反した場合には罰則が適用されることからしても、条文の文言を安易に拡張して解釈すべきではない。よって、委任状勧誘に応じないように要請する行為は、議決権代理行使の「勧誘」には該当しないものと考えられる。

また、一度委任状を提出した株主に対し、その委任状の撤回を求める行為についても、あくまで委任状の撤回を求めるのみにとどまり、自己に対して委任状の交付を求めるものでない限り、議決権代理行使の「勧誘」には該当しないものと考えられる。

(d)　（委任状を交付せずに）自己の提案した議案に賛成するように要請する行為

例えば会社や提案株主が一般の株主に対して自己の提案議案への賛成を求める内容（自己の提案する議案について、議決権行使書面の賛成の欄に印を付けて送付することを求めることなど）の書面を送付することや、大株主を訪問して賛成票を投じるように要請することが考えられる。これらの行為についても、委任状を交付していない以上、委任状の獲得に向けた行為ということはできず、議決権代理行使の「勧誘」には該当しないものと考えられる（森本滋ほか「〔座談会〕会社法への実務対応に伴う問題点の検討――全面適用下の株主総会で提起された問題を中心に」商事法務1807号23頁〔岩原紳作発言〕(2007) 参照。後記3も参照。)。

以上のとおり、議決権代理行使の「勧誘」は、委任状を交付させることに向けられたものをいい、(a)ないし(d)の行為は、原則として、議決権代理行使の「勧誘」には該当しないものと考えられる。

しかし、これらの行為の目的、内容、それが行われた時期および状況等によっては、議決権代理行使の「勧誘」に該当するとされる可能性は存する。特に、当該行為の後に委任状勧誘を行う場合等には、当該行為が、最終的な委任状の獲得に向けた準備であり、委任状勧誘行為の一環であるとして、議決権代理行使の「勧誘」に該当するとされる可能性はあるので、当該行為を行うにあたっては、慎重な検討が必要である。

実務上は、議決権代理行使の「勧誘」と認定されることをできるだけ回避するという観点から、プレスリリースや株主に対する書面にディスクレーマーを記載しておくことも考えられる。もっとも、ある行為が議決権代理行使の「勧誘」に該当するか否かは関連する事実を総合勘案して判断されることになるため、ディスクレーマーを記載したからといって当該行為が議決権代理行使の「勧誘」に該当しなくなるわけではなく、実質的に見て議決権代理行使の「勧誘」に該当すると判断される局面もあると考えられる。

記載例：ディスクレーマー（プレスリリース）

> 本書面は、○○を一般的に公表するための文書であり、株主の皆様に対し、当社の株主総会における当社提案議案につき、当社または第三者にその議決権の行使を代理させることを勧誘するものではありません。

記載例：ディスクレーマー（株主宛書面）

> 本書面は、株主の皆様に対して、当社が提案する議案について、当社の見解

を適切にご理解いただいた上で、本書面に同封の議決権行使書面をご送付いただくか、株主総会にご出席いただき、当社に賛成の議決権を行使していただくことをお願いするものであって、当社提案議案につき、当社または第三者にその議決権の行使を代理させることを勧誘するものではありません。

(3)　招集通知に記載する情報を電子的に公表する行為と「勧誘」

コーポレートガバナンス・コード補充原則1－2②は、株主が議案の十分な検討期間を確保することができるよう、招集通知に記載する情報は、招集通知の発送前にTDnetや自社のWebサイトにより電子的に公表すべきとしており、これに従い、招集通知の内容を早期にWebサイトに掲載する会社が増えている。また、電子提供制度下においては招集通知の発送よりも前に株主総会参考書類等について電子提供措置をとることになる。

会社が全株主に対して委任状勧誘を行う場合、招集通知に、株主に対して委任状の作成・交付を要請する文言を記載することがある。そのため、招集通知の発送に先立って、かかる委任状勧誘文言を含む招集通知の内容をそのまま電子的に公表する行為が、議決権代理行使の「勧誘」に該当するかが問題となる。

前述のとおり、議決権代理行使の「勧誘」の方法について、勧誘が直接株主に対してなされるか否かは問わないことから、プレスリリースなどのように特定の株主に対する行為でなくても議決権代理行使の「勧誘」に該当し得る。そのため、委任状勧誘文言を含む招集通知の内容を電子的に公表した場合には、議決権代理行使の「勧誘」に該当し得ると解される。

勧誘者は、被勧誘者に対する委任状勧誘に際し、委任状用紙および委任状参考書類を交付しなければならないところ（金施令36条の2第1項)、「委任状勧誘に際し」とは、勧誘と同時にまたはこれに先立って行うことを意味すると解されている（神崎克郎ほか『金融商品取引法』429頁（青林書院、2012))。そして、全株主に対して委任状勧誘を行う場合には、招集通知に委任状用紙および委任状参考書類を同封することが多いが、招集通知の発送前に委任状勧誘文言を含む招集通知の内容を電子的に公表する場合、当該公表と同時に、またはこれに先立って被勧誘者に対する委任状用紙および委任状参考書類の交付を行っていないこととなり、委任状勧誘規制に違反するおそれがある。そこで、実務上は、招集通知の発送に先立つ情報開示が委任状勧誘行為の一環であると評価されないよう開示内容を調整した上で、調整後の情報のみを早期に電子的に公表し、委任状勧誘文言を含む招集通知の発送後に、電子的に公表している内容を実際に発送した招集通知の内容に差し替えるという対応をとる場合がある。

また、電子提供制度適用会社においては、招集通知の発送日と同日かそれ以前から電子提供措置を開始しなければならないとされており（会社法325条の3第1項）、上記のように招集通知に委任状用紙および委任状参考書類を同封する場合には、電子提供措置の開始時点においては、株主に委任状用紙および委任状参考書類が到達していないことが明らかであるため、電子提供措置に際して発送する招集通知そのものをWebサイトにアップロードする場合には、上記の対応を検討することが必要となる。

なお、電子提供措置をとった事項に修正が生じた場合には、その旨および修正前の事項について電子提供措置をとるものとされていることから（会社法325条の3第1項7号）、Webサイトに掲載した招集通知の内容を差し替える場合にも、当該対応をとる必要があるかが問題となる。差し替えによって変更される内容が、電子提供措置事項（会社法325条の3第1項各号。特に同項1号の会社法298条1項各号に掲げる事項（会社法上の株主総会の招集に係る決定事項））に該当しないのであれば、かかる対応は不要とも考えられるが、実際には変更内容の区分が明確でないことも想定されるため、差し替えを行った旨および差し替え前の内容を合わせてWebサイトに掲載しておくことが無難であろう。

3　議決権行使書面の取得に向けた勧誘行為と委任状勧誘規制

前述のとおり、議決権代理行使の「勧誘」は委任状の取得に向けられた行為であると解され、株主に対して自己の提案した議案に賛成するように要請する行為はこれに該当しないと考えられるため、会社が会社法の規定に従って株主に対して送付した議決権行使書面について、会社が単に提出を求めたり、賛成の欄に印を付けた上での提出を求める行為や、株主が自らに議決権行使書面の提供を求める行為など議決権行使書面の取得に向けた勧誘行為には、原則として、委任状勧誘規制は適用されないと解される。確かに、委任状により議決権行使がなされようと議決権行使書面により議決権行使がなされようと実質的な結果には相違がないため、株主に対する情報提供や虚偽記載禁止規定（金施令36条の4）による公正性の担保という観点からは、議決権行使書面の勧誘についても委任状勧誘規制の対象とすべきとも考えられる（議決権争奪の可能性が顕在化している場合において、一定の者が議決権行使書面による投票の勧誘を行うことは、議決権代理行使の「勧誘」に該当する可能性があるとする見解もある（神谷光弘＝熊木明「敵対的買収における委任状勧誘への問題と対応――アメリカでの実務・先例を参考に」商事法務1827号19頁（2008））。）もっとも、書面投票制度と委任状勧誘制度とが並存し、それぞれが別々の法規制に服しているため、金商法194条の文理による限り、かかる行為には委任状勧誘規制の適用はないと解されている（太田洋「株主提案と委任状勧誘に関する実務上の諸問題」商事法務1801号33頁（2007)、森本滋ほか「〔座談会〕会社法への実務対応に伴う問題点の検討――全面適用下の株主総会で提起された問題を中心に」商事法務1807号23頁〔岩原紳作発言〕(2007)、田中亘「委任状勧誘戦に関する法律問題」金判1300号3頁（2008））。

したがって、会社側も株主側も委任状勧誘は行わず、議決権行使書面について、会社側は賛成の議決権行使をすることを求め、株主側は反対の議決権行使をすることを求め、双方による議決権行使書面の争奪戦が行われる場合についても、これらの行為は議決権代理行使の勧誘には該当せず、委任状勧誘規制の適用はないものと解される。

4　議決権行使促進策と利益供与

(1)　会社が行う場合

実務上、会社が、定足数の確保等を目的として、議決権行使をした株主に対して粗品等を提供する場合がある。このような行為は、外見的には株主の権利の行使に関し、財産上の利益を供与することを禁止する会社法120条1項に違反するのではないかとの疑問が生じるが、株主の議決権行使を促して株主総会決議の成立を確保するためになされるものであり、会社の正当な利益擁護の目的に出るものであるから、禁止される利益供与には該当しないものと解されている（河本一郎＝今井宏『鑑定意見会社法・証券取引法』68頁（商事法務、2005））。

しかし、例えば、会社提案の議案に賛成の議決権行使書面を送付した株主に対してのみ粗品等を提供することは、定足数を確保して株主総会決議の成立を確保する目的を超えて、経営者に有利な方向に議決権行使を歪めるものであり、利益供与の禁止に違反すると考えられる。

また、株主提案権が行使されて株主による委任状勧誘が行われているなど、経営者と株主との対立局面においては、議決権行使を条件とする株主への粗品等の提供は、議決権行使促進の目的を超えて会社提案の議案に対して賛成を求めているかのような疑義を招くおそれがあり、慎重な検討を要する。

この点、モリテックス事件判決（東京地判平成19・12・6金判1281号37頁）は、会社および株主の双方から取締役および監査役の選任議案が提出され、株主による委任状勧誘が行われていた中で、会社が、会社提案に賛成または反対であるかにかかわらず、議決権を行使した株主に対して500円相当のプリペイドカードを贈呈したという事案について、「株主の権利の行使に関して行われる財産上の利益の供与は、原則としてすべて禁止されるのであるが、上記の趣旨に照らし、当該利益が、株主の権利行使に影響を及ぼすおそれのない正当な目的に基づき供与される場合であって、かつ、個々の株主に供与される額が社会通念上許容される範囲のものであり、株主全体に供与される総額も会社の財産的基礎に影響を及ぼすものでないときには、例外的に違法性を有しないものとして許容される場合がある」とした。そして、①株主に送付されたはがきにプリペイドカードの贈呈と会社提案に賛成することの相互の関連を印象付ける記載がされていること、②商品券の提供等議決権行使を条件とした利益の提供は、前年までは行われておらず、当該定時株主総会で初めて行われたものであること、③プリペイドカードの提供が株主による議決権行使に少なからぬ影響を及ぼしたことが窺われること、④白紙で返送された議決権行使書面は会社提案に賛成したものとして取り扱われるところ、白紙で議決権行使書面を返送した株主数は相当数に及ぶこと、⑤返送された議決権行使書面の中にはプリペイドカードを要求する旨の記載のあるものが存在したことを認定し、会社と株主の双方が株主の賛成票の獲得を巡って対立関係にある事案であることを考慮して、当該プリペイドカードの贈呈は、会社提案へ賛成する議決権行使の獲得をも目的としたものであって、株主の権利行使に影響を及ぼすおそれのない正当な目的によるものということはできず、会社法120条1項の禁止する利益供与に該当すると判示した。同裁判例を踏まえると、株主提案や委任状勧誘が行われている局面では、議決権行使を条件とする株主への粗品提供は、基本的に「株主の権利行使に影響を及ぼすおそれのない正当な目的」が認められない危険性がある。すなわち、書面による議決権行使について、白紙で返送された場合、会社提案に賛成、株主提案に反対と取り扱う旨を定めるのが実務上一般的であり（本書145頁参照）、粗品目当てで議決権行使をする株主は、白紙で議決権行使書面を返送することが一定程度想定されるから、会社と対立株主とが自己への賛成票の獲得を巡って厳しく対立する場面では、議決権行使を条件とする粗品提供は、より多くの会社提案の賛成票を獲得する目的のために行われたと認定され得るためである。したがって、株主提案や委任状勧誘が行われ、経営者と株主とが対立局面にある場合、議決権行使を条件とする粗品提供は、リスクが高く差し控えるのが無難である（中村直人「モリテックス事件判決と実務の対応――東京地裁平成19年12月6日判決の検討」商事法務1823号28頁（2008)、田中亘「判批」ジュリスト1365号137頁（2008)、太子堂厚子「株主の権利行使に関する利益供与」野村修也＝松井秀樹編『実務に効くコーポレート・ガバナンス判例精選』52頁（有斐閣、2013)）。

これに対し、クレアホールディングス事件決定（東京高決令和2・11・17 2020WLJPCA11176001）は、会社が、株主提案を行っている株主と対立する状況下において、議決権行使ではなく、議決権行使に係る基準日の株主名簿において議決権を1個以上保有する株主を対象としたアンケート（過去の議決権行使状況に係る質問への回答のほか、連絡先である住所、電話番号を記載させるもの）への回答を条件としてクオカード500円分を進呈することが会社法120条1項の禁止する利益供与に該当するとし、法令に違反する決議方法により決議が行われるおそれがあるとして株主総会開催禁止の仮処分命令申立てがなされた事案において、クオカードの進呈の主たる目的は株主総会における委任状勧誘等のための株主情報の取得にあったものと推認するのが合理的であるとしつつ、クオカードの進呈は、あくまで議決権行使ではなくアンケートに対する回答を条件とするものであって、500円という金額も謝礼として相応であり、また、アンケートは招集通知とは別の機会に行われたものであり、その内容も当該総会における議決権行使や株主提案議案の賛否に直接結びつくものではないことに照らせば、議決権行使に対する影響が直ちに生ずるとは考え難く、クオカードの進呈と当該総会における議決権行使との関連性は間接的かつ弱いとし、会社法120条1項の禁止する利益供与に該当しないと判示した（原決定である東京地決令和2・11・11 2020WLJPCA11116002も同旨）。なお、同一当事者間におけるクオカードの進呈行為を禁止する仮処分命令申立事件においても、上記クオカードの進呈行為は会社法120条1項の禁止する利益供与に該当しないと判断されている（東京地決令和2・11・16 2020WLJPCA11166001）。委任状争奪戦においては、議決権行使促進や委任状勧誘のために株主に直接電話をかけてコンタクトをとる場合があるところ、株主に対するアンケートにより利用目的を示して電話番号を取得すればかかる活動に利用することもできる。クレアホールディングス事件における一連の裁判例を踏まえると、議決権行使を条件とせず、かつ、議決権行使との関連性にも十分配慮したうえであれば、社会通念上相当な額の謝礼を伴うアンケートの方法により株主の情報を取得することは許容される場合もあると思われる。

⑵　株主が行う場合

委任状勧誘を行う株主が、委任状の提供や株主提案に賛成の議決権行使書面による議決権行使をしてもらうことを目的として、他の株主に対して金員その他の利益を提供することは許されるであろうか。

利益の供与を禁止する会社法120条の対象は、会社または利益の供与に関与した取締役もしくは執行役とされており、株主によるかかる行為は「不正の請託」がない限り禁止されていないと考えられる（江頭・株式会社法364頁）。もっとも、株主提案を行った株主等が一般株主に対して財産上の利益の供与を行い、これが寄与して当該株主提案が可決された場合には、決議の方法が著しく不公正なものであるとして決議取消事由に当たると解すべきとする見解がある（川島いづみ「利益供与と株主総会決議の瑕疵」法律時報80巻11号36頁（2008)、松山・株主提案102頁)。また、株主の議決権だけを株式と切り離して譲渡したり売買したりすることはできず、株主に利益を与えて自分の希望する形で議決権を行使してもらうことは、会社法上問題があるとする見解もあり（藤田友敬「株主の議決権」法学教室194号19頁（1996))、実務上は慎重な検討が必要となる。

この点、少数株主が裁判所から株主総会招集許可を得て招集した株主総会について、会社の監査役により株主総会開催禁止の仮処分が申し立てられた事案において、招集株主が委任状による議決権行使の謝礼としてクオカードの贈与の表明をしたことについて、会社の監査役が株主総会において行われようとしている決議の方法に法令違反または著しい不公正があると主張したが、かかる主張が排斥された裁判例がある（東京高決令和2・11・2金判1607号38頁)。当該事案においては、招集株主が招集通知等の発送に用いた封筒の表面下部に「※議決権行使促進に伴う粗品（QUOカード）に関するお知らせがございますので、お早めにご確認よろしくお願いいたします。」と、招集通知の本文に

「新型コロナウイルス感染拡大防止のため、株主の皆様におかれましては、可能な限り会場への出席をお控えいただき、書面による事前の議決権行使をお願い申し上げます。〔中略〕なお、書面による事前の議決権行使にご協力いただいた方には、後日クオカード（2000円分）を郵送にて贈呈させていただきます。」と、招集通知に同封された「議決権の代理行使促進（粗品の提供）に関するお願い」と題する書面に「あくまでも、今回の総会を通じて、より多くの株主様のご意見を〔会社〕の経営に反映させるべく、本株主総会担当事務局への委任状による議決権行使の謝礼として、クオカードを提供させていただくものであるため、株主提案に賛成の場合〔中略〕はもちろんのこと、反対の場合〔中略〕や、中立のお立場で棄権を選択される場合（委任状の分かりやすい箇所に「棄権」とご記載ください。）にも、一律2000円分のクオカードを株主様のご住所あてに、後日お贈りいたします」とそれぞれ記載されており、さらに、後日招集株主が株主宛に送付した書面には、クオカードの金額を一律3000円に増額し、既に委任状を返送している株主にも2000円分ではなく3000円分のクオカードを贈与する旨が記載されていた。東京高裁決定は、招集株主によるクオカードの贈与の表明は、招集通知とは別途送付された書面によるものはもとより、招集通知と同じ封筒で送付された書面によるものについても、株主総会の招集手続またはその一部として行われたものではないから、これによって、株主総会の招集手続がそれ自体直ちに違法になり得るものとは認められない旨判示した。また、東京高裁決定は、保全の必要性についても判断し、招集株主の招集する株主総会の開催を禁止することは株主の権利行使の機会を一方的に奪うことになる一方、クオカードの贈与の表明によって株主総会の招集または決議の方法に瑕疵が生じるのであれば決議取消訴訟によって是正が可能である等とし、保全の必要性は株主総会の開催を許すと違法もしくは著しく不公正の方法で決議がされるなどの高度の蓋然性があって、その結果、会社に回復困難な重大な損害を被らせ、これを回避するために開催を禁止する緊急の必要性があることが求められるが、当該事案において、クオカードの贈与の表明が株主総会の決議に影響を与えるものであるか否かは、議決結果の全体状況によるものであり、現時点で確定し得るものとは認め難く、その他これにより回復困難な重大な損害を被らせるとの疎明があったとは認められないとして、保全の必要性を否定した。前記のとおり、株主側による財産上の利益の供与については実務上は慎重な検討が必要であるが、東京高裁決定は事例判断として参考に値する。

5　委任状用紙および委任状参考書類の交付

議決権の代理行使の勧誘を行おうとする者（勧誘者）は、当該勧誘に際し、その相手方（被勧誘者）に対し、委任状の用紙および代理権の授与に関し参考となるべき事項として内閣府令で定めるものを記載した書類（参考書類）を交付しなければならない（金施令36条の2第1項）。

なお、金施令上、交付すべき書類の名称は「参考書類」であるが、会社法上の書面投票制度を採用した会社が株主に交付する「株主総会参考書類」と区別するため、本書においては上場会社が委任状勧誘の際に交付が義務付けられる参考書類（金施令36条の2第1項）を「委任状参考書類」と呼ぶこととする。

委任状用紙と委任状参考書類の交付が義務付けられる時点である「勧誘に際し」の意義については、「勧誘と同時にまたはこれに先立って」と解するのが一般的である（神崎克郎ほか『金融商品取引法』429頁（青林書院、2012））。したがって、その後継続して行われるそれぞれの勧誘行為の際には、委任状用紙等を交付する必要はないものと解される。

また、委任状用紙と委任状参考書類の「交付」は、当該書面を物理的に交付することを意味するが、勧誘者は、被勧誘者の承諾を得た場合は、委任状用紙・委任状参考書類の交付に代えて、電磁的方法により委任状用紙および委任状参考書類の記載事項を提供することも可能である（本書175頁参照）。なお、電子提供措置適用会社においても、これらの書類について電子提供措置をとることは求められていない。また、例えば委任状参考書類を株主総会参考書類と一体のものとして作成している場合等においては、株主総会参考書類について電子提供措置がとられるに際して、委任状参考書類についても同様にウェブサイトに掲載されることがあると考えられるが、かかる措置をとることによって被勧誘者への交付・提供をしたと評価することはできず、少なくとも被勧誘者から電磁的方法による提供についての承諾を受けていない場合には、別途、金施令が定めるところにしたがって、被勧誘者に対し委任状参考書類を交付・提供することが必要であると考えられる（会社法325条の3参照。渡辺邦広ほか「株主総会資料電子提供制度の実務対応Q&A（8・完）――各論7」商事法務2313号49頁（2022））。

⑴　委任状用紙の様式

委任状用紙は、議案ごとに被勧誘者が賛否を記載する欄を設けなければならない（金施令36条の２第５項、勧誘府令43条本文）。ただし、棄権の欄を設けることは可能である（勧誘府令43条但書。委任状の記載例は本書115、141頁参照）。

ここにいう「議案ごとに」とは、複数の議案を一括して賛否を記載する欄を設けること（例えば、「第○号議案から第○号議案　賛・否」というようなもの）は認められないことを意味する。

なお、賛否を記載する欄を設ける趣旨に照らし、株主に交付する委任状用紙に、予め賛否の記載をしておくこと（例えば、株主作成の委任状用紙に、会社提案については「否」の欄に○を、株主提案については「賛」の欄に○をしておくことなど）は、当然認められない。

なお、勧誘府令においては、書面投票制度における議決権行使書面の場合と異なり（会施規66条１項１号イ～ハ）、明示的には、複数の役員等の選任・解任に関する議案および複数の会計監査人の不再任に関する議案について、各候補者の選任、各役員等の解任および各会計監査人の不再任について賛否の記載欄を設けることは求められていないが、取締役選任議案は、取締役の候補者１名ごとに１議案を構成すると考えられているため（江頭・株式会社法408頁注3)、委任状用紙についても議決権行使書面と同様に候補者ごとに賛否の記載をできるようにする必要がある（田中亘「委任状勧誘戦に関する法律問題」金判1300号10頁（2008)、江頭憲治郎ほか「パネルディスカッション・株主総会をめぐる新しい諸問題――株主提案、委任状争奪戦、買収防衛策」同『株主に勝つ・株主が勝つ――プロキシファイトと総会運営』48頁〔西本強発言〕（商事法務、2008)）（本書117頁参照)。

ところで、勧誘府令43条本文が「議案ごとに」賛否を記載する欄を設けなければならないとしていることから、委任状勧誘を行う際には、当該株主総会に提案される全ての議案について賛否を記載する欄を設けた委任状用紙を交付する必要があるのか、すなわち、一部議案についての委任状勧誘の可否が問題となる。

まず、会社法上、書面投票制度が義務付けられている会社（会社法298条２項）である上場会社が、書面投票制度に代えて行う委任状勧誘の場合は、一部議案のみの委任状勧誘は認められない。なぜなら、書面投票制度においては、会社提案の議案のみならず、株主提案の議案も含めた全議案について、株主総会参考書類による株主への情報提供および議決権行使書面の交付が必須とされるのであり、かかる書面投票制度の代替手段として認められる委任状勧誘（会社法298条2項但書）においても、当然、全議案について委任状参考書類・委任状用紙の交付が求められると解すべきであるからである。

以上の場合を除き、一部議案の委任状勧誘は、認められると考えられる。委任状用紙において、「議案ごとに」賛否を記載する欄を設けなければならないとするのは（勧誘府令43条本文）、あくまで委任状勧誘の対象となる議案が複数の場合に、それぞれに賛否を記載する欄を設けることを求める趣旨であって、必ずしも、同一の株主総会に付議される全議案について委任状勧誘を義務付ける趣旨ではないとも解釈できるし、一部議案のみの委任状勧誘が認められないとすれば、株主側は、会社の招集通知発送前に会社提案の議案の全てを知り得ないため、招集通知の発送前に委任状勧誘を行うことが事実上不可能となり、過度の制約となるためである（本書140頁参照）。

なお、委任状用紙の記載の実務上の留意点については本書115頁参照。

(2)　委任状参考書類の記載事項

委任状参考書類については、勧誘府令において記載事項が定められている（勧誘府令1条～40条）。

委任状参考書類の記載事項については、2003年（平成15年）の勧誘府令の改正以降、委任状争奪戦を想定して、会社と一般株主との間の議案に関する情報の非対称性を踏まえて、委任状参考書類の記載の整理・合理化が行われている。すなわち、会社側が勧誘者である場合は、上場会社から株主に対する情報の開示については、金商法上、手厚い配慮がなされるべきであり、委任状勧誘制度に基づいて株主に提供される情報の内容は、書面投票制度採用会社の株主に与えられる情報と比べて遜色ないものである必要があることから、委任状参考書類の記載事項は、基本的に、会社法に基づく書面投票制度に係る株主総会参考書類の記載事項と同一の内容が規定されている。一方、対抗者である株主側が委任状勧誘を行う場合については、一般株主が会社情報を入手することが相対的に難しく、委任状参考書類を会社側と同様に作成することには困難が伴うことから、委任状参考書類の記載事項については、会社と同一の情報の記載を求めず、株主が各種閲覧・交付請求権を行使して入手し得る情報を記載すれば足りるよう配慮されている（一松旬「委任状勧誘制度の整備の概要」商事法務

1662号57頁（2003））。

(ア)　一般的記載事項

委任状参考書類の一般的記載事項については、①当該株式の発行会社またはその役員が議決権代理行使の勧誘を行う場合（会社側による委任状勧誘）と、②当該株式の発行会社またはその役員以外の者が勧誘を行う場合（対抗者側による委任状勧誘）とで、記載事項が異なる（勧誘府令1条1項、表12参照）。

なお、書面投票制度における株主総会参考書類の一般的記載事項は、①議案、②提案の理由（議案が取締役の提出に係るものに限り、株主総会において一定の事項を説明しなければならない議案の場合における当該説明すべき内容を含む。）、③議案につき会社法384条、389条3項または399条の5の規定により株主総会に報告すべき調査の結果があるときは、その結果の概要であり（会施規73条1項）、会社側による委任状勧誘の場合の委任状参考書類の記載は、かかる書面投票制度における株主総会参考書類の記載事項に「勧誘者が当該株式の発行会社又はその役員である旨」を加えたものとなっている。

表12：委任状参考書類の一般的記載事項（勧誘府令1条1項）

勧誘者が当該株式の発行会社またはその役員である場合（会社側による委任状勧誘）	勧誘者が当該株式の発行会社またはその役員以外の者である場合（対抗者側による委任状勧誘）
イ　勧誘者が当該株式の発行会社またはその役員である旨	イ　議案
ロ　議案	ロ　勧誘者の氏名または名称および住所
ハ　提案の理由（議案が取締役の提出に係るものに限り、株主総会において一定の事項を説明しなければならない議案の場合における当該説明すべき内容を含む。）	
ニ　議案につき会社法384条（注1）、389条3項（注2）または399条の5（注3）の規定により株主総会に報告すべき調査の結果があるときは、その結果の概要	

（注1）　会社法384条は、監査役は、取締役が株主総会に提出しようとする議案、書類その他法務省令で定めるもの（会施規106条により「電磁的記録その他の資料」と定められている。）を調査しなければならず、法令もしくは定款に違反し、または著しく不当な事項があると認めるときは、その調査の結果を、株主総会に報告しなければならないとする。

（注2）　会社法389条3項は、定款によりその権限を会計監査権限に限定された監査役について、取締役が株主総会に提出しようとする会計に関する議案、書類その他の法務省令で定めるもの（会施規108条）を調査し、その結果を株主総会に報告しなければならないとする。

（注3）　会社法399条の5は、監査等委員は、取締役が株主総会に提出しようとする議案、書類その他の法務省令で定めるもの（会施規110条の2により「電磁的記録その他の資料」と定められている。）について法令もしくは定款に違反し、または著しく不当な事項があると認めるときは、その旨を株主総会に報告しなければならないとする。

(イ)　個々の議案の記載事項

委任状参考書類の一般的記載事項のうちの「議案」の具体的な記載内容については、勧誘府令において、(a)会社提案について、会社によりまたは会社のための議決権代理行使の勧誘が行われる場合（勧誘府令2条～20条）、(b)会社提案について、会社によりまたは会社のために議決権代理行使の勧誘が行われる場合以外の場合（勧誘府令21条～38条）、(c)株主提案について、会社によりまたは会社のために議決権代理行使の勧誘が行われる場合（勧誘府令39条）、(d)株主提案について、会社によりまたは会社のために議決権代理行使の勧誘が行われる場合以外の場合（勧誘府令40条）の4つの場合に分けて、個々の議案ごとの記載事項が定められている（表13参照）。

表13：委任状参考書類における「議案」の記載事項に関する勧誘府令の定め

	会社によりまたは会社のための議決権代理行使の勧誘が行われる場合	左の場合以外の場合
会社提案	勧誘府令2条～20条（後記(a)）	勧誘府令21条～38条（後記(b)）
株主提案	勧誘府令39条（後記(c)）	勧誘府令40条（後記(d)）

(a)　会社提案について、会社によりまたは会社のための議決権代理行使の勧誘が行われる場合（勧誘府令2条～20条）

この類型は、会社提案について、会社自身によりまたは会社関係者により、会社のために行われる委任状勧誘の場合である。このような場合には、会社が書面投票制度を採用した場合よりも株主に提供される情報が不十分であることに合理性はないから、委任状参考書類の各議案の記載事項は、書面投票制度における株主総会参考書類の各議案の記載事項と同一となっている（ただし、監査役選任議案に関してはごく僅かに異なり、会施規76条2項3号では「候補者が現に当該株式会社の監査役であるときは、当該株式会社における地位」とされている点が、勧誘府令4条1項11号では「候補者が現に当該会社の監査役であるときは、当該会社における地位及び担当」（傍点筆者）とされている。）。

委任状参考書類における各議案の記載事項の解釈等は、株主総会参考書類と同一である（株主総会参考書類の記載のモデルとしては、「全株懇モデル」「日本経団連ひな型」が代表的である。前者に基づく解説を行うものとして、全国株懇連合会編『全株懇モデルⅡ――株主総会に関する実務』（商事法務、2017）、後者に基づく解説を行うものとして、石井裕介ほか編著『新しい事業報告・計算書類――経団連ひな型を参考に』（商事法務、全訂第2版、2022）がある。）。

⒝　会社提案について、会社によりまたは会社のために議決権代理行使の勧誘が行われる場合以外の場合（勧誘府令21条～38条）

この類型は、会社提案について、会社自身または会社関係者が会社のために行う場合以外における委任状勧誘であり、典型的には、会社と対立する対抗者である株主が、会社提案の議案に対して反対の議決権の代理行使の勧誘を行う場合が想定される。

この場合には、会社提案について会社側が委任状勧誘を行う場合（前記⒜）と同等の記載は求められておらず、記載事項は一定程度簡略化されている。これは、前述のとおり、対抗者である株主側が委任状勧誘を行う場合については、一般株主が会社情報を入手することが相対的に難しく、委任状参考書類を会社側と同様に作成することには困難を伴うことから、委任状参考書類の記載事項については、会社と同一の情報の記載を求めず、株主が各種閲覧・交付請求権を行使して入手し得る情報を記載すれば足りるよう配慮されたことによる（一松旬「委任状勧誘制度の整備の概要」商事法務1662号57頁（2003））。

もっとも、委任状参考書類の記載事項は一定程度簡略化されているものの、会社の招集通知・株主総会参考書類を受領しない限り、株主には情報の入手が困難な項目も記載事項に含まれており、事実上、会社の招集通知発送前の株主による委任状勧誘を困難にしている場合がある。例えば、会社の設立を伴う組織再編のうち新設合併契約・株式移転計画の承認議案の場合、委任状参考書類の記載事項である新設合併契約の内容等は、会社の事前のプレスリリース等によって対外的に開示されている場合が多いとしても、新設会社の取締役となる者の氏名、生年月日および略歴その他勧誘府令21条に規定する事項（勧誘府令35条2号等）は、会社が株主総会参考書類において開示するまでは、対外的には公表されていないことが多い（本書143頁参照）。

(c)　株主提案について、会社によりまたは会社のために議決権代理行使の勧誘が行われる場合（勧誘府令39条）

この類型は、議案が株式の発行会社の株主の提出に係るものであって、当該会社により、または当該会社のために委任状勧誘が行われる場合である。典型的には、株主が上場会社に対し、株主提案権の行使を行い、当該会社が当該提案の否決に向けた委任状勧誘を行う場合が考えられる。

この場合の委任状参考書類の記載事項は、株主総会参考書類における株主提案に係る議案の記載事項と同一となっている（勧誘府令39条1項、会施規93条、本書108頁参照）。

2以上の株主から同一趣旨の議案が提出されている場合には、委任状参考書類には、その議案およびこれに対する取締役（取締役会設置会社である場合にあっては、取締役会）の意見の内容を各別に記載することを要さず、まとめて記載することができる。ただし、その2以上の株主から同一の趣旨の提案があった旨を記載する必要がある（勧誘府令39条2項）。

また、提案の理由についても、2以上の株主から同一趣旨の提案の理由が提出されている場合には、委任状参考書類には、その提案の理由をまとめて記載することができる（同条3項）。

なお、旧法下では、提案理由については400字以内という字数制限が課されていたが、会社法施行後は、株主総会参考書類と同様に、勧誘府令においてもかかる制限は撤廃されている。もっとも、提案の理由や取締役等の略歴等については、委任状参考書類にその全部を記載することが適切でない程度の多数の文字、記号その他のものをもって構成されている場合（株式会社がその全部を記載することが適切であるものとして定めた分量を超える場合を含む。）にあっては、当該事項の概要を記載することで足りるとされている（同条1項）。ここにいう「その全部を記載することが適切でない程度の多数」とは、旧法下での「400字」が一義的な基準となるものではなく、会社が委任状参考書類の他の記載事項の量との関係を考慮しつつ、適切に判断すべきこととなる。会社が一律に文字数の制限を定める場合には、定款による委任を受けた株式取扱規程等においてこれを定めることが考えられる（本書64頁の記載例B参照）。

(d)　株主提案について、会社によりまたは会社のために議決権代理行使の勧誘が行われる場合以外の場合（勧誘府令40条）

この類型は、議案が株式の発行会社の株主の提出に係るものであって、当該会社により、または当該会社のために委任状勧誘が行われる場合以外の場合であり、典型的には、株主提案を行った株主自身が、自己の提案した議案について賛成の委任状勧誘を行う場合である。

このような場合には、委任状参考書類には、議案が株主の提出に係る旨および提案の理由を記載しなければならず、かつ、議案が取締役等の選任に関するものであるときは前記(b)の場合（会社提案について、会社自身または会社関係者が会社のために行う場合以外における委任状勧誘）と同様の事項を記載しなければならない（勧誘府令40条）。

(ウ)　株主総会参考書類への記載等による委任状参考書類の省略

委任状参考書類に記載すべき事項のうち、以下の事項については、委任状参考書類への記載を省略することが認められている（勧誘府令1条2項～4項）。

①　同一の株主総会についての書面投票制度における株主総会参考書類・議決権行使書面およびその他当該株主総会に関する書面に記載している事項、電磁的方法により提供する事項（ただし、委任状参考書類において、株主総会参考書類・議決権行使書面に記載している事項または電磁的方法により提供する事項があることを明らかにしなければならない。）（勧誘府令1条2項）。

②　会社が公告（決算公告も含む。）している事項（ただし、委任状参考書類において、当該公告が掲載された官報の日付、日刊新聞紙の名称および日付、電子公告によりその情報の提供を受けるために必要な事項（電子公告を行うホームページのURL）、または決算公告について官報・日刊新聞紙への掲載による公告に代えて、定時株主総会の終結の日後5年間、貸借対照表（大会社については貸借対照表および損益計算書）の内容である情報を、不特定多数の者が提供

を受けることができる状態に置く措置を取るときは、その情報の提供を受けるため必要な事項（ホームページのURL）を記載しなければならない。）（勧誘府令1条3項）。

③　株主総会参考書類に記載すべき事項のうち、Web開示（会施規94条1項）されている事項（ただし、委任状参考書類にWeb開示をするホームページのURLを記載しなければならない。）（勧誘府令1条4項）。

なお、前記③のWeb開示とは、招集通知の印刷コスト等の削減のために会社法の下で認められた制度であり、予め定款に定めを設けることにより、事業報告の一部（会施規133条3項）、株主総会参考書類の一部（会施規94条1項）および計算書類関係書類のうち個別注記表・連結計算書類（計算規則133条4項～6項、134条4項～6項）について、招集通知に添付する事業報告・株主総会参考書類等には記載せずにインターネット上で開示することを認める制度であるが、電子提供制度の導入に伴い、特に上場会社においてはWeb開示制度は利用されなくなることが想定されている。勧誘府令は、Web開示によってインターネット上に開示されたために、株主総会参考書類への記載を要しないものとされた情報について、委任状勧誘における委任状参考書類への記載を要しないとしたものである。なお、委任状勧誘における委任状参考書類の記載事項それ自体については、勧誘府令上、Web開示は認められていない。

電子提供制度適用会社において、株主総会参考書類等の記載事項について電子提供措置をとっている場合において、当該事項について勧誘府令1条2項の適用があるかは、勧誘府令上明らかではない。この点、電子提供措置は、会社法上、株主総会参考書類等の交付または電磁的な方法による提供に代わる措置であると位置付けられており、電子提供制度適用会社においては、電子提供措置をとることが、株主総会参考書類等に当該情報を記載等することに実質的に相当するものであるとも評価し得る。しかし、前記（本書166頁）のとおり、委任状参考書類について電子提供措置と同等のウェブサイトへの掲載の措置を行うことにより被勧誘者への交付・提供を当然に省略することは許容されていないと考えられることを踏まえると、電子提供措置がとられている事項について、勧誘府令1条2項に基づき委任状参考書類への記載を省略することはできるかについては疑義がある。したがって、実務的には、電子提供措置がとられている株主総会参考書類の記載事項と重複する事項も含めて、委任状参考書類を招集通知（アクセス通知）に添付して送付する等の対応をとることが適切であると考えられる（渡辺邦広ほか「株主総会資料電子提供制度の実務対応Q&A（8・完）——各論7」商事法務2313号50頁（2022））。

⑶　電磁的方法による提供

勧誘者は、被勧誘者の承諾を得て、被勧誘者に対し、委任状用紙および委任状参考書類の交付に代えて、電磁的方法により委任状用紙および委任状参考書類の記載事項を提供することが認められている（金施令36条の2第2項・3項）。

さらに、被勧誘者の保護等の観点から、被勧誘者が、電磁的方法による情報提供を受けることに係る承諾を、書面または電磁的方法による申立てにより撤回することを認めるとともに、一旦撤回をした後も、再承諾が認められることを規定している（同条4項）。

ここにいう「電磁的方法」の具体的内容としては、インターネット等を通じ電子メールを送信する方法、Webサイト（ホームページ）に情報を掲示しこれをダウンロードする方法、当該事項を記載したCD − ROM等の記録媒体を交付する方法などがある（勧誘府令42条）。

また、委任状の用紙や委任状参考書類について電磁的方法による情報提供を可能とする以上、これらが勧誘者により電磁的記録（CD − ROM等）により作成されることが予定されることから、当局への提出の場面においても、従来の書類による提出に代えて、電磁的記録により提出ができる旨が定められている（金施令36条の3）。

なお、勧誘者が会社以外の第三者である場合は、勧誘者は予め被勧誘者である株主との直接の接触手段を持たないため、事前同意を取ることは不可能である場合が多く、電磁的方法による交付の手段によることは、現実的には困難である。

⑷　委任状用紙および委任状参考書類の写しの金融庁長官への提出

勧誘者は、委任状用紙および委任状参考書類を交付したときは、直ちに、これらの書類の写しを金融庁長官に提出しなければならない（金施令36条の3）。

委任状用紙および委任状参考書類の受理の権限は、金融庁長官から管轄の財務局長に委任されており、委任状用紙および委任状参考書類の提出先は、居住者（外為法6条1項5号前段に規定する居住者を意味し、本邦内に住所または居所を有する自然人および本邦内に主たる事務所を有する法人をいう。）については本店または主たる事務所を管轄する財務局長（当該所在地が福岡財務支局の管轄区域内にある場合にあっては、福岡財務支局長）、非居住者（外為法6条1項6号に規定する非居住者を意味し、居住者以外の自然人および法人をいう。）については関東財務局長となる（金施令43条の11）。

条文上、委任状用紙および委任状参考書類の提出のみが求められているが、実務上は、これらに加えて、議決権の代理行使の委任を呼びかける書面や委任状の記載事例などを含めた被勧誘者に送付する全ての書類を提出するのが一般的である。

ただし、「同一の株主総会に関して株式の発行会社の株主（当該総会において議決権を行使することができる者に限る。）のすべてに対し株主総会参考書類及び議決権行使書面が交付されている場合」は、監督当局への委任状用紙および委任状参考書類の提出は不要となる（金施令36条の3、勧誘府令44条）。これは、勧誘の相手方に必要情報が提供され、議決権行使の機会が保障されている場合には、あえて行政当局が関与して勧誘の相手方を保護する必要がないことから、事務の効率化を図ったものである（一松旬「委任状勧誘制度の整備の概要」商事法務1662号58頁（2003））。

なお、電子提供制度適用会社において、株主総会参考書類等について電子提供措置がとられている場合に同様の例外が適用されるかは、金施令および勧誘府令上明らかでない。この点、電子提供措置をとり、また、書面交付請求をした株主に対して電子提供措置事項記載書面を交付している場合には、勧誘の相手方に必要情報が提供され、議決権行使の機会は保障されていると言い得るようにも思われるが、金施令および勧誘府令の文言上、電子提供措置をとっても、株主総会参考書類等が株主に「交付」されるわけではないことからすれば、委任状用紙等の監督当局への提出を不要と考えてよいかは疑義があり得る。そのため、実務上は提出をしておくことが適切と考えられる（渡辺邦広ほか「株主総会資料電子提供制度の実務対応Q&A（8・完）――各論7」商事法務2313号50頁（2022））。

なお、勧誘府令44条の文言上は、会社が株主総会参考書類および議決権行使書面を交付していれば、株主が行う委任状勧誘においても、前記監督当局への提出が不要となるとも読めるが、株主が勧誘を行う場合については、会社が株主総会参考書類・議決権行使書面を交付した場合においても、勧誘者である株主が交付する委任状参考書類の内容が会社が交付する株主総会参考書類と全く同じでない限り、当局への提出は必要であると解されている（太田洋「株主提案と委任状勧誘に関する実務上の諸問題」商事法務1801号29頁（2007)、松山・株主提案78頁)。

また、委任状争奪戦においては、委任状用紙および委任状参考書類のほかにも、いわゆるファイトレターなど様々な書類が株主に交付されることが多い。金施令36条の3が提出をしなければならないとしている書類は、委任状用紙および委任状参考書類の写しに限られているが、実務上は、委任状用紙および委任状参考書類以外に交付した勧誘資料があれば、行政当局において勧誘資料に虚偽情報が含まれていないかを監督し、もって不当な勧誘を防止するという規制趣旨も踏まえて、その全ての提出を行うことが考えられ、実際にそのように対応している例が多い。

(5)　虚偽記載の禁止

勧誘者は、重要な事項について虚偽の記載もしくは記録があり、または記載もしくは記録すべき重要な事項もしくは誤解を生じさせないために必要な重要な事実の記載もしくは記録が欠けている委任状の用紙、委任状参考書類その他の書類または電磁的記録を利用して、議決権の代理行使の勧誘を行ってはならない（金施令36条の4)。

すなわち、勧誘者は、委任状参考書類に法定記載事項を記載すれば足りるというものではなく、誤解を生じさせないために必要な重要な事実まで記載することが求められることとなる（神崎克郎ほか『金融商品取引法』436頁（青林書院、2012))。

(6)　委任状参考書類の交付請求

会社により、または会社のために議決権の代理行使の勧誘が行われる場合においては、株主は、会社に対し、会社の定める費用を支払って、委任状参考書類の交付を請求することができる（金施令36条の5第1項)。

これは、会社が一部の株主に対してのみ委任状勧誘を行った場合において（一部の株主のみに対する委任状勧誘の可否については、本書137頁参照)、勧誘を受けなかった株主にも、勧誘を受けた株主と同一の情報にアクセスする手段を付与し、また、当該株主が会社に対抗して委任状の獲得を図る場合においても、その情報を利用して効果的な委任状勧誘を行えるよう措置することが必要であると考えられたことから、設けられた規定である（一松旬「委任状勧誘制度の整備の概要」商事法務1662号57頁（2003））。

もっとも、株主がかかる権利を行使することができるのは、一部の株主に対してのみ委任状勧誘が行われている事実を知ることができた場合に限られ、現実的には、かかる事実を知り得ないことも多いと思われる（この点を指摘する文献として、寺田昌弘ほか「委任状争奪戦に向けての委任状勧誘規制の問題点」商事法務1802号38頁（2007））。

⑺　罰則等

金商法上、委任状勧誘規制に違反した場合は、30万円以下の罰金に処せられる（金商法194条、205条の2の3第2号）。

また、裁判所は、緊急の必要があり、かつ、公益および投資家保護のため必要かつ適当であると認めるときは、内閣総理大臣または内閣総理大臣および財務大臣の申立てにより、金商法または金商法に基づく命令に違反する行為を行い、または行おうとする者に対し、その行為の禁止または停止を命じることができる（金商法192条1項）。

したがって、委任状勧誘が行われたものの、委任状用紙に賛否の欄が無かったり、委任状参考書類が法定の記載事項を満たしていなかった場合など、委任状勧誘規制に違反する行為が行われた場合、関係当事者は、金融庁等に対して、かかる申立てを行うよう要請することが考えられる。もっとも、当該裁判所の緊急停止命令による禁止の対象は、あくまで、委任状勧誘規制に違反する委任状勧誘行為であるから、勧誘に応じて返送された委任状の取扱い等が不正であっても、委任状の使用の禁止や議決権行使の停止、株主総会開催禁止などを命じることはできない。したがって、当該命令の発令が問題となり得るのは、委任状勧誘のための書類が株主に発送される以前において、その書類の作成ないし発送の停止を命ずることのみに尽きる（今井・議決権代理225頁）。また、かかる緊急停止命令は、委任状勧誘に関して過去に一度も発令されていない。したがって、実務的には、委任状勧誘規制違反に基づく差止請求・仮処分、株主総会の決議取消しの可否等が問題となるが、この点については後述する（本書184頁、268頁参照）。

6　勧誘の実施

委任状の獲得に向けてどのように勧誘を行うかについては、自社の株主構成を踏まえて戦略的に検討する必要がある。委任状勧誘の戦略を策定するにあたっては、IRのコンサルティング会社（実質株主判明調査、議決権行使促進活動等を専門に行う会社）に協力を求めることもある。

機関投資家については、日本版スチュワードシップ・コードを踏まえて議決権行使方針を公表している場合が多いため、株主である機関投資家が公表している議決権行使方針を確認し、自らが提案している議案に賛成をしてくれる可能性があるかを検討の上で、どのようにアプローチをするべきかを検討することが考えられる。機関投資家は、自らの顧客であるアセット・オーナーに対する信認義務の観点等から、委任状を第三者に交付しない場合も多いことから、そのような場合には、委任状の交付を求めるのではなく、議決権行使書面等により、自らの意向に従って議決権を行使するよう要請をすることになる。

また、機関投資家は、議決権行使助言会社（Institutional Shareholder Services Inc.、Glass, Lewis & Co., LLC等）の議決権行使に関する推奨を参考にしている場合も多く、特に米国系の機関投資家に対しては議決権行使助言会社が大きな影響力を有しているため、議決権行使助言会社に対し、自らが提案する議案に賛成推奨をしてもらえるよう、当該議案を提案する背景や合理性を説明する機会を得られるように努めることも考えられる。

個人株主が多い会社においては、株主が議決権行使に関心を寄せていなかったり、議案の内容が複雑であったりすると、株主総会の招集通知や株主総会参考書類に目を通さず、議決権行使を行わない株主が一定数存在する（2021年度の株主による議決権行使書面または委任状の返送率は、議決権ベースで（70％超）80％以下が回答会社全体の22.8％で最も多く、（80％超）90％以下が18.9％、（60％超）70％以下が17.0％、（50％超）60％以下が11.4％、（40％超）50％以下が8.6％と続く（商事法務研究会編「株主総会白書2021年版」商事法務2280号125頁(2021))。）。このような眠っている議決権を獲得するために、株主に対して平易な文章で記載した議決権行使を促す書面を送付したり、一歩進んで自らの提案する議案に賛同し、または委任状の提出を求める書面を送付するといった施策を講ずることも多い。また、株主に対して電話をかけることにより、より直接的に自らの提案に沿う議決権行使や委任状の提出を依頼することもある（株主数が多い場合には、コールセンター業務を行う会社に架電作業を依頼する場合もある。）。なお、株主の電話番号を入手する方法としては株主に対するアンケートを実施するなどの方法が考えられるが、かかるアンケートの返送率を高めるためにクオカードの進呈等を行うことが利益供与規制（会社法120条1項）に抵触するかという点については本書163頁を参照されたい。

いずれの会社においても、委任状勧誘が行われる場面では、会社経営陣と委任状勧誘を行う株主がそれぞれプレスリリースにより、自らの意見と対立する相手方の意見に対する反対意見を公表していくことになる。プレスリリースは会社側と勧誘株主側により交互に行われることが多く、それぞれの意見の相違点が明確になるとともに、株主への情報開示にも資するという点で、重要な行為である。

また、株主に対して自らの意見を伝える方法として、株主総会参考書類または委任状参考書類の他にいわゆるファイトレターを株主に対して送付する場合がある。かかるレターにおいては、図や表を利用して自らの提案をわかりやすく説明したり、代表取締役社長から株主に対するメッセージを記載するなどの工夫がなされる。さらに、委任状勧誘に際し専用のWebサイトを設置して、株主に対して情報を発信していくケースもあり、ソーシャル・ネットワーキング・サービス（SNS）を利用した勧誘行為を行うことも考えられる。

委任状勧誘が行われる株主総会は世間からも注目をされることが多いことから、報道機関による報道内容も重要である。個人株主や日本における事業会社等は、議決権行使（委任状の提出を含む。）について世論に影響を受けることも少なくない。報道機関には、情報を正確に社会に対して発信してもらえるように可能な限り適切な対応をとっておくことが望ましく、かかるメディア・コミュニケーションの観点からPR会社を起用する事例も増えている。

7　株主総会検査役の選任

委任状勧誘が行われる場合、委任状の取扱いなどについて会社と株主の間で紛議が生じることや、議案の賛否の割合が拮抗し集計作業の正確性が問題となることなども予想されることから、株主総会検査役が選任されることも多い。株主総会検査役の選任の申立ては、委任状勧誘を行う株主のほか、株主総会決議の効力が後に問題となるのを回避するため、会社側から行う場合もあり、結果的に双方が申し立てることもある。以下に述べるとおり、株主総会検査役が選任されたとしても、会社が行うべき手続は通常の株主総会の開催に必要な手続と大きく異なるところはなく、会社としては、株主総会に関する手続の適法性を記録化する一つの方法として有効活用していくことが望ましい。

(1)　選任の要件

会社法306条は、会社または株主は、株主総会に係る招集の手続および決議の方法を調査させるため、裁判所に対して株主総会検査役の選任の申立てをすることができるものとしている。そして、申立てをすることができるのは、「会社」、または、公開会社である取締役会設置会社においては、総株主（会社法298条1項2号に掲げる事項の全部につき議決権を行使することができない株主を除く。）の議決権の100分の1（これを下回る割合を定款で定めた場合にあっては、その割合）以上の議決権を6か月（これを下回る期間を定款で定めた場合にあっては、その期間）前から引き続き有する「株主」（なお、①取締役会を設置していない会社においては、総株主（株主総会において決議をすることができる事項の全部につき議決権を行使することができない株主を除く。）の議決権の100分の1（これを下回る割合を定款で定めた場合にあっては、その割合）以上の議決権を有する「株主」、②公開会社でない取締役会設置会社においては、総株主（会社法298条1項2号に掲げる事項の全部につき議決権を行使することができない株主を除く。）の議決権の100分の1（これを下回る割合を定款で定めた場合にあっては、その割合）以上の議決権を有する「株主」）とされている。

株主総会検査役選任の申立てがあった場合、裁判所は、これを不適法として却下する場合を除き、株主総会検査役を選任しなければならないとされていることから（会社法306条3項）、前記の株式保有要件を充足しない等の形式的要件を充足しない場合以外は、株主総会検査役が選任されることとなる。なお、株主総会検査役には、弁護士が選任されるのが一般的である。

記載例：株主総会検査役選任申立書（会社側が申し立てた場合）

検査役選任申立書

○年○月○日

東京地方裁判所民事第8部　御中

申立人代理人弁護士　○　○　○　○　㊞

〒○○○－○○○○　東京都○○区○○丁目○番○号

申立人　○○株式会社

代表者　代表取締役　○　○　○　○

〒○○○－○○○○　東京都○○区○○丁目○番○号

○○法律事務所（送達場所）

上記申立人代理人弁護士　○　○　○　○

電話　03－○○○○－○○○○

FAX　03－○○○○－○○○○

貼用印紙額　○円

申立ての趣旨

申立人の○年○月○日開催の第○期定時株主総会に係る招集の手続及び決議の方法を調査させるため検査役の選任を求める。

申立ての原因となる事実

1　申立人は、○年○月○日に第○期定時株主総会（以下「本株主総会」という。）の開催を予定している。

2　本株主総会における第○号議案「合併契約承認の件」（以下「本件対象議案」という。）について、申立人の株主である株式会社○○が反対の意見を表明するとともに、本件対象議案の否決に向けた申立人の他の株主に対する議決権の代理行使の委任状勧誘を行っている。このような状況に鑑みると、本株主総会に係る招集の手続及び決議の方法が適法であることの証左を確保する必要性が高い。

3　よって、申立人は、会社法第306条第1項に基づき、検査役の選任を求めるものである。

添付書類

1　申立人の全部事項証明書

2　○○株式会社第○期定時株主総会招集通知

3　委任状

⑵　株主総会開催前の手続

株主総会検査役が選任されると、株主総会検査役から会社に対し、会社の基礎資料のほか株主総会の招集手続および決議の方法に関する資料の提出が求められる。具体的には、①定款、②履歴事項全部証明書、③株主総会の招集を決定した取締役会の議事録、④株主名簿、⑤株主総会招集通知、⑥株主総会参考書類、⑦議決権行使書面、⑧招集通知発送を証する資料（郵便物差出票等）、⑨株主総会当日の議事運営のシナリオなどの資料のほか、委任状勧誘が行われる場合には、⑩委任状用紙、⑪委任状参考書類、⑫委任状作成者の本人確認書類など勧誘に際して利用される資料等の提出が求められることが多い。また、株主総会終了後には、⑬株主総会の出席票、⑭議決権行使の集計票、⑮株主総会議事録等の提出が求められることが多い。株主総会の開催前においては、株主総会検査役は、株主総会の招集手続に瑕疵がないかということを中心に調査を行うことになる。

では、会社は株主総会検査役のこれらの要求を拒否することができるのであろうか。株主総会検査役は、株主総会の招集手続および決議の方法を調査する義務を負うことから、これを履行するために必要な調査を行う権限を有する。したがって、会社としては、株主総会の招集手続および決議の方法に関連する資料を提出する必要があるが、これに関係のない資料の提出は拒否することができる（注釈会社法⑸128頁〔森本滋〕参照）。

委任状勧誘が行われる株主総会においては、通常、委任状および議決権行使書面の取扱いや採決の方法等が問題となることから、当該事項について、予め株主総会検査役も含めて会社と勧誘株主との協議の場を設定することが行われる場合がある。株主総会検査役の職務は、株主総会の招集手続および決議の方法について調査し、報告をすることであるから、株主総会検査役は前記問題点に関して、法的な見解や採るべき方法について意見を述べる立場にはないが、株主総会検査役の面前で相手方と協議を行うことにより、当事者間のみでの話し合いよりもスムーズな話し合いが期待でき、後の紛争の回避につながることもあり得る。

⑶　株主総会当日の手続

株主総会当日においては、株主総会検査役は、まず株主総会の受付に立ち会い、入場審査がどのように行われているのかの確認を行う。次に、株主総会検査役は、株主総会の議事をビデオ撮影し、株主総会の質疑応答、採決等の議事進行を確認する場合が多い。会社としては、適法に議事を進行することはもちろんであるが、例えば、決議の採決が投票により行われる場合（採決の方法については、本書226頁参照）などには、株主総会検査役に集計に立ち会ってもらい、その方法に不正がないことを確認してもらうなど、後に紛争になった場合に備えて適法性を立証するための証拠作りをしておくべきである。

(4)　株主総会終結後の手続

株主総会終結後、株主総会検査役は、株主総会の招集手続および決議の方法について報告書を作成し、裁判所に対し報告を行う（会社法306条5項）。この報告書は、会社のみが株主総会検査役の選任を申し立てた場合には、株主提案を行った株主に対しては提供されない（同条7項）。株主総会検査役の報酬は、会社の負担となる（同条4項）。

そして、裁判所は、株主総会検査役の報告があった場合において、必要があると認めるときは、取締役に対して、①一定の期間内に株主総会を招集すること、②株主総会検査役の調査の結果を株主に通知することを命じることができる（会社法307条1項）。①の株主総会の招集の命令を受けた取締役は、株主総会検査役の報告の内容を当該株主総会において開示し、また、取締役（監査役設置会社にあっては、取締役および監査役）は、株主総会検査役の報告の内容を調査し、その結果を当該株主総会に報告しなければならない（同条2項・3項）。

8　違法な勧誘行為への対抗手段

委任状勧誘が実施されたが、議案ごとに賛否の欄のある委任状用紙が交付されていなかったり、委任状参考書類に虚偽の記載があるなど当該勧誘行為が委任状勧誘規制に違反している場合、相手方はどのようにして対抗していけばよいのであろうか。

この点、金商法には、公益および投資者保護のため必要かつ適当であると認めるときは、内閣総理大臣または内閣総理大臣および財務大臣の申立てにより、裁判所がその行為の禁止または停止を命ずることができるという規定（金商法192条1項）が設けられており、相手方としては、内閣総理大臣または内閣総理大臣および財務大臣に対して当該命令発動の申立てを裁判所に行うように要請することが考えられる（萩原秀紀「緊急差止命令（金商法192条1項）の活用――「抜かずの宝刀」が抜かれたとき」商事法務1923号19頁（2011）参照)。当該命令による禁止の対象は、委任状勧誘規制に違反する委任状勧誘行為であるため、委任状の使用や議決権行使の禁止、株主総会開催禁止などを命じることはできず、当該命令の発令が効果を有するのは、委任状勧誘のための書類が株主に発送される以前において、その書類の作成ないし発送の停止を命ずることに限られると考えられている（今井・議決権代理225頁)。また、当該命令が委任状勧誘について発動されたことは過去に一度もない。

以下では、株主と会社それぞれにおける対抗手段を検討する。

(1)　会社が違法な勧誘を行った場合の対抗手段

(ア)　取締役の違法行為差止請求

会社の取締役による違法な委任状勧誘がなされた場合、株主としては、会社法360条に定める取締役の違法行為差止請求権を行使することが考えられる。差止めの対象となる行為としては、①委任状勧誘行為そのもの（委任状用紙・委任状参考書類の送付行為、各種書類の送付行為等)、②委任状勧誘にかかる議題・議案を扱う株主総会の開催、③当該議題・議案の株主総会への上程・決議、④違法な委任状勧誘により集められた委任状にかかる議決権の代理行使等が考えられる。

委任状勧誘が開始されてから株主総会が開催されるまでには、それ程時間がないことが通常で、本案訴訟を提起している時間はないことから、前記取締役の違法行為差止請求権を被保全権利として、民事保全法23条2項に基づき仮の地位を定める仮処分を求めていくことになる。

被保全権利である取締役の違法行為差止請求権が認められるための要件（会社法360条）としては、まず、公開会社の場合、①請求者が6か月（これを下回る期間を定款で定めた場合にあっては、その期間）前から引き続き株式を保有していること（公開会社でない場合は、「株主」であること）が必要である。

次に、②取締役が会社の目的の範囲外の行為その他法令もしくは定款に違反する行為をし、またはこれらの行為をするおそれがあることが必要となる。ここにいう法令には、全ての法令が含まれると解されており（大隅＝今井・会社法論（中）247頁)、金商法194条も含まれる。

また、③会社に回復することができない損害（監査役設置会社、監査等委員会設置会社または指名委員会等設置会社でない会社の場合は、「著しい損害」）が生ずるおそれがあることが必要となる（会社法360条3項）。この点、委任状勧誘規制に違反した場合には罰則が適用され、それにより会社が損害を被るとして差止めを認めるべきであるとする見解があるが、この見解は、委任状勧誘規制に明文規定のない事項については罰則を適用することができないため差止めを行うことができないことや、罰則の適用を防ぐためという根拠によるのであれば、勧誘後の集めた委任状の利用行為までは差止めの対象が及ばないことから妥当ではないと批判されている（龍田節「株式会社の委任状制度――投資者保護の視点から」インベストメント21巻1号34頁（1968））。

そのため、委任状勧誘規制に違反した勧誘行為がなされたことにより、株主が、不当な影響を受け、株主総会の決議の公正な成立が妨げられることが「損害」であると考える見解もある（今井・議決権代理218頁、龍田・前掲34頁）。いったん決議がなされてしまうと、それが違法な委任状勧誘に基づくものであったとしても、それを覆すことは容易なことではなく（違法な委任状勧誘により集められた委任状に基づく株主総会決議の取消しについては本書268頁参照）、また当該決議に基づいて登記がなされてしまうとこれを信頼した第三者との関係で取引の無効を主張できないという問題が生じる。また、公正な決議の成立が妨げられることによる損害は明確に金銭的に見積もることはできないが、「損害」の生ずるおそれがあることが差止めの要件とされているのは、主として、株主による違法行為差止請求権の濫用を防止する趣旨に基づくものであるから、明確な財産的損害を認定することができなかったとしても、違法な委任状勧誘がなされている場合には、差止めを認めてもよいと考えられることなどが根拠となる。

そして、不公正な株主総会決議の成立の危険を未然に防止するという差止めの目的からすると、会社による違法な委任状勧誘がなされた場合には、①委任状勧誘行為そのものに限らず、②株主総会の開催、③株主総会決議、および④議決権の代理行使についても差止めが認められると解することもできる（今井・議決権代理219頁、龍田・前掲35頁参照。なお、④については、委任状に基づく議決権代理行使を行うのが取締役以外の者である場合には、それが当然に差止めの対象となると解することはできないとの指摘もある（金商法コンメ(4)527頁〔松尾健一〕)。)。なお、取締役の違法行為差止請求の仮処分の債務者は、原則として取締役であるが、株主総会開催禁止および株主総会決議禁止の仮処分については、取締役に加えて会社も債務者となるとする見解、会社のみを債務者とする見解もある（門口正人編『新・裁判実務大系11会社訴訟・商事仮処分・商事非訟』229頁〔長谷部幸弥〕（青林書院、2001））。

もっとも、一部の議案についてのみ委任状勧誘が行われ、それが違法であるような場合には、株主総会の開催を禁止することは認められず、当該委任状勧誘に係る議案の決議または議決権代理行使の禁止を求めていくことになる。また、株主総会開催、株主総会決議または議決権代理行使の禁止が認められるのは、当該行為が差し止められると会社に重大な影響を及ぼすことから、単に委任状勧誘規制の違反があるというだけでは足りず、委任状勧誘規制の違反が株主総会決議の公正な成立に支障を来たす程度に重大な違反である場合に限られるべきものと解される（今井・議決権代理220頁）。

以上に加え、仮の地位を定める仮処分は、いわゆる満足的仮処分であり、債権者（申立人）に生ずる著しい損害または急迫の危険を避けるために必要があるときにのみ認められる（保全の必要性、民事保全法23条2項）。株主は、取締役による勧誘行為、株主総会の開催、株主総会決議または議決権代理行使により、株主に著しい損害または急迫の危険が生じることを疎明する必要があるが、実務上その認定は厳格に行われる。

(イ)　その他の対抗手段

株主としては、会社側が違法な委任状勧誘を行っている場合、取締役の違法行為差止請求権を被保全権利とした仮処分のほか、株主総会決議取消しの訴えを本案とする勧誘行為もしくは議決権行使の禁止の仮処分、または、違法な勧誘に基づく代理権授与行為が無効であることを前提として、代理権不存在確認の訴えを本案とする議決権行使禁止の仮処分を行うことが考えられる。これらの仮処分に関する問題については、(2)において詳述する。

(2)　株主が違法な勧誘を行った場合の対抗手段

株主が委任状勧誘規制に違反した委任状勧誘を行っている場合の対抗手段については、会社による違反とは別途の検討が必要である。差止めの対象としては、委任状勧誘行為そのものや議決権の代理行使等が考えられる。しかし、株主の行為には、取締役の行為のように取締役の違法行為の差止めの規定である会社法360条の適用がないため、かかる規定に基づく差止めを求めることはできない（なお、今井・議決権代理220頁は、勧誘株主が委任状勧誘規制に違反した場合であっても、株主の議決権行使が不当な影響を受け、株主総会決議の公正な成立が害されることは、会社（取締役）による委任状勧誘の場合と異ならないことを理由として、会社法360条の性質を推及して差止めを認めるべきとする。)）。

この点、株主総会決議取消しの訴えを本案として、仮処分を申し立てることも考えられる。しかし、もしこの仮処分命令が認められれば、本案における取消しまたは無効確認の対象となる決議が存在しないことになるから、これを認めることは自己矛盾となってしまうため、これを本案とすることはできないとする見解が有力である（中田淳一ほか編『保全処分の体系〔下巻〕』661頁〔大隅健一郎〕（法律文化社、1966)）。もっとも、勧誘行為または議決権行使の差止めを認めても決議が存在しないことにはならないから、これらの行為の差止めを求めることは可能と解する余地があるとする見解がある（加藤貴仁「委任状勧誘規制の課題」大証金融商品取引法研究会1号116頁（2010)、金商法コンメ(4) 528頁〔松尾健一〕)。

次に、違法な勧誘に基づく代理権授与行為が無効であることを前提として代理権不存在確認の訴えを本案とする議決権行使禁止の仮処分を行うことが考えられる。委任状勧誘規制に違反した勧誘により取得した委任状については、委任状勧誘規制は勧誘者が勧誘に際して遵守すべき方式を定めたものに過ぎないため、委任状勧誘規制に違反する勧誘に応じてなされた代理権の授与、すなわち委任状も無効ではないとする見解がある（田中編・講座(3) 934頁〔大森忠夫〕、大隅＝今井・会社法論（中）66頁）。これに対し、委任状勧誘規制に違反しただけでは代理権授与行為は私法上無効とならないが、違反の態様が重大であるときは公序良俗違反の判断を介して無効となり得るとする見解がある（田中亘「委任状勧誘戦に関する法律問題」金判1300号9頁（2008)）。後者の見解によれば、会社は、代理人である株主が議決権の代理行使をする権限を有しないことを確認する訴えを本案として、議決権行使禁止の仮処分を行うことができると考えられる。

また、勧誘株主による委任状勧誘規制の違反があった場合には、会社は、公正な決議を確保するための妨害排除請求権を被保全権利として、議決権行使禁止の仮処分を求めることができるとする見解がある（金商法コンメ(4) 528頁〔松尾健一〕)。これは、適法に成立した株主総会の決議は、会社の意思決定として会社自身を拘束するものであるから、会社としては決議の適法かつ公正な成立を確保し、妨害を排除すべき利益を有するため、会社は株主の不適法な権利行使に対する不作為請求権・妨害排除請求権を有しており、当該権利を被保全権利として議決権行使禁止の仮処分を求めることができると考えられることを根拠とするものである（今井宏「議決権行使禁止の仮処分――東京地裁昭和63・6・28決定（国際航業事件）を中心に」姫路法学2号63頁（1989））。

第２
株主総会開催前の準備

１　関係者間の打合せ

委任状勧誘が行われる場合、委任状勧誘を行った株主と会社との間で対立構造が明確となり、株主総会の決議の効力について争いが生じることも想定されるため、株主総会の運営は適法になされるようより慎重に行う必要がある。そのため、株主総会開催前の事前準備が重要となる。

(1)　会社と弁護士、証券代行会社等との打合せ

まず、会社は、株主総会を担当する弁護士や証券代行会社との間で入念な打合せを行い、株主総会の当日になって判断に迷うことがないように、株主の入場審査から、採決の方法、委任状および議決権行使書面の取扱い等について、会社の方針を決定しておく必要がある。特に、事前に提出された委任状の取扱いや当日の得票のカウントの方法等を確認しておくことが重要である。

委任状勧誘がなされる場合、賛成と反対の得票数が拮抗し、株主総会の前日までの議決権行使書面または電磁的方法による議決権行使の結果によっても可決か否決かが確定していないことも想定され、そのような場合には、採決の方法として株主の拍手や挙手によることはできず、投票を行うことになる。この場合、証券代行会社の協力を得るなどして迅速かつ正確に集計を行う必要がある。近時は、投票・集計に関する専門的な業者も登場しており、かかる業者を利用することも考えられる。

そして、この打合せをもとに株主総会当日の詳細なシナリオを準備しておくことが必要である。勧誘株主やその他の株主から動議が提出された場合にも対応が可能なように、事前に想定される動議対応用のシナリオを準備しておくことも必要である。投票を行う場合には、議案が可決されたパターンと否決されたパターンの両方のシナリオを準備しておくことも考えられる。

また、このシナリオに基づき株主総会のリハーサルを行い、会社側関係者が当日の流れを把握しておくことも重要である。

⑵　委任状勧誘を行う株主と弁護士、IR会社等との打合せ

委任状勧誘を行う株主においても、弁護士やIR会社等のアドバイザーと打合せをしつつ、株主総会の運営に関する検討を行うのが一般的である。裁判所の許可を得て株主が自ら株主総会を招集する場合（会社法297条）でなければ、株主総会の運営方法に関する決定は原則として会社の裁量に属するが、株主総会の運営方法は、株主提案の成否に影響を及ぼし得ることから、裁量権の適切な行使・運用を促すため、勧誘株主において適切と考える運営方法を予め会社側に提案・要求することも考えられる。

⑶　会社と委任状勧誘を行う株主との打合せ

前述のとおり、会社および勧誘株主の双方において、株主総会運営に関する検討が行われた上、株主総会当日に不測の事態が生じることを回避すべく、会社と勧誘株主（それぞれが代理人である弁護士を選任している場合は、当該弁護士を含む。）との間で直接打合せを行うこともある。かかる打合せにおける一般的な確認事項としては、委任状の取扱い、入場の許否の基準、株主総会当日の流れ等がある。特に、双方が委任状勧誘を行い、獲得議決権数が拮抗しているような場合には、株主総会当日に議場で手続的動議や修正動議が提出された場合の採決の結果を予め予想できない状況になり得るため、会社側からすれば、株主総会当日の議事進行について勧誘株主と事前に打ち合わせておき、当日に不測の事態が起こる可能性をできるだけ排しておくことが望ましい。

前述のとおり、株主総会検査役が選任されている場合には、株主総会検査役にもかかる打合せに同席してもらうことが望ましい。なお、株主総会検査役は、あくまで招集の手続や決議方法について調査し報告する義務を負うだけであり、手続の適法性について積極的に意見を述べる立場にあるわけではないが（本書183頁参照）、株主総会検査役を株主との協議に立ち合わせることで、会社と勧誘株主との間の公正な協議に基づく運営であることを記録化しておくことは、総会運営を巡って事後的に紛争が生じた場合に有益である。

会社と勧誘株主との間の打合せにおいて、会社側は、勧誘株主に対して株主総会の前日までに獲得した委任状を事前に提出するよう要請することが多い。後述するように、委任状については、有効な体裁を具備しているか否かの判断や、委任状の重複行使または議決権行使書面との重複行使がなされているかの確認および重複行使がなされている場合の判断等の事務作業を行う必要があり、

株主総会の当日に大量の委任状を持参されると、その事務作業に時間を要することになるため、決議の成否が判断できず、株主総会が長時間化してしまうことになる（まずは休憩を宣言して対処することとなるが、株主総会当日の集計が間に合わない場合には、賛否が拮抗している議案に係る決議の宣言を留保して、継続会を設定する等の対応が必要となる。）。そのため、株主総会の前日までに獲得した委任状については、前日までに勧誘株主から提出を受け、委任状の有効性の審査を行い、委任状提出株主のリスト化（議決権数や賛成・反対等が入力された一覧表などが考えられる。）等の事務作業を終了させておく必要がある。また、その後に勧誘株主の下に到着した委任状についても、株主総会当日の開催時間の1、2時間程度前に会場に持参してもらって開催時間の前に事務作業は終了させておくことが望ましい。なお、双方が取得する委任状が大量となるケースにおいては、事務作業の負担の軽減のため、提出の際の委任状の整理の仕方について予め合意したり、勧誘株主側においても予め会社と同じフォーマットで委任状提出株主のリスト化（データ化）を行っておき、委任状とともに当該データを提出することを合意することも考えられる。

2　委任状の事前審査

委任状勧誘がなされる場合、提出された委任状の有効性の審査は最も重要な作業の一つとなる。有効性の判断を誤り、有効な委任状を無効であるとして議決権の代理行使を認めなくても、また無効な委任状を有効なものとして議決権の代理行使を認めてしまっても、株主総会決議に瑕疵があるとして問題が生じることになる。ここでは、問題となることが想定される委任状の有効性および取扱方法について検討する。

(1)　記載内容等の検討

(ア)　代理人欄に自分の名前を記載した委任状

委任状勧誘が行われると、代理人欄に株主自身の名前が記載されている委任状が散見されるが、当該委任状を委任状が送付された会社または委任状勧誘を行った株主に対する委任状として扱ってよいかが問題となる。

この点、委任状の勧誘行為の法的性質は、株主に対する議決権代理行使を第三者に委任することの媒介契約の申込みであると考えられている（大隅＝今井・会社法論（中）66頁、会社法コンメ(7)187頁〔山田泰弘〕、酒井太郎「委任状勧誘規則」法学教室365号60頁（2011））。このことからすると、代理人欄に株主自身の名前が記載されている場合には、会社もしくは委任状を勧誘する者または委任状を勧誘する者が選んだ第三者に対して議決権の代理行使を委任する意思があると当該委任状の記載から解釈することは困難で、前記委任契約等が成立しているとは解されない。したがって、代理人欄に自分の名前が記載された委任状は無効とする取扱いが考えられる。

(イ)　代理人欄に会社名等を記載した委任状

代理人欄に株主総会を開催する会社の会社名が記載された委任状は有効な委任状として扱うことができるかが問題となる。

この点、会社支配の公正を維持するため、自己株式の議決権が否定されている（会社法308条2項）ことに加え、会社が代理人となって議決権行使をすることもできないものと解されている（田中編・講座(3)933頁〔大森忠夫〕）ことからすると、代理人欄に会社名が記載された委任状は無効なものとして取り扱うべきとする見解もある。

しかし、議決権の代理行使の委任の場合には、委任を受けた者は株主の意思に従って議決権を代理行使するのであるから、会社支配の公正を維持するという前記の趣旨が直接当てはまるものではない上、会社が直接議決権を行使することができないのであれば、会社が選ぶ第三者（例えば、当該会社の総務部長など）に当該委任状にかかる議決権を行使させることが、株主の合理的意思であるとも考えられる。したがって、このような場合には、当該委任状は有効なものとして、会社は、会社が選ぶ第三者に議決権の代理行使をさせることができるものと解される。

また、代理人欄に会社の代表者名が記載された場合も、それを記載した株主の意思を合理的に解釈し、会社名を記載した場合と同様の取扱いとすることが考えられる。

(ウ)　白紙委任状

代理人欄や賛否の欄に記載のない白紙委任状については、議決権の代理行使の白紙委任は、会社役員の地位の維持強化に役立つものであるが、議決権の代理行使そのものが認められる以上、これを無効とすべきではないことから、有効なものとして取り扱う必要がある（大隅＝今井・会社法論（中）65頁）。したがって、白紙委任状を取得した者は、当該委任状に従って議決権を代理行使することができる（なお、委任状勧誘規制に従った委任状勧誘が行われる場合に、包括的な代理権限を認めるためには、委任状にその旨明記されていることが必要とする見解も存する（大隈健一郎ほか『新会社法概説』161頁（有斐閣、第2版、2010)))。

なお、株主総会において議案を修正する動議が提出された場合における白紙委任状の取扱いについては、本書220頁を参照されたい。

㈣　署名または記名押印のない委任状

次に、署名または記名押印のない委任状の有効性を検討する。

会社法310条1項は、議決権を代理行使しようとする者は、「代理権を証明する書面を株式会社に提出しなければならない」ものとしている。これは、株主総会においては多数集団的に権利行使が行われることに鑑み、代理関係を明確にし会社の事務処理の簡易化を図るために代理権授与行為を書面行為としたものと考えられる。このような会社法310条1項の趣旨からすると、少なくとも株主の署名または記名押印のない委任状は無効であると考えられている（田中編・講座(3)924頁〔大森忠夫〕)。なお、株券電子化により届出印制度が廃止されたため、押捺される印鑑の種類は問われない（ただし、登録印を押捺した場合、印鑑登録証と照合することで本人確認が可能となるというメリットはある。)。

委任状に署名がある場合に、さらに加えて押印を要するかについて、大盛工業事件判決（東京高判平成22・11・24資料版商事法務322号180頁）は、株式取扱規程に署名に加えて押印を必要とする旨の定めがなかったことを理由として、署名のみで押印のない委任状を無効とした取扱いは違法であると判示した。

㈤　記載に齟齬がある委任状

委任状に記載された当該株主の住所や議決権数などが、株主名簿上のものと異なる委任状はどのように取り扱うべきであろうか。例えば、株主総会における議決権行使の基準日後に株式を売却し、自己の保有する議決権の個数を誤解し、実際より少なく記載した場合に、委任状に記載された議決権数のみの委任があったものとして取り扱うべきなのか、それとも株主名簿に記載された議決権数の委任があったものとして取り扱うべきなのかなどが問題となる。

住所等の記載が異なる場合については、その他の記載事項や本人確認書類から当該株主が委任状を作成していることが明らかである場合には、当該委任状を有効なものとして取り扱うことができる。

また、議決権数に齟齬がある場合については、株主の単なる勘違いの可能性もあり、議決権の一部行使や不統一行使の意思が明示的に表示されていないような場合には、株主の意思を合理的に解釈して、株主名簿に記載された議決権数による委任があるものとして取り扱うことができると考えられる。

(カ)　勧誘の趣旨に合致しない委任状

対抗的な株主提案がなされている株主総会においては、会社は「会社提案に賛成、株主提案に反対」の委任状を勧誘するが、「会社提案に反対、株主提案に賛成」といった会社の勧誘の趣旨に合致しない委任状について、どのように取り扱うべきかが問題となる。

この点、前記のとおり、委任状の勧誘行為の法的性質は、株主に対する議決権代理行使を第三者に委任することの媒介契約の申込みであると考えられており（本書192頁参照）、かかる法的性質からすれば、委任状が返送されたことにより媒介契約が成立することとなるが、たとえ会社が返送された委任状の一部を受任しないとしても、それが媒介契約の不履行となることは格別、直ちに決議の瑕疵となるわけではないと考えられている（大隅＝今井・会社法論（中）66頁）。また、会社が委任状勧誘に際してその勧誘の趣旨に反する記載のある委任状を受任しない旨を予め明らかにしていた場合には、媒介契約の不履行にすらならないと考えられる（東京高決令和元・6・21金法2129号78頁）。

なお、委任状勧誘が行われる株主総会においては、会社は委任状に一本化せず議決権行使書面（書面投票制度）も併用することが多いところ、白紙の議決権行使書面が勧誘の趣旨に合致しない委任状と一緒に返送された場合には、委任状について受任せず（つまり委任状は無効として取り扱い）、白紙の議決権行使書面をもって議決権行使がなされたこととすると、白紙の議決権行使書面は会社提案に賛成、株主提案に反対の意思の表示があったものとみなす旨の取扱い（会施規66条1項2号）により、結局会社提案に賛成、株主提案に反対の議決権行使として取り扱われることも、理論的にはあり得ることとなる（なお、前記東京高裁令和元年決定の事案においては、会社側から、余事記載その他の事情が一切ない場合にはそのような取扱いをしない旨が明らかにされ、恣意的な総会運営であるとの批判を受けないよう配慮されている。)。株主がどのような意思に基づき上記のような形で議決権行使書面・委任状を返送したかは個別具体的な事情によるため、一概にかかる取扱いが株主の真意に反するということはできないが、議決権行使書面と委任状の併用により株主に混乱が生じうるため、このような混乱が生じない運用が望ましいと考えられる（書面投票・電子投票と委任状勧誘の併用に起因する問題について、行岡睦彦＝金村公樹「株主総会における議決権行使に関する問題点の検討――書面投票・電子投票と『出席』・委任状勧誘に関する論点整理」商事法務2314号8頁（2022）参照）。

⑵　本人確認書類

会社は、株主でない者が株主であると偽って作成した委任状に基づく議決権の代理行使を認めてはならず、株主総会の招集に当たり、代理人による議決権行使について、代理権を証明する方法を定めることができる（会施規63条5号）。また、上場企業は、株式取扱規程等において、株主は権利行使に当たり株主であることを証明する書類（いわゆる本人確認書類）を提供する必要がある旨を定めていることが通常である。

したがって、議決権の代理行使に係る委任状についても、委任者が株主であることを証明する本人確認書類の添付が必要となる。いかなる書類が本人確認書類となるかについては、全国株懇連合会が「株主本人確認指針」（2008年12月5日全国株懇連合会理事会決定、2020年10月16日最終改正）を公表しており、これに準拠した取扱いをすることが考えられる。「株主本人確認指針」においては、実印押印と印鑑証明書の添付、運転免許証、健康保険証、国民年金手帳等の公的な証明書類が本人確認書類として挙げられているほか、議決権行使を含む「集団的権利行使」の場合の株主本人確認の方法として、「発行会社が作成し、株主の登録住所宛に送付された書類等の提出」を挙げており、議決権行使書面や配当金領収証がこれに該当するとされている（本書69頁参照）。実務上も、会社による委任状審査において、会社が送付した議決権行使書面が添付されている場合や、会社が送付した委任状用紙が利用されている場合は、株主本人が代理人に委任状を交付したものと推定して、前記の運転免許証その他の本人確認書類がなくても、有効な委任状として取り扱う場合がある。

この点、前掲大盛工業事件判決（東京高判平成22・11・24資料版商事法務322号180頁）は、定款上、株式に関する手続については株式取扱規程によるものとされ、また株式取扱規程上、株主権の行使に際して、本人確認のための証明資料等を添付または提供するものとする旨の規定が存する場合に、①議決権行使書面が添付されている委任状については代理権を証明する資料が添付されているものとして有効とし、②議決権行使書面が添付されていない委任状であっても、これに匹敵する代理権を推認させる資料がある場合には有効とし、かつ③議決権行使書面またはこれに匹敵する代理権授与の証明資料を欠くものを無効とした取扱いについて、不合理な点はなく違法ではないとし、一般的な実務の取扱いを容認する判断を示した。なお、株式取扱規程は会社法上の備置義務の対象ではなく、株主に対し当然に公開されているものではないため、かかる株式取扱規程に定めたルールをもって、株主の権利行使を制限することの可否が問題となるが、上記大盛工業事件判決は、大盛工業においては、株主総会における議決権行使について、全国株懇連合会が策定したモデル定款等に依拠して処理する実務が既に存在し、その取扱いに不合理な点は見出せないことを指摘した上で、株式取扱規程が公開されていないという事情があっても結論に影響はないと判示している。

前記の議決権行使書面や配当金領収証のほか、運転免許証、健康保険証、国民年金手帳等の公的な証明書類も本人確認書類となるが、株主が、自らこれらの公的な証明書類の写しを作成した上、委任状に添付して返送する可能性は高くないため、実務上は、議決権行使書面が本人確認書類として最も多く用いられている。しかし、勧誘株主にとっては、他の株主に、会社が招集通知に同封して株主に送付した議決権行使書面を、勧誘株主が送付した委任状に同封して返送させることは必ずしも容易ではなく（先に会社宛に議決権行使書面が返送されてしまうことや、議決権行使書面が紛失されてしまうこともある。）、株主側における委任状勧誘に際して課題となることが多い。

なお、近時は、海外機関投資家などの外国の法人である株主の本人確認書類が問題となることも多いが、この場合にいかなる書類を確認すべきかについても「株主本人確認指針」が参考になる。同指針は、本邦に在留していない外国人および外国に本店または主たる事務所を有する法人の本人確認書類として、日本国政府の承認した外国政府または国際機関の発行した書類等であって、本人特定事項（名称、本店または主たる事務所の所在地）の記載のあるものがこれに該当するとしており、当該株主の所在国や法人形態に応じた検討が必要となる。

3　議決権行使書面・委任状の提出時期

(1)　議決権行使書面の提出時期

会社は、株主総会の招集を決定する取締役会において、議決権行使書面による議決権の行使の期限について、招集通知を発送した日から2週間を経過した日以降で株主総会の日時以前の「特定の時」を定めることができるものとされている（会施規63条3号ロ）。そして、当該定めをしなかった場合には、株主総会の日時の直前の営業時間の終了時が行使の期限とされる（会施規69条）。

この点、議決権行使書面による議決権行使の期限以降に提出された議決権行使書面の取扱いについては、旧商法下では、議決権行使書面を株主総会の日の前日までに会社に提出しなければならないとされるのは、会社の便宜のためであるから、会社側で一律に有効として取り扱うことができるとする見解（実務相談(2) 674頁〔元木伸〕）が有力であったが、株主の中には法定の提出期限が過ぎたとして提出を断念する者もあり得るから、株主平等原則との関係で会社が任意に有効として取り扱うことは実際問題として困難であるなどとの指摘もなされている（大隅＝今井・会社法論（中）75頁）。

このような議論があったことを前提とすれば、会社側としては、賛否の数が拮抗し、株主総会の日時の前日の営業時間以降に提出された議決権行使書面についても有効として扱い賛成票の取りこぼしのないようにしたい場合は、予め議決権行使書面の提出期限を株主総会開催時間の直前に設定することも考えられる（なお、議決権行使書面の提出時期をより株主総会の開催時間に近い時間にしても、必ずしも賛成の議決権行使が増えるわけではないのは当然である。）。

なお、株主総会の招集通知は株主総会の日の2週間前までに発しなければならないため、株主総会の日と招集通知の発送日との間には中14日間を置く必要がある（会社法299条1項）。議決権行使書面による議決権の行使期限として「特定の時」を定めた場合には、同期限は、株主総会の日時以前の時であって、招集通知を発した日から2週間を経過した日以後の時に限られるため（会施規63条3号ロ）、会社が招集通知と議決権行使書面を同時に発送し、株主総会の前日の特定の時を行使期限として定めた場合、株主総会と招集通知および議決権行使書面の発送日との間には中15日間を置く必要が出てくる。この点について、乾汽船事件東京高裁判決（東京高判令和3・12・16資料版商事法務455号

112頁）は、会社が株主総会の日と招集通知の発送日との間に中14日間を置いていた事案において、会社が議決権行使書面の行使期限を株主総会の日の前日の午後5時と定めたこと、他方で会社の営業時間終了時は午後5時20分であったことを認定した上で、株主総会の日と招集通知の発送日との間に中15日間を設けなかった招集手続は会社法298条1項5号、会施規63条3号ロに違反していると判示している点に留意されたい（ただし、招集手続の瑕疵の程度は重大でないとし、結論としては裁量棄却）。

(2)　委任状の提出時期

委任状については、その提出期限に関する規律は存在しない。したがって、決議の直前時まで委任状の提出（授権）が認められるのが原則である（会社の事務処理の都合上、委任状の提出期限を制限することは許されないとする見解として、実務相談(2) 886頁がある。）。また、委任の撤回についても特に制限はなく、同様に決議の直前時まで撤回が認められるのが原則である。

しかし、同一の株主から、同一議案につき重複して委任状が提出された場合には後の委任状が有効となり、また先後関係が不明で行使内容に相互に矛盾がある場合にはいずれもが無効となる（本書234頁参照）。そのため、会社と株主との間で委任状争奪戦が行われる場合に、株主総会開催の直前まで勧誘が行われ、委任状の提出・撤回や、対立する勧誘者に対する委任状の再提出等が行われると、委任状の有効性や優劣の判定等に多大な時間を要し、議決権の集計が採決時までに終了しないという事態が起こり得る。集計の遅れが著しく、株主総会中に集計が完了しない場合には、株主総会において議案の可決・否決を宣言することができず、継続会等の対応を検討する必要も生じる。かかる事態を懸念して、委任状についても、会社が合理的な提出期限を設定できるとする見解もある（松山・株主提案100頁。田中亘ほか「〔座談会〕会社法制の今後の課題と展望」商事法務2000号105頁〔後藤元発言〕（2013）も、立法論ではあるが、会社法の中に、委任状の提出期限に関する規律を設けることについて肯定的である）。

なお、ハイブリッド出席型バーチャル株主総会（ハイブリッド型バーチャル株主総会のうち、オンラインで出席する株主にも議決権行使等の権利行使を許容するもの）やバーチャルオンリー株主総会を開催する場合においては、代理人による議決権行使に関する事務処理等のため、実務上、株主総会の日の一定期間前までに委任状を提出するよう求める取扱いが行われている例がある（例えば、グリー株式会社が2022年9月27日に開催した第18回定時株主総会（ハイブリッド出席型バーチャル株主総会）に係る招集通知においては、代理人による出席を希望する株主は9月20日までに代理権を証明する書面を提出することが求められていた。)。

4　株主提案が撤回された場合の取扱い

株主提案がなされた場合、会社に到達した時点で効力が生じるため原則として撤回することはできないが、株主提案が招集通知発送前に撤回されたときは、会社の同意により株主提案をなかったものとして取り扱うことも可能である（株主総会ガイドライン287頁）。

株主提案が招集通知発送後に撤回されたときは、株主総会の前日までに株主に対して提案を撤回する旨の通知がなされるのであれば差し支えないとする見解がある（株主総会ガイドライン387頁、実務相談(2)654頁〔山田紘〕)。他方、招集通知発送以後は議題・議案の変更は、撤回も含めて法定要件を充足した再招集通知を発送しない限り原則として認められないとする見解もある（久保利英明＝中西敏和『新しい株主総会のすべて』339頁（商事法務、改訂2版、2010))。もっとも、いずれの見解に立ったとしても株主総会の会場において議案の撤回または削除の動議を提出し、その承認を得ることができれば当該議案の審議は要しないと解される（大隅健一郎編『株主総会』119頁〔山口幸五郎〕（商事法務研究会、1969)、実務相談(2)654頁〔山田紘〕)。

第4章

株主総会当日の運営

第1
入場審査

株主総会の当日においてまず始めにポイントとなるのは、入場審査である。株主でない者を入場させて議決権を行使させた場合も、株主である者の入場を拒否して議決権を行使させない場合も株主総会決議の取消事由となり得ることから、会場の受付における株主であるか否かの確認作業は重要である。これは株主提案や委任状勧誘が行われている株主総会に限って問題となるものではないが、株主提案や委任状勧誘が行われる場合には、それらを行う株主と会社との間に対立構造が生じるため、後に株主総会決議の瑕疵が問題となる可能性が高いものと考えられ、通常の株主総会よりも注意して行う必要がある。実際に受付事務を行うのは会社の事務局ということになるが、株主ないし正当に出席する権利を有する代理人であるか否かの判断は、微妙な判断を強いられることも多く、当日になって混乱を生じさせないため、会社としては事前に担当弁護士や証券代行会社とよく打合せを行い、フローチャート等のマニュアルを作成しておくことや、実際の入場に際してもこれらの専門家を受付で待機させておくなどの工夫が必要である。

1　株主本人が出席する場合

会社は、会場に入場しようとする者が株主本人であるか否かの確認を行う必要がある。会社が株主名簿に記載された住所に送付した議決権行使書面や委任状用紙を持参した者は、別人であることが明らかでない限り、株主であるものとして、会場への入場を認めるのが一般的である。

議決権行使書面を持参しない者については、身分証明書等の提示を求め、その氏名・住所が株主名簿に記載された氏名・住所と一致したような場合には、株主であるとして入場を認める。なお、公的な身分証明書を持参していない場合であっても、名刺の提出（場合によっては複数枚）等を受けて入場を認める場合もある。

議決権行使書面を既に会社に送付している株主や、委任状を提出している株主が株主総会に出席をする場合には、その株主による議決権の二重行使を認めないように注意する必要がある。後述するように議決権行使書面や委任状を提出している場合であっても、株主本人が当日に出席した場合、当日出席の本人による議決権行使が優先されるため、事前に集計した得票の中から出席株主の議決権数を控除しなければならない。

このような本人確認の方法については、事務の円滑化や、株主の平等な取扱いの観点から、一定の基準を設けた上で、それに従って対応することが望ましいと考えられるが、議決権行使書面の提示等の一般的な方法によらずに株主本人であることが立証された場合には、株主総会への入場を拒否したことが不当な出席の拒絶となり得るため、本人確認の方法を過度に限定した取扱いをすることには留意を要する。札幌高判令和元・7・12 金判 1598 号 30 頁は、来場した法人株主が持参した議決権行使書兼出席票に押捺された印鑑の印影が、予め会社に届け出られていた印鑑の印影と異なることを理由として当該株主の出席を拒否した事案について、当該法人株主と当該会社との間で株主権の行使を巡る訴訟が長く係属しており、会社の代表者と当該法人株主の代表者との間には面識があったことから、当該法人株主が議決権行使をし得る立場にあることが明らかに認められる状況であったとして、入場拒絶は決議方法の法令違反に当たると判示し、株主総会決議の取消しを認めた。

なお、ハイブリッド出席型バーチャル株主総会やバーチャルオンリー株主総会において、オンラインで出席する株主については、会社から送付されたID・パスワード等を使用してログインさせることなどにより、本人確認を行うことが考えられる（経済産業省「ハイブリッド型バーチャル株主総会の実施ガイド（別冊）実施事例集」（2021 年 2 月 3 日）24 頁）。

2　代理人が出席する場合

(1)　委任状の審査

代理人によって議決権を行使しようとする場合には、当該株主または代理人は代理権を証明する書面を会社に提出しなければならない（会社法 310 条 1 項）から、受付では株主の代理人であるとする者から委任状の提出を受け、当該委任状の有効性の審査を行うことになる。審査の内容については、事前に提出された委任状の審査と同様である（本書 192 頁参照）。

株主または代理人は、会社の承諾を得て、書面（委任状）の提出に代えて、委任状に記載すべき事項を電磁的方法により提供することができる（会社法310条3項、325条。なお、その株主が、株主総会の招集通知を会社が電磁的方法で発することを承諾した者であるときは、会社は、正当な理由がなければ、株主に対する承諾を拒絶できない。会社法310条4項、325条）。

株主による代理権の授与は、株主総会ごとにしなければならないとされている（会社法310条2項）。これは、現経営陣等が議決権代理行使の制度を会社支配の手段として濫用することを防止する趣旨である。したがって、株主が毎年議決権の行使を代理人によって行う場合は、毎年委任状の提出を行う必要があり、提出された委任状は、その作成後最初の株主総会においてのみ効力を有することとなる（もっとも、外国人株主等が選任する常任代理人については、議決権行使のみの代理人ではなく、かつ、常任代理人に議決権行使を認めても会社支配の手段として濫用されるといった弊害はないから、会社法310条2項に反するものではなく、また、同条1項後段も適用されず代理権を証明する書面の提出も要しないと解されている（実務相談⑵918頁〔黒木学〕）。本書212頁参照）。

⑵　代理人の資格・員数と定款による制限

会社法310条1項は、株主は、代理人によってその議決権を行使することができると規定する。かかる議決権の代理行使は、株主の議決権行使の機会を保障する趣旨で認められるものであり、定款によっても、議決権の代理行使を禁じることは認められないと解されている。また、会社法上、代理人となる者の資格について、特段の制限は置かれていない（ただし、会社は自己株式について議決権を行使できないことから（会社法308条2項）、会社自身は代理人とはなり得ないと解されている。また、同様に、相互保有株式について議決権行使が排除される者（同条1項括弧書）も、代理人として議決権を行使し得ないと解されている。）。

もっとも、株主以外の者が、濫用的な目的をもって代理人として株主総会に出席することによって、株主総会の円滑な運営が阻害される事態は回避する必要性がある。そこで、実務上、定款をもって、議決権行使の代理人資格を当該会社の株主に限る旨を定めている会社が一般的である。かかる定款規定は、閉鎖型のタイプの会社のみならず、上場会社等に関しても、株主以外の者によって株主総会を攪乱されることを防止する合理的理由に基づく相当な程度の制限として、有効と解されている（江頭・株式会社法354頁、会社法コンメ⑺175頁〔山田泰弘〕等参照。裁判例においては、非公開会社において、かかる定款規定に違反して株主以外の者を代理人とする議決権行使を認めたことが決議方法の法令違反に該当するとしたものとして、最判昭和43・11・1民集22巻12号2402頁。他方で、上場会社においてはかかる定款規定に合理性はなく違法・無効とする見解として、高田晴仁「判批」『別冊ジュリスト会社法判例百選〔第4版〕』62頁（有斐閣、2021））。

また、旧商法では、「会社ハ株主ガ二人以上ノ代理人ヲ総会ニ出席セシムルコトヲ拒ムコトヲ得」と定められており、定款の定め等がなくとも代理人の員数を法律上当然に1名に限定することが可能であった（旧商法239条5項）。しかし、会社法では、旧商法239条5項に相当する規定は存在せず、「会社は、株主総会に出席することができる代理人の数を制限することができる。」（会社法310条5項）とのみ規定されている一方で、株主総会の招集の際の取締役会の決定事項として、「法第310条第1項の規定による代理人による議決権の行使について、代理権（代理人の資格を含む。）を証明する方法、代理人の数その他代理人による議決権の行使に関する事項を定めるとき（定款に当該事項についての定めがある場合を除く。）は、その事項」（会施規63条5号。下線部筆者）が掲げられている。そこで、会社法の下では、定款をもって、代理人の員数を1名に限定する旨を明記する会社が多い。

記載例：議決権の代理行使を制限する定款規定例

第○条（議決権の代理行使）
1　株主は、当会社の議決権を有する他の株主1名を代理人として、その議決権を行使することができる。
2　株主または代理人は、株主総会ごとに代理権を証明する書面を当会社に提出しなければならない。

なお、代理人を株主1名に限定するかかる定款規定が有効であるとしても、本規定の趣旨が、株主以外の者によって株主総会が撹乱されることを防止する趣旨であることから、そのようなおそれがなく、また、代理人が非株主であるという理由で議決権の代理行使が拒まれると、その株主が株主総会へ参加する権利が事実上奪われることとなる場合には、当該定款規定の効力は及ばないと解されている。このような場合としては、以下のようなものが挙げられる（なお、下記のほか、自己名義で株式を保有していない機関投資家の取扱いについては、本書210頁参照。)。

① 法人である株主がその代表者の指示を受けた従業員を代理人として派遣した場合（最判昭和51・12・24民集30巻11号1076頁、本書209頁参照）

② 閉鎖型の会社において、入院中の株主が親族に議決権代理行使を委任した場合（大阪高判昭和41・8・8判タ196号126頁）

③ 未成年者の法定代理人がその権限に基づいて議決権行使する場合など、制限行為能力者の法定代理人が制限行為能力者の代理人として議決権を行使する場合

④ 外国人株主等が選任した常任代理人（実務相談⑵918頁〔黒木学〕（本書212頁参照））

⑶ 弁護士による代理出席

⑵で述べた定款による代理人資格の制限について、株主ではない弁護士が代理人とされた場合については争いがある。一般的には弁護士が株主総会を攪乱する可能性は低いと言えるものの、株主が弁護士によって代理権行使をしてもらわなくてはならない必要性は通常は存在しないし、特に多数の株主を有する上場会社等において、株主総会の受付において、代理人が弁護士であると名乗った場合にその都度弁護士資格を確認しなければならないとすれば、会社の受付事務にとって過大な負担となる。また、代理人を株主に限定する旨の定款の規定は、株主総会が株主以外の第三者によって攪乱されることを防止することを目的とするだけでなく、「もともと株式会社の機関である株主総会がその構成員のみによって運営されるべきであるとの会議体の本則にのっとった合理的な理由に基づく相当程度の制限」であり、「代理人の資格が総会荒らしの所為に出ることのない弁護士であることをもって本件規定の効力を否定すべき特別の事由ということはできない」とする裁判例も存在する（東京地判昭和57・1・26判時1052号123頁）。このようなことから、会社は、原則として、議決権行使の代理人資格を当該会社の株主に限る定款規定に基づき、株主ではない弁護士の出席を拒むことができると考えられる（前記東京地裁昭和57年判決、宮崎地判平成14・4・25金判1159号43頁、東京高判平成22・11・24資料版商事法務322号180頁）。

これに対し、以下のとおり、弁護士の代理出席を拒否したことが違法であるとする裁判例も存する。

①　神戸地尼崎支判平成12・3・28判タ1028号288頁は、株主総会における代理人としての弁護士の出席を会社から拒否されたという事案に関し、前記定款の規定について、株主以外の代理人であれば全て議決権の代理行使が認められないと解すべき必然性はなく、株主総会が攪乱されるなど会社の利益が害されるおそれがないと認められる場合には、その者による議決権の行使は認められるものと解釈して、定款で弁護士等の専門家や株主の6親等内の親族等に議決権行使を認めなくても、これらの者が議決権を代理行使する途が閉ざされたことにはならないとした上、受任者たる弁護士が本人たる株主の意図に反する行動をとることは通常考えられないから、株主総会を混乱させるおそれがあるとは一般的には認め難いとして、特段の事情がないのに代理人たる弁護士による議決権の行使を拒絶したことは代理人を株主に限定する定款の規定の解釈運用を誤ったものであると判示した。この裁判例によれば、特段の事情がない限り、少なくとも弁護士は株主でなくても代理人として議決権を行使することができることになる。しかし、この神戸地裁尼崎支部平成12年判決は、前記最高裁昭和43年判決および東京地裁昭和57年判決との関係で、先例的価値に疑問が呈されているところである（前記神戸地裁尼崎支部平成12年判決は、株主権を侵害されたことにより精神的損害を被ったとする慰謝料請求事件の裁判例であり、株主総会決議の取消しまたは無効確認に関する裁判例ではない。）（河本一郎「株主総会への弁護士等の代理出席――神戸地裁尼崎支部平成12年3月28日判決を受けて」商事法務1559号39頁（2000））。

②　札幌高判令和元・7・12金判1598号30頁は、非公開会社と株主との間で株主権の行使を巡る訴訟が長く係属していたところ、会社が、当該株主の代理人弁護士の持参した委任状に押捺された印鑑の印影が会社に届け出られた株主の印鑑の印影と異なることを理由として当該代理人弁護士の入場を拒絶した事案において、当該拒絶が違法であるとして株主総会決議の取消しを認めた判決である。札幌高裁は、定款規定による代理人資格との関係について、会社の代表者と当該株主の代理人弁護士との間には面識があったことから、「株主総会の受付において、同人が弁護士であり株主総会攪乱のおそれがないことを容易に判断できたというべきである。」と判示し、「議決権行使の重要性に鑑みると、本件のように代理人が弁護士である等株主以外の第三者により攪乱されるおそれが全くないような場合であって、株主総会入場の際にそれが容易に判断できるときであれば、株式会社の負担も大きくなく、株主ではない代理人によ

る議決権行使を許さない理由はない」と判断した。なお、本裁判例は非公開会社の事案であることや、また、会社側が入場を拒絶する際には、代理人が株主でないこと（定款規定に反すること）は理由とせず、委任状上の印影の不一致という形式的な点のみを理由としていたものであることから、その射程は限定的とも考えられる。

③　東京地判令和3・11・25 LEX/DB25601486は、非公開会社の株主の代理人弁護士が、(i)株主本人が持病等が原因で出席できないこと、(ii)当該株主と他の株主とが意見を異にしていること、(iii)当該弁護士が過去に出席した当該会社の株主総会において、議事は滞りなく終了したこと等を理由として、株主総会に代理人として出席することを認めるよう求めたところ、会社がその出席を拒否した事案において、かかる取扱いが違法であるとして株主総会決議の取消しを認めた事案である。東京地裁は、弁護士が高度の法律的素養を有することや、善管注意義務やその他の職務上の義務を負うこと等から、「株主が弁護士に議決権を代理行使させた場合、当該弁護士が当該株主の意図に反する行動をすることは、通常想定されない」こと、非公開会社においては、「会社と対立する株主と他の株主との間で、株主総会の議案につき見解の対立を生じるなどしたときは、議決権の行使を委任するに足りる信頼関係が損なわれることも想定されるのであり、このことは当該非公開会社の株主が少なければ少ないほど妥当する」（したがって、代理出席させる他の株主を見つけることが困難である）ことから、「株主が、当該非公開会社に対し、その代理人として弁護士を出席させ、当該弁護士に議決権を代理行使させる旨をあらかじめ申し出たときは、当該非公開会社が、定款の定めを理由に、当該株主がその代理人として弁護士を出席させ、当該弁護士に議決権を代理行使することを拒否することは、株主総会が当該弁護士により攪乱され当該非公開会社の株主の共同の利益が害されるおそれがあるなどの特段の事情のない限り、会社法310条1項に違反する」と判示している。本判決は、弁護士が代理人として出席する場合には、基本的には株主総会を攪乱するおそれがないとの考え方が示唆されている（この東京地判令和3年11月25日については、特段の事情がない限り弁護士の出席を拒絶できないとするもので、従前の原則・例外が逆転されており、会社側に「特段の事情」の立証を求めるものであるとの評価もある（弥永真生「判批」ジュリスト1572号3頁（2022））。）。一方で、非公開会社では株主が議決権行使を委任することができる他の株主を見つけることが困難であることが理由に挙げられているほか、

株主が持病等を原因に出席できず、また当該株主以外の株主との意見の相違があることから、当該弁護士を代理出席させる旨を予め申し出たという事案でもあり、やはりその射程は限定的とも考えられる。

これらの裁判例については、いずれもその先例的価値や射程は限定的であるとも考えられ、特に上場会社の株主総会において、定款規定に基づいて株主ではない弁護士の出席を拒むことができるという前記の基本的な理解が覆えされたものではないと考えられる。

ただし、株主提案を伴う事案においては、株主提案権の行使が代理人弁護士によって行われ、事前に、会社と当該代理人との間に折衝が行われた上、当該提案株主が当該代理人弁護士を議決権行使の代理人として事前に会社に通知することがあり得るところ、そのような場合においては、当該代理人弁護士の出席を拒否してよいかについて、前記②や③の裁判例の判示も踏まえ、より慎重な検討を要するものと考えられる（提案株主の代理人弁護士と会社との間で事前に様々な折衝が行われている場合は、当該弁護士が代理人として入場することを定款の代理人資格の制限規定だけを理由に拒むことが認められるのかどうかについては、若干の不安が残るとの見解を示すものとして、松山・株主提案61〜62頁がある。）。

弁護士による代理出席を認めるかどうかは、最終的には個別の判断とならざるを得ないため、会社側としては、担当弁護士等と事前に協議の上、方針を決定しておくこととなろう（なお、代理人としての出席ではなく、株主を補助するための同席については、本書212頁を参照。）。

3　法人株主の従業員

法人株主が出席する場合、代表取締役等の代表者以外の役職員が出席すれば、代理人出席ということとなる。この場合には、その者が①当該法人の役職員であること、および②当該法人の代理権を有することを確認する必要がある。

定款で代理人を株主に限定する規定を設けている場合でも、従業員を代理人として出席させても株主総会は攪乱されないとして、当該定款の規定の適用はなく従業員の議決権の代理行使は認められると解されている（最判昭和51・12・24民集30巻11号1076頁）。

会社としては、①については来場した者に名刺や社員証等の提示を求めて、法人株主の役職員であることを確認することになる。②については、当該法人の代表者名義の職務代行通知書を持参した場合のほか、当該法人に送付された議決権行使書面を持参した場合には、入場を認める場合が多い。

4　自己の名義で株式を保有していない機関投資家（実質株主）

機関投資家は、保有する株式を信託銀行等に信託しており、自己の名義で株式を保有していないことが多い。この場合、機関投資家が株主総会に出席するためには、名簿上の株主から委任状の交付を受けて出席することになる。前述のとおり、多くの会社では、定款に代理人を株主に限定する規定を設けていることから、名簿上の株主でない機関投資家が株主総会に出席することができるかが問題となる。

名義株主ではない機関投資家の出席については、「グローバルな機関投資家等の株主総会への出席に関するガイドライン」（2015年11月13日全国株懇連合会理事会決定、2021年8月27日改正）の整理が参考となる。

同ガイドラインにおいては、代理人資格を株主に限定する定款規定を有する会社において、名義株主でない機関投資家が株主総会に出席する方法として、以下の4つがあると整理されている。

ルートA：実質株主が自身の名義で1単元以上の株式の所有者となる。

ルートB：会社側の合理的な裁量に服した上で、株主総会を傍聴する。

ルートC：代理人を株主に限定する定款規定があるにもかかわらずグローバル機関投資家の代理人としての出席を認めるべき「特段の事情」があることを証明した上で、名義株主の代理人として出席する。

ルートD：会社において、実質株主である機関投資家が名義株主の代理人として株主総会に出席し、議決権を行使することができる旨の定款の規定を設ける。

ルートAおよびルートDの場合においては、実質株主（ルートAについては名義株主となっている。）が株主総会当日に来場した場合は、来場者が当該実質株主ないし実質株主の従業員等であることを確認すれば良く、出席の可否の判断は容易である。

ルートBの場合には、実質株主は傍聴者として入場することとなるため、議決権行使や質問等の株主権の行使は認められないこととなる。議場での混乱を避けるため、実質株主にその点を十分に理解させた上で入場させる必要がある（傍聴者への対応については本書213頁参照）。

ルートCについては、代理人を株主に限定する定款規定があるにもかかわらずグローバル機関投資家の代理人としての出席を認めるべき「特段の事情」がどのような場合に認められるかが問題となる。同ガイドラインにおいては、最判昭和51・12・24民集30巻11号1076頁を参照しつつ、例えば、実質株主であるグローバル機関投資家による議決権の代理行使を認めても株主総会が攪乱され会社の利益が害されるおそれがなく、議決権の代理行使を認めなければ議決権行使が実質的に阻害されることとなる事情が「特段の事情」に該当するとされる。なお、前記最高裁昭和51年判決は、株主である県、市および株式会社がそれぞれの職員や従業員に議決権を代理行使させたことが代理人の資格を株主に限定する定款規定に反するかが争われた事案であり、最高裁は、かかる議決権の代理行使をさせても、「特段の事情のない限り、株主総会が攪乱され会社の利益が害されるおそれはなく、かえつて、右のような職員又は従業員による議決権の代理行使を認めないとすれば、株主としての意見を株主総会の決議の上に十分に反映することができず、事実上議決権行使の機会を奪うに等しく、不当な結果をもたらす」として定款規定には違反しないとしたものである。

また、投資信託及び投資法人に関する法律10条2項は、「投資信託財産として有する株式（投資口、優先出資法に規定する優先出資その他政令で定める権利を含む。）に係る議決権の行使については、会社法第310条第5項（第94条第1項、優先出資法第40条第2項その他政令で定める規定において準用する場合を含む。）の規定は、適用しない」としていることから、投資信託財産としての株式について委託者が株主名簿上の受託者の代理人として株主総会に出席することは、定款違反とはならないと解する見解が有力である（実務相談(2)923頁〔高橋勝好〕、野村修也ほか「会社法下の株主総会における実務上の諸問題」商事法務1807号67頁（2007））。グローバル機関投資家には、投信法10条の適用を直接は受けないものの、同条の投資信託に準じた構造のものも少なくないとされるが（同ガイドライン参照）、いかなる場合に「特段の事情」が認められるかについては、同ガイドラインも明確な基準を示しておらず、事例の集積を待つ必要があると述べるにとどまり、個別の事案に応じた判断が必要となる（なお、機関投資家が名義株主の代理人として出席する場合については、代理人の資格を制限する定款規定の趣旨が及ばないとする見解として、田中・会社法184頁がある。)。

5　常任代理人

会社は、その定款または株式取扱規程において、外国に居住する株主は日本国内に常任代理人を選任しなければならない旨の規定を設けているのが一般的である。常任代理人は会社法上の制度ではなく、常任代理人がどのような権限を有するかは株主と常任代理人との間の契約によって定まることになるが、常任代理人が選任され、会社に届け出られると、常任代理人は株主としての権利義務の全てについて包括的に代理権を有しているものと解され、会社は株主総会の招集通知の送付や配当金の支払いは常任代理人に対して行えばよいものとされている。この点、常任代理人には、議決権行使の代理権の授与は株主総会ごとに行わなければならないとする会社法310条2項の適用はなく、また、代理人は代理権を証明する書面の提出を要するとする同条1項後段の適用もないものと解されている。また、定款において代理人の地位を株主に限定する旨の規定も常任代理人には適用されず、常任代理人が株主でなかったとしても議決権の代理行使が認められる（本書206頁参照）。

6　通訳・弁護士の同席

株主が、通訳や弁護士を同伴して入場を求める場合がある。しかし、会社にはこれらに応じる義務はなく、拒否して問題ない。なお、株主総会は、日本の法律により設立され、運営されている株式会社が日本において開催するものであるから、株主の発言も含めた議事進行は日本語で行われるのが当然であり、通訳の同伴を拒否した外国人株主が外国語で発言した場合、議長は日本語で発言するよう求めることができる。

もっとも、外国人株主の増加を踏まえて、会社の判断により、通訳の同伴入場を認めたり、会社側で同時通訳システムを準備する場合も増えてきている。このような場合、後日の無用な誤解を回避するためにも、①外国人株主の発言について通訳による翻訳が正確でなかったとしても、通訳による発言が株主としての発言となること、②会社側の発言および他の株主の発言について、通訳による翻訳が正確でなかったとしても、会社側または他の株主による日本語の発言が正式なものとなることについて、株主の理解を得ておく必要がある（外国人株主の外国語による発言について、日本語に通訳された発言のみを正式な発言と取り扱うことを議場において明らかにした例として、「株主総会スケッチ2　小糸製作所の株主総会」資料版商事法務64号34頁（1989）がある。）。また、株主が同伴した通訳の入場を認める際には、通訳として入場を認めた者が、通訳としての発言以外の行動をする事態は回避する必要があるため、通訳は通訳として必要な発言のみを行う旨や、株主総会場において発言は議長の許可を受けてから行うものとし、議事の進行については全て議長の指示に従う旨を、予め株主または通訳との間で確認し、以上に述べた事項について、株主または通訳から同意書を取得することが考えられる。

7　入退場の管理

採決について投票方式がとられる場合で賛否が拮抗している場合には、可決に必要な賛成議決権数の前提となる議案ごとの出席株主の議決権の数が重要な問題となる（投票をしない株主は、棄権として出席株主にカウントされることが多い。）。そのため、一度会場に入場した株主が株主総会の途中で会場を離れる場合には、入場の際に株主に交付した出席票に記載された株主番号等を受付で控えるなどして、投票時に会場内にいる出席株主を正確に把握しておく必要がある（なお、本書233頁のとおり、退場した株主について、事前の議決権行使を復活させる処理をすることもあり得る。）。

8　傍聴者の管理

前記4で述べたグローバル機関投資家がルートBの方法により入場する場合や、事前に議決権行使を済ませた株主が、株主総会当日の様子を確認するために傍聴を希望する場合がある。

傍聴者として入場した者には、議決権の行使や、質問・動議等の発言その他の株主権の行使は認められない。したがって、当該傍聴者にその点を十分に理解させるとともに、議長および事務局においても、議場にいる誰が傍聴者であるかを明確に把握しておく必要があり、当該傍聴者が発言を求めたりしても、それを取り上げる必要はない。会場の中で傍聴者をどこに着座させるか等の具体的な取扱いについて、特段の制限があるわけではないが、管理の便宜の観点から、会場の中に、一般的な株主席とは区別された区画を設け、そこを傍聴席とすることも考えられる。

第2
議事進行

1　議案の付議順序

株主総会における議案の付議の順番は、必ずしも招集通知に記載された株主総会の目的事項の順番で行う必要はない。株主提案がなされている株主総会においては、会社提案の議案と株主提案の議案の関係が株主にとってわかりやすい形で付議されることが望ましい。具体的には、株主提案が会社提案の議案に関連するものである場合には、当該会社提案と株主提案をまとめて審議することも考えられる。このような方法で審議する場合は、予め付議の順序を決定した趣旨を説明した上で付議の順序について出席株主の賛成を得ておくことも考えられる。反対に、株主提案を行った株主等から、審議の順序等について動議が提出される可能性もあるので、その対応も準備しておく必要がある。

2　提案株主の対応

株主により提案された議案は、取締役によって株主総会に上程されることになるが、提案をした株主は、株主総会においてその理由を説明することができる（元木・改正商法92頁）。すなわち、株主提案を行った株主が株主総会に出席し、自ら当該議案に関して補足説明することを求めた場合、その機会を与える必要があり、会社側はこれを拒否することができないものと解されている（実務相談(2) 643頁〔元木伸〕）。

もっとも、補足説明が不必要に長い場合や重複する場合などには、議長の議事整理権によって、発言を制限することができる（松山・株主提案140頁）。会社側としては、株主提案がなされた場合には、提案株主から補足説明があることを予定して、議長から提案株主に補足説明の有無を確認し、予め合理的な時間内に発言を終わらせるように忠告しておくなどのシナリオを作成しておくことが考えられる。また、事前に会社側と株主側との間で株主総会の運営に関する打合せが行われる場合（本書191頁参照）には、提案株主による説明のタイミング、時間等について合意しておくことが望ましい。

なお、この説明は株主の義務ではないため、株主が説明を拒否した場合でも提案は決議の対象としなければならない（元木・改正商法92頁）。

3　株主提案に関する会社側の説明

2で述べたとおり、株主提案については、提案株主に説明をさせることが考えられるが、提案株主が説明を拒否した場合には、会社側において一定の説明（株主の提案理由を読み上げるなど）をすることが考えられる。また、提案株主による説明の有無にかかわらず、株主提案に対する取締役会の意見について説明することも考えられる。その場合、株主提案についての説明の機会や時間を制限しつつ、取締役会の意見については際限なく説明できるとすると公平性を欠くため、提案株主による説明とのバランスを考慮すべきとする見解もある（松山・株主提案140頁）。

なお、議長の立場としては、議事の公正な運営を図るべきであり、会社側が当該株主提案を受け入れがたい旨の説明をするなどして、ことさら会社側の望む結論を導くような態度をとることは避けた方がよく、そのようなときは、議長でない取締役をして会社の意見を説明させるのが妥当とする見解もある（実務相談⑵643頁〔元木伸〕）が、上記のバランス等への配慮が求められ得ることは別として、実務上は、議長以外の取締役を説明者とすることが必須であるとは解されていない。

4　株主提案議案に関する説明義務

取締役は、会社提案の議案とは異なり、株主提案の議案については議案を提出する者としての説明義務を負うものではないが、例えば、株主提案議案が承認された場合の会社への影響や取締役会の意見の根拠など、平均的な株主が株主提案への賛否を判断するために合理的に必要と考えられる会社情報については、これを株主から質問された場合、取締役において説明を要すると考えられる（松山・株主提案141頁、山田和彦編著『株主提案権の行使と総会対策』200頁（商事法務、2013））。

一方、提案株主は、他の株主から質問を受けた場合も、法的な説明義務を負わない（注釈会社法(5) 140頁〔森本滋〕、会社法コンメ(7) 257頁〔松井秀征〕）。会社側としても、他の株主から提案株主による説明を求められた場合に、提案株主を指名する法的義務を負うものではない。ただし、提案株主に説明・回答の機会を与えないと決議方法が著しく不公正であると判断される場合があるとする見解もある（大阪株式懇話会編『会社法実務問答集Ⅲ』185頁〔北村雅史〕（商事法務、2019））。取締役としては、それまでの提案株主の発言の有無・内容その他の審議の内容や、提案株主の発言の希望の有無などを踏まえ、提案株主の指名の要否の判断も含め、議長の議事整理権（会社法315条1項）の行使による適切な議事進行を行うことになる。

5　修正動議への対応

(1)　許容される修正動議の範囲

株主は、株主総会において、株主総会の目的である事項につき議案（修正動議）を提出することができる（会社法304条）。なお、修正動議についても、議題提案権と同様に、株主が提出する議案が法令・定款に違反する場合、および当該議案と実質的に同一の議案につき、株主総会において総株主の議決権の10分の1以上の賛成を得られなかった日から3年を経過していない場合には、会社はこれを拒絶することができる（同条但書。これらの拒絶事由の要件の解釈は会社法305条4項の解釈と同様であり、本書57頁参照。）。

取締役会設置会社では、招集通知に記載・記録された議題以外について決議することはできない（会社法309条5項）から、修正動議は通知された議題から合理的に予測できる範囲のものに限られ、一般株主が通常予測できる範囲を超えた修正は認められない（会社法コンメ(7) 108頁〔青竹正一〕）。株主にとって不利に議案を変更する修正動議は、一般的に予想できないものとされる（株主総会ガイドライン245頁）。修正動議としての適法性が問題となる代表的な例として、以下のようなものがある。

(ア)　剰余金の配当議案

剰余金の配当議案について、配当金額を増額する修正動議は認められる。これに対し、減額する修正動議については、短期的な株主還元を期待する株主も少なくないとして、減額の修正動議は認められないとする見解（会社法コンメ

⑺108頁〔青竹正一〕）と、配当が減額されても社内に留保されるだけであり、会社財産が流出するものではないので株主に不利になるものではないとして減額の修正動議を認める見解（松山・株主提案6頁、江頭憲治郎＝中村直人編著『論点体系会社法⑵株式会社Ⅱ』606頁〔松井秀樹〕（第一法規、第2版、2021）、大阪株式懇談会他編『会社法実務問答集Ⅰ［上］』315頁〔前田雅弘〕（商事法務、2017））がある。

㈠ 取締役選任議案

「取締役○名選任の件」が株主総会の目的事項とされている場合、記載された員数も議題の内容を構成する（東京高判平成3・3・6金判874号23頁）。したがって、当該員数を超える候補者を提案する修正動議は、議題を超えるものとして不適法であると取り扱うのが通常である（株主総会ガイドライン246頁、石井裕介＝浜口厚子「会社提案と対立する株主提案に係る実務上の諸問題」商事法務1890号30頁注13（2010）。なお、議題に記載された員数を超えて選任できるとする見解（注釈会社法⑹10頁〔今井潔〕）もある。）。

「ABCの3名を選任する」という議案に対し、その一部であるABのみを選任するとの修正動議は、取締役選任議案は、取締役の候補者1名ごとに1議案を構成すると考えられているため、残りのCに対する反対意見として取り扱えば足りる。

㈡ 役員報酬議案

役員の報酬等の額や内容については、株主総会決議により定めるものとされている（会社法361条。実務上は、報酬の総額の上限のみを株主総会で決議するのが一般的である。）。役員報酬議案について、これを減額する修正動議は認められる。これに対し、報酬等の額を増額する動議については、株主にとって不利になり認められないとする見解がある（株主総会ガイドライン247頁、宮谷隆＝奥山健志『株主総会の準備事務と議事運営』364頁（中央経済社、第5版、2021）、会社法コンメ⑺108頁〔青竹正一〕）。

⑵ 会社側からの修正動議の提出

書面投票や電磁的方法による議決権行使を認める場合には、会社は、株主に対し、事前に議案の内容等を株主総会参考書類等により提供しなければならないことから、会社側（取締役会）が株主総会において修正動議を提出できるかについては議論があり、これを否定する見解（須藤純正「株主総会の招集通知発送後に監査役候補者が死亡した場合の措置」商事法務1007号94頁（1984））、役員候補者が死亡し法定員数を欠いてしまう場合等の緊急の必要がある場合に限り許されるとする見解（末永敏和「株主総会の招集と議案の変更」商事法務1121号4頁（1987））、および株主総会において承認を得て原案を撤回した後であれば許されるとする見解（森本滋「書面投票の制度的意義と機能」上柳克郎先生還暦記念『商事法の解釈と展望』125頁（有斐閣、1984））等がある。取締役会から修正動議を提出することが可能と解した場合、修正動議を提出するためには、修正案の提出について、取締役会の決議が必要である。

もっとも、実務上は、上記の議論を踏まえて修正動議の適法性に疑義が生じないよう、会社側において議案の実質的修正が必要と判断した場合には、友好的な株主から修正動議を提出させる場合もある。また、取締役または監査役が株主でもある場合、株主たる地位に基づいて修正動議を提出することも考えられるが、取締役会で決定した議題または議案に対し、株主総会当日まで何らの事情変化がない場合にかかる修正動議の提出を行うことは好ましくないとの指摘がある（株主総会ガイドライン238頁）。

⑶　修正動議の採決

㈠　採決方法

修正動議が提出された場合、会社提案の原案との採決の順序については、修正案を先に審議・採決すべきとの見解（横田正雄「総会における動議提出権について」商事法務988号32頁（1983）、鴻常夫ほか『株主総会　改正会社法セミナー⑵〈ジュリスト選書〉』143頁〔稲葉威雄発言〕（有斐閣、1984））と、会社提案の原案から先に採決することも妨げられない（採決の順序は議長が決定できる）とする見解（龍田節＝前田雅弘『会社法大要』212頁（有斐閣、第3版、2022）。東京地判平成19・10・31金判1281号64頁は、原案と動議のいずれを先に採決するかについては、出席株主に諮らずに議長において決定することができるとする。）がある。実務上は、修正案を先に審議・採決すべきとの見解があることを考慮して、原案を先に採決する場合には、議場の承認を得ておくことが望ましい（宮谷＝奥山・前掲371頁。なお、議長が修正動議よりも先に原案について採決することについて、議場に諮ってその承認を得ていることから、決議方法に瑕疵がない旨を判示した裁判例として、仙台地判平成5・3・24資料版商事法務109号64頁がある。)。

修正動議の採決方法については、事前行使された議決権の集計結果等から、原案の可決により修正動議が否決されることが明らかとなっている場合（本書131頁記載のとおり、議場での修正動議の場合、事前の議決権行使書面による議決権行使は反対または棄権として取り扱われる結果、大株主からの修正動議の場合を除き、原案が可決されれば当然に修正動議は否決されることが事前に明白になっている場合が多い。)、原案を先に採決し、それが可決されたことをもって、修正案については別途採決することなく否決されたものとして取り扱うことが一般的である。

(イ)　議決権行使書面等の取扱い

実務上、議決権行使書面やインターネット等により事前に行使された議決権については、当該議題に関する審議に関与していると考えられることから、有効投票数に組み込むべきであり、原案に賛成の議決権行使書面については修正案に反対、原案に反対の議決権行使書面については修正案につき棄権として取り扱うのが一般的である（本書131頁参照。この点、原案に対する賛否を問わずいずれも棄権と取り扱うべきとする見解もあるが（前田重行『株主総会制度の研究』94頁（有斐閣、1997))、いずれの説に拠っても、修正案に係る可決・否決の結論において差は生じない。)。

(ウ)　白紙委任状の取扱い

委任状には修正案に関して白紙委任する旨の記載がされることがあり、かかる白紙委任状の取扱いが問題となる（本書115頁の記載例参照)。

まず、委任状勧誘規制との関係で、修正動議による修正案も議案の一つである以上、白紙委任文言は、委任状には議案ごとに賛否を記載する欄を設けなければならないとする勧誘府令43条に反するのではないかが問題となるが、修正動議の内容は事前に予測できず、予め被勧誘者の賛否を問うことはできないから、賛否の記載欄を設けることなく白紙委任を受けても勧誘府令43条の違反とはならないと考えられる（田中亘「委任状勧誘戦に関する法律問題」金判1300号4頁（2008))。もっとも、この点については、勧誘者自身やその協力者が修正動議を提出し、当該修正案について白紙委任文言に基づいて賛成の議決権を行使できるとすると、委任状勧誘規制が容易に潜脱されてしまうことから、かかる場合には委任状勧誘規制の対象となるとの見解がある（田中・前掲6頁、金商法コンメ(4) 526頁〔松尾健一〕)。また、同様の観点から、委任状勧誘を行った勧誘者とその協力者は、総会当日において修正動議を提出できないとする見解も主張されている（加藤貴仁「委任状勧誘規制の課題」大証金融商品取引法研究会1号109頁（2010)。)。もっとも、災害・事故等により会社の財産状態が悪化した場合に剰余金配当議案における配当金額を減額する場合等、委任状勧誘後の事情の変更により、やむを得ず議案の修正が必要となることなども考えられるため、白紙委任状の取扱いについては、修正案の内容を含め、個別の事案の事実関係に応じて検討されるべきである（田中・前掲6頁、金商法コンメ(4) 526頁〔松尾健一〕も、委任状勧誘後の事情変更等の合理的な理由がある場合における議案の修正の余地を否定するものではない。)。

また、かかる白紙委任について、当該文言に従って議決権の代理行使をすることは、委任の限界を越えるものとして、私法上無効であるとする見解があるが（太田洋「株主提案と委任状勧誘に関する実務上の諸問題」商事法務1801号36頁（2007))、このように修正案に対する白紙委任の効力を一律に否定する見解は支持を得ておらず、白紙委任を有効としつつ、代理人の権限の範囲は委任状の賛否の記載から合理的に解釈される委任者の意思（委任の趣旨）により制限されると解する見解が有力に主張されている（本書119頁参照)。いかなる場合に委任の趣旨に反することとなるのかが問題となるが、少なくとも、原案につき賛成の委任状を取得した代理人が、原案と相反関係に立つ修正案に賛成の議決権を行使することは、委任の趣旨に明らかに反し、かかる議決権行使は無効になると考えられている（田中亘「株主総会における議決権行使・委任状勧誘」岩原紳作＝小松岳志編『会社法施行5年　理論と実務の現状と課題』11頁（有斐閣、2011)、松山・株主提案69頁)。

なお、委任状に白紙委任の文言が存在しない場合において、代理人は修正案について当該委任に係る議決権を行使することができるかも問題となる。議決権を代理行使する者は、修正動議等、事前に株主の指示を求められない事項について、その判断において議決権を行使することができるのが原則であり、白紙委任の文言がなくても修正動議についても議決権を行使することができると解する余地もあるが（大隅＝今井・会社法論（中）67頁は、招集通知に掲げられた株主総会の目的たる事項から一般に予見され得る範囲内における原案修正の決議については、当該委任状に基づき議決権の代理行使を行うことができるとする。株主総会ガイドライン256頁、Q&A株主総会(1)1123頁も同様の見解を述べる。)、少なくとも委任状勧誘規制に従った委任状勧誘が行われる場合には、修正動議等に関する代理権限を認めるためには、委任状にその趣旨を記載しておくことが必要であるとの見解がある（大隅健一郎ほか『新会社法概説』161頁（有斐閣、第2版、2010)。これに対し、山本爲三郎「委任状勧誘を巡る法的諸問題」浜田道代＝岩原紳作編『会社法の争点』105頁（有斐閣、2009）は、修正案に関する代理権が委任状に明示されていない場合には、一般的には代理人は修正提案の賛否につき議決権を代理行使する権限を有しないとする。)。したがって、実務上は、白紙委任する旨の文言が記載された委任状を提出してもらうのが無難である。

6　手続的動議への対応

株主総会においては、議事進行に関する動議も提出されることがある。調査者選任動議（会社法316条)、延期・続行の動議（会社法317条)、および定時株主総会における会計監査人出席要求動議（会社法398条2項）が提出された場合には、権利濫用に当たる場合を除き、議長は議場に諮らなければならない。

また、議長不信任動議は、会社法の明文で認められた動議ではないが、その性質上、議場に諮るか否かについて議長の裁量のない必要的動議であると解される。この点、大盛工業事件判決（東京高判平成22・11・24資料版商事法務322号180頁）は、「議長不信任の動議については、議長としての適格性を問うというその動議の性質上、権利の濫用に当たるなどの合理性を欠いたものであることが、一見して明白なものであるといった事情のない限り、これを議場に諮る必要があるというべきであり、仮に合理性を欠くものであることが一見して明白であっても、一度はこれを議場に諮ることが望ましいことはいうまでもない。」と判示している。なお、議長不信任動議が提出されただけで議長が交代する必要はなく、議長不信任動議の採決等は、引き続き元の議長が議事を進めてよい（大隅＝今井・会社法論（中）82頁)。

これら以外の手続的動議（休憩を求める動議等）については、本来は議長が判断すべき事項を目的とするものであるから、議長の判断を促す意味を有するに過ぎないが（注釈会社法(5)169頁〔森本滋〕)、円滑な議事運営の観点で、議場に諮ることは差し支えない。なお、取締役選任議案等において個別審議を求める動議や質疑打ち切りの動議については議場に諮るべきとの見解もある（久保田衛「動議の取扱」判タ1048号86頁（2001））。

手続的動議は、株主のほか、議長も提出することができる（株主総会ガイドライン238頁、Q&A株主総会⑵1549頁）。

手続的動議の採決は、株主総会に出席している者だけが議決権を行使することができ、議決権行使書面等による議決権行使は認められない（注釈会社法⑸446頁〔酒巻俊雄〕）。実務上、手続的動議の採決は、議長が動議に対する意見を述べた上で行われることが多い（福岡地判平成3・5・14資料版商事法務87号69頁は、「手続動議であるから、議事整理権を有する議長が『必要はないと思う。』としてその意見を示したとしても、議事運営に不公正をもたらすことにはならない。」として、議長の見解を述べた上で手続的動議の決議を行った採決方法を適法としている。）。

実務上、委任状には、手続的動議についても白紙委任する旨の記載を設けることが一般的である（本書115頁の記載例参照）。手続的動議について白紙委任を受けた代理人は、受任者としての一般的注意義務に基づく判断のもとで議決権を行使することができる（大隅健一郎ほか『新会社法概説』161頁（有斐閣、第2版、2010））。

ところで、委任状による手続的動議への対応に関しては、実務上、議案についての議決権行使は手続的動議のみに関する委任状により対応することが検討されることがある（内田修平「手続的動議のみに関する包括委任状を提出した株主の書面による議決権行使の効力」商事法務2267号49頁（2021））。かかる対応に関しては、まず、議案について事前に行使された議決権の効力が維持されるかが問題となる。一般的に、書面等による議決権行使は「株主総会に出席しない株主」に認められるため（会社法298条1項3号・4号）、議決権行使書等により事前に議決権を行使した株主が出席した場合には、事前の議決権行使の効力は失われると解されているところ（本書232頁参照）、手続的動議のみに関する委任状により委任を受けた代理人が、本体の決議部分を除いて出席している（したがって、議決権行使書面による事前の議決権行使は無効とならない。）といった説明は技巧的である等として、これを否定的に解する見解がある（稲葉威雄ほか「改正会社法セミナー（第18回）」ジュリスト793号97頁〔稲葉威雄発言〕（1993））。これに対し、動議の採決を対象とする包括委任状に係る代理人が株主総会に入場しても、事前の書面投票・電子投票を撤回する効力を有する意味での「出席」にはならず、事前の議決権行使は撤回されないとして、かかる対応を肯定する見解がある（北村雅史「事前の議決権行使と株主総会への『出席』の意味——東京高判令和元年10月17日を手がかりとして」商事法務2231号8、9頁（2020）、内田・前掲49頁、行岡睦彦＝金村公樹「株主総会における議決権行使に関する問題点の検討——書面投票・電子投票と『出席』・委任状勧誘に関する論点整理」商事法務2314号10頁（2022）。ただし、内田・前掲50頁は、このような対応が許容されるかについて、現時点では必ずしも確立した解釈が存するわけではないこと等を踏まえ、実務上は、会社が前記の取扱いを行う場合には、例えば、株式取扱規程に定めることや、議決権の代理行使に関する事項（会施規63条5号）として定めた上で招集通知に記載することなどを通じ、統一的な対応により恣意を避けるとともに、株主への周知を図ることが望ましいとする。）。また、手続的動議に関する議決権の代理行使の勧誘について委任状勧誘規制の適用があるかという点については、委任状勧誘規制の対象外であるとする見解（太田洋「株主提案と委任状勧誘に関する実務上の諸問題」商事法務1801号35頁（2007）、松山・株主提案67頁、行岡＝金村・前掲11頁）と委任状勧誘規制の対象であるとする見解（浜田道代「委任状と書面投票」河本一郎先生還暦記念『証券取引法大系』266頁（商事法務研究会、1986））がある。

7　提案株主等が欠席した場合の取扱い

株主提案については、株主の事前質問と異なり、当該株主が株主総会に出席することは要件とされておらず、たとえ当該株主が株主総会の当日に欠席したとしても、会社は株主提案につき審議しなければならない（元木・改正商法93頁）。

したがって、株主による提案理由の説明が省略される等の若干の調整は生じるが、株主総会当日のシナリオ等について特段の変更は不要である（本書240頁のシナリオ例参照）。

なお、委任状により委任された議決権は、代理人が株主総会に出席した上で行使しなければ有効な行使とならないので、委任状勧誘を行った株主が欠席する場合には、収集した委任状について復委任により他の株主に議決権を行使させることが考えられ、会社としては、議事進行の前提として、復代理人の出席の有無や着席位置等につき確認しておく必要がある。

第3
採　決

1　採決の順序

株主総会に複数の議案が付議されている場合における採決の順序について、会社法上は特段の定めがない。基本的には、招集通知に記載された株主総会の目的事項の順番で議案の審議を行い、採決を行うのが通常であるが（個別審議方式を採用している会社は、議案を個別に審議の上採決し、一括審議方式を採用している会社は、議案を一括して審議の上、審議した順に個々の議案を採決するのが一般的である。）、例えば、株主提案が会社提案の議案に関連するものである場合には、当該会社提案と株主提案をまとめて審議することも可能であり（本書215頁参照）、この場合、採決についても当該会社提案と株主提案をまとめて行うことになると考えられる。

もっとも、会社提案と株主提案とが両立しない場合における採決順序については見解が分かれており、①株主提案を先に採決すべき（修正提案先議が会議体の一般原則である）との見解（鴻常夫ほか『株主総会　改正会社法セミナー⑵<ジュリスト選書>』143頁〔稲葉威雄発言〕（有斐閣、1984））と、②会社提案から先に採決することも妨げられない（採決の順序は議長が決定できる）との見解（龍田節＝前田雅弘『会社法大要』212頁（有斐閣、第3版、2022）、株主総会ガイドライン281頁）がある。実務上は、前記①の見解に配慮して、株主提案から採決するか、会社提案から採決することについて議場の承認を得ておくことが、会社の対応として無難である（石井裕介＝浜口厚子「会社提案と対立する株主提案に係る実務上の諸問題」商事法務1890号24頁（2010））。なお、会社提案が承認可決され株主提案が否決される見込みの場合、会社としては、議場の承認を得た上で会社提案から採決を行い、その承認可決を宣言すると共に、株主提案は、会社提案の承認可決により否決扱いとする旨を宣言することも考えられるが、実務上は、会社提案の可決後であっても、念のため株主提案についても採決を行うことが通例であるとされる（山田和彦編著『株主提案権の行使と総会対策』207頁（商事法務、2013））。また、次回以降の株主総会において同一議案の連続提案（本書58頁参照）であることを理由に株主提案を拒絶したいと考える場合は、総株主の議決権の10分の1以上の賛成を得られなかったことを明確化するため、株主提案について採決を行うことに意味がある場合もある。

なお、両立しない会社提案と株主提案が共に可決要件を満たす場合、先に採決された一方の議案が可決されることで、他方の議案は当然に否決されたものと取り扱われるとすれば、議案の採決の順序によって結論が異なるという問題が生じる。かかる問題については、前述のとおり、招集通知または株主総会参考書類等に、両立しない議案（代替提案）であることを明記した上で、会社提案と株主提案の両方に賛成する議決権行使は無効とする取扱いが考えられ、かかる取扱いをすることで、採決の順序により結論が異なることはなくなり、不当な帰結を回避することができる（本書94頁参照）。

2　採決の方法

(1)　採決の方法の決定

採決の方法は、定款等の内部規則に別段の定めがない限り、正確に議案の可決または否決を決定することができる方法であれば、特別にどの方法によらなければならないということはない。したがって、会社は、株主総会の前日までに議決権行使書面や委任状により必要賛成数以上の得票を獲得することができたような場合には、出席株主の拍手等によって賛成を得たこととすることも可能である。

しかし、議決権行使書面や委任状により賛否が確認された株主以外の、当日出席株主の議決権数を加算しなければ可決に必要な賛成数に満たない程度の得票しか得られていない場合には、採決は投票による必要がある。賛否の結果が明らかでない議案が当該株主総会における議案の一部である場合は、当該議案についてのみ投票によって採決を行えば足りる。

なお、株主提案議案について、総株主（当該議案について議決権を行使することができない株主を除く。）の議決権の10分の1（これを下回る割合を定款で定めた場合にあっては、その割合）以上の賛成を得られなかった場合には、当該株主総会の日から3年を経過するまでは、当該議案と実質的に同一の議案を株主提案することができないとされているが（会社法304条、305条6項）、次回以降の株主総会において、当該事実を理由として株主提案を拒否するためには、予め議決権割合が判明している場合を除いては投票を行うことにより株主提案に賛成の議決権割合を明確にしておく必要がある。

(2) 投票による採決

採決を投票によって行う可能性がある場合には、まず、受付において投票に利用する投票用紙を株主に対して配布する。投票用紙は、議案の採決に必要となる数だけでなく、動議が提出された際に利用可能な分も準備しておく必要がある。証券代行会社や投票集計作業を専門とする業者が、バーコードの付された投票用紙やマークシート式の投票用紙等を機械で読み取ることで、株主の投票内容および議決権数を集計できるシステム、株主に無線LANで接続された端末機を配布し、株主が当該端末機に議案の賛否を入力することで即時に株主の投票内容および議決権数を集計できるシステム等を提供しており、出席株主の人数等を勘案して利用を検討することもある。

取締役選任議案について採決を行う場合は、各候補者ごとに投票用紙を作成・配布し、投票を行うことも考えられる。会社提案とは別に株主提案がなされており、候補者の数が定款で定める員数の上限を超える場合には、候補者の数だけ賛成票を投じられることとした上で得票数の多い候補者から選任するという採決の方法をとることも、定款の員数の上限に至るまでの数しか投票できないこととすることも、いずれも可能である（本書76頁参照）。

記載例：出席票兼投票用紙（マークシート式により取締役候補者ごとに投票を行う場合）

株式会社○○　第○期定時株主総会

出席票　ご出席番号　001

・この出席票は、本株主総会終了までお持ち下さい。
・ご発言の際は、ご出席番号とお名前を議長にお申し出ください。

投票用紙　ご出席番号　001

・議長の指示にしたがってご提出ください。
・賛成・反対・棄権のいずれにも記入がない場合およびご提出がない場合は、棄権として集計いたします。（注1）（注2）

議　案		賛成	反対	棄権
会社提案議案	第1号議案　剰余金配当の件	1	2	3
	第2号議案　取締役6名選任の件			
	1. 甲山　太郎	1	2	3
	2. ○○　○○	1	2	3
	3. ○○　○○	1	2	3
	4. ○○　○○	1	2	3
	5. ○○　○○	1	2	3
	6. ○○　○○	1	2	3
株主提案議案	第3号議案　取締役6名選任の件			
	1. 乙田　花子	1	2	3
	2. ○○　○○	1	2	3
	3. ○○　○○	1	2	3
	4. ○○　○○	1	2	3
	5. ○○　○○	1	2	3
	6. ○○　○○	1	2	3

注意：HBの黒鉛筆で記入してください。 折り曲げないでください。	良い例：■
	悪い例：✓　・　（薄塗り）

（注1）　投票用紙にいわゆるみなし賛成の定めを設けること（投票用紙に賛否の表示がない場合には賛成の意思を表示したものとすること）も、その点を投票用紙に明記しておけば可能であるとした裁判例がある（東京高判令和3・12・16資料版商事法務455号

112頁)。

(注2)　投票用紙を提出しない場合の取扱いとしては、棄権のほか、不行使とする例もある(そのような整理がされた例として、後記大阪高決令和3・12・7資料版商事法務454号115頁(関西スーパーマーケット事件)参照。)。

実際に採決を行う際には、出席株主の議決権数を確定するため会場閉鎖を行う。多くの会社では、株主総会の冒頭で、書面投票等を含めた出席株主の議決権数が定足数を充足していることを発表しているが、委任状勧誘が行われる場合には、株主総会の当日に委任状が持ち込まれると、集計作業が株主総会の開催時間までに終了せず、冒頭において定足数の充足を発表することができない場合がある。この場合には、委任状の集計作業が終了し出席株主の議決権数が確定した段階で発表すればよい(なお、この発表は法令上要求されているものではないため、発表しないことでもよい。)。また、特に一部の議案について委任状勧誘が行われる場合には、議案ごとに出席株主の議決権数が異なる場合があるので、議案ごとに出席株主の議決権数を公表し、定足数を充足している旨を説明するのが丁寧である。

投票は、集計の過誤の防止や、採決の公正性に関する事後的な紛争回避の観点から、できるだけ簡単な方法で行うことが望ましい。出席株主に対しては、採決の方法の説明を丁寧に行い、採決の過程でミスを生じさせないことが重要である。採決の過程において疑義を挟む余地をなくすためのポイントとして、①投票前に投票用紙を回収する袋や箱が空であること、②投票用紙回収後、開票場所まで移動し、開票を行うまでの間に投票用紙に細工がなされないこと、③(株主総会検査役が選任されている場合)開票後、株主総会検査役が投票用紙を確認するまで適切に保管されていることなどが挙げられる。株主総会検査役が選任されている場合には、前記事項の確認は株主総会検査役の立会いのもと行うことが多い。

この点、投票により採決を行う場合、株主が株主総会に出席していても、実際に株主総会の会場において投票を行わない限り、議決権行使があったものとして議決権数を計算することは許されないとする裁判例があることから(大阪地判平成16・2・4資料版商事法務240号104頁)、実務上は、役員等として壇上に上る株主についても、予め議場に出席する株主に代理行使を委任するなど何らかの方法で明確に議決権の行使を行うべきであると考えられる。なお、拍手により採決を行う場合についても、役員等として会場にいる株主が、拍手をしていないのに議決権を行使したと取り扱うことには問題があるとする見解も存することから（大阪株式懇談会ほか編『会社法実務問答集Ⅱ』116～117頁〔北村雅史〕（商事法務、2019））、同様の対応が望ましいと考えられる。

開票は、賛成票のみをカウントし、賛成票が必要賛成数を超えている場合には、当該議案が可決されたものとして取り扱えばよい。開票作業には一定程度の時間がかかり、その間、株主を待たせることになるから、上記のような投票システムを利用する等、できるだけ速やかに行う工夫が必要であろう。なお、開票に相当の時間を要する場合には、一旦休憩をとることも考えられる。

なお、投票による採決を行った場合の集計については、投票用紙の記載・不記載や提出・不提出により客観的に各株主の投票内容を判定することが第一義的に求められるものの、「投票のルールの周知や説明がされておらず、そのために株主がこれを誤認したことがやむを得ないと認められる場合であって、投票用紙以外の事情をも考慮することにより、その誤認のために投票に込められた投票時の株主の意思が投票用紙と異なっていたことが明確に認められ、恣意的な取扱いとなるおそれがない場合」には、議長において、投票用紙以外の事情をも考慮して株主の投票内容を把握することが許容されるとした裁判例がある（大阪高決令和3・12・7資料版商事法務454号115頁（関西スーパーマーケット事件）。）。関西スーパーマーケット事件は、事前に議決権行使書面により会社提案に賛成の議決権行使をし、また、会社提案に賛成の委任状の提出もしていた株主の職務代行者が、当日来場し、投票用紙に何も記入せずに提出したという事案である。議決権行使書面による議決権の行使や委任状による代理権の授与は、株主総会当日に当該株主が来場した場合にはその効力が失われると解されており（本書232頁参照）、当該株主の事前の議決権行使等についても同様に取り扱われたところ、当日提出された白票による投票を、会社提案に賛成と取り扱うことが許されるかが争点となった。大阪高裁は、事前の議決権行使が当日出席をしたことにより撤回され、改めて投票用紙による議決権行使が必要となることについては周知されておらず、当該株主を含む出席株主の共通の理解・認識となっていたとは認められないとし、当該職務代行者が持参し受付において会社に提出していた職務代行通知書には、同人を「会社原案に賛成の議決権を行使するに当たり」職務代行者として派遣する旨の記載があったこと、同人が当日出席したのは会場で直に議長や役員の受け答えを聞きたかったからであり事前の議決権行使の内容を変えるつもりはなかったこと、事前の議決権行使と当日の投票との関係について係員に確認したが明確な回答が得られず、事前の賛成票と二重投票となることを避けるという判断の下で白票を投じたものであり、係員に対しても「後で番号とかで突き合わせて分かるから、いいか」などと述べて投票の趣旨を明らかにするよう努めたこと、自身の議決権行使の取扱いが気になったため議場閉鎖解除後に自ら受付を訪れて総会検査役に対しても事情を説明をしたこと等を認定して、結論として当該株主による議決権行使を会社提案に賛成として取り扱うことが許容されるとした。

3　得票の集計上の問題点

(1)　委任状の取扱いについての定め

委任状の取扱いについては、確立した解釈がない部分も多く、株主総会の当日やその後になって問題が生じることを回避するためには、予め株主総会の招集を決定する取締役会において、代理人による議決権の行使に関する事項について決議しておくことが考えられる（会施規63条5号）（本書146頁参照）。以下は、取締役会において、下記各事項の取扱いについて会施規63条5号の決議をしていない場合を前提として論じる。

(2)　委任状が撤回された場合

会社や株主に対して委任状を提出した株主が、その後翻意するなどして当該委任状を撤回することがある。株主は、委任状を提出し、議決権の代理行使を委任した場合であっても、自由に当該委任を撤回することができる（民法651条1項）。撤回の申出がなされた場合、会社は、当該委任状に基づく議決権の代理行使を認めてはならないが、正当な議決権の代理行使を拒否することはできないので、委任状の撤回が委任状を提出した真実の株主によって行われたものであることを確認する必要がある。会社としては、委任状が撤回されたことを明らかにしておくため、撤回は書面により行うよう求めるべきである。そして、当該委任状撤回の書面については、委任状の審査（本書192頁参照）と同様の方法により審査を行う必要がある。

委任状の撤回の意思表示は、当該委任の相手方に対して行わなければならないが、委任状勧誘を行う株主に対して提出した委任状の撤回の申出が会社に対してなされる場合がある。もっとも、撤回の意思表示は、直接相手方に対して行わなければならないわけではなく、会社を介して相手方に対して撤回の意思が伝わればよい。提出した委任状の撤回を勧誘する行為は、議決権代理行使の「勧誘」には該当しないと解されているため（本書157頁参照）、会社が株主の行う委任状勧誘に対抗して委任状撤回の勧誘を行うことがある。この場合、委任状の撤回の申出は会社に対してなされることになるが、撤回の意思表示は会社を介して委任状勧誘を行う株主に伝達されることになるので、当該撤回を有効なものとして、当該委任状にかかる議決権の代理行使を拒否することができる。また、勧誘株主と会社との間で委任状争奪戦が展開されている場合には、前記のケースとは逆に、勧誘株主が、会社に提出した委任状の撤回を求める勧誘を行うこともあるが、その場合には、委任状の撤回の申出は勧誘株主になされることになり、勧誘株主がそれを会社に伝達することで、有効な撤回となると考えられる。

⑶　委任状等を提出した株主が出席した場合

㈠　委任状を提出した株主が出席した場合

前述のとおり、株主は、提出した委任状をいつでも自由に撤回することができる。委任状を提出した株主が自ら株主総会に出席した場合には、これにより代理人に対して提出した委任状は撤回されたものと認められ、出席した株主による議決権行使を正当なものとして扱うことができる（大隅＝今井・会社法論（中）63頁）。なお、バーチャル株主総会において、委任状を提出した株主がオンラインで出席した場合には、ログイン時点または出席した株主が議決権を行使した時点のいずれにおいて委任を撤回したものとみなすこともできる（若林功晃「バーチャル株主総会への参加・出席と委任状の取扱い」商事法務2291号56頁（2022））。

㈡　議決権行使書等により事前に議決権を行使した株主が出席した場合

議決権行使書面やインターネット等による議決権の行使をすることができるのは、「株主総会に出席しない」株主であるため（会社法298条1項3号・4号）、これらの議決権行使を行った株主が株主総会に出席した場合には、事前の議決権行使の効力は失われると解されている（実務相談⑵687、688頁〔元木伸〕、会社法コンメ⑺224頁〔松中学〕）。

この点、アドバネクス事件判決（東京高判令和元・10・17金判1582号30頁）

は、事前に議決権行使書面を提出した法人株主の担当者が株主総会の会場に来場し、傍聴に来ている旨を述べて入場したという事案において、当該担当者に議決権行使の権限が授与されておらず、また、投票時にもその旨を説明して何も記載せずに投票用紙を返還したという事実を認定し、当該担当者を欠席として扱い、議決権行使書面に示された内容に従った議決権行使がされたものとして取り扱うことが相当とした（なお、原審（東京地判平成31・3・8金判1574号46頁）は、当該来場者は職務代行者として出席したものと評価し、議場閉鎖が宣言されたにもかかわらず退場しなかった株主を恣意的に欠席扱いすることはできないなどとして、事前の議決権行使は撤回されたものとし、当該法人株主の議決権については棄権と扱うべきとしたが、前記のとおり高裁判決においては、来場者の入場の性質について異なる判断がされたものである。)。

また、複数の議案について個別に採決を行う場合において、株主の出席・欠席（代理人による出席を含む。）を議案ごとに判断し、欠席となった決議については、事前の議決権行使は撤回されていないとする見解もある（北村雅史「事前の議決権行使と株主総会への「出席」の意味――東京高判令和元年10月17日を手がかりとして」商事法務2231号9頁（2020））。

なお、一般的な実務としては、株主が来場した（受付において入場の手続をした）時点で当該株主の事前の議決権行使結果を削除する処理が行われている。他方で、株主が退場した場合、来場時に削除された事前の議決権行使結果について、削除したままとするか、復活させる処理を行うかどうかは、いずれの対応もあり得る。株主総会への「出席」の意義については必ずしも唯一絶対の解釈があるわけではなく、会社側の合理的裁量による判断の余地が認められる（田中亘ほか「〔座談会〕本年の実務と残された課題――ハイブリッド“出席型”バーチャル株主総会を検討する」ビジネス法務20巻12号27頁〔田中亘発言〕（2020)、内田修平「手続的動議のみに関する包括委任状を提出した株主の書面による議決権行使の効力」商事法務2267号50頁（2021)、行岡睦彦＝金村公樹「株主総会における議決権行使に関する問題点の検討――書面投票・電子投票と『出席』・委任状勧誘に関する論点整理」商事法務2314号6頁（2022))。したがって、株主が採決の前に退場した場合には、当該株主は「株主総会に出席しない」株主に該当するものとして、入場時に削除された事前の議決権行使結果を復活させる処理を行うことも考えられる。また、議案ごとに出席・欠席を判断するという見解によるのであれば、採決の途中で退場した場合には、それ以後に採決される議案についてのみ、事前の議決権行使結果を復活させる処理を行うことも考えられる。

(4)　複数の委任状が提出された場合

複数の委任状が提出された場合、例えば会社と株主の双方により委任状勧誘が行われ、同一の株主がそれぞれに対して委任状を提出した場合には、後の委任状の提出（議決権の代理行使の委任）により、前の委任状による議決権の代理行使の委任は撤回されたものと認められ、後の委任状に基づく議決権の行使を認めるべきである（大隅＝今井・会社法論（中）63頁）。

そして、委任の前後が不明であり、委任者である株主の意思が明確でないときは、どちらの委任状も無効として扱うのが一般的である。委任の前後の判断は、委任状の作成日付や、委任状が郵送により提出されたものである場合には封筒等に押された郵便局の消印に記載された日付により判断することができる（ただし、委任状の作成日付の記載は、作成日付欄を空欄にしておき後日補充したような場合など、意思表示の前後を正確に表していない場合もあり、委任状の前後は、結局は事実によって決せられ、委任状の日付は一応の推定力を持つにすぎないと指摘される（大隅健一郎ほか「株主総会」ジュリスト87号47頁〔大隅健一郎発言〕(1955)、株主総会ガイドライン36頁)。)。

(5)　議決権行使書面と委任状が提出された場合

議決権行使書面を会社に提出し、他方で株主に対して委任状を提出した場合には、議決権行使書面と委任状の優劣が問題となる。

議決権行使書面は、株主総会に出席しない株主に書面により議決権行使をすることができるようにするものであるから（会社法298条1項3号）、株主が委任状を提出し代理人が株主総会に出席する場合には、議決権行使書面は効力を生じないものと解されており（実務相談(2)685頁〔元木伸〕)、議決権行使書面と委任状の双方が提出された場合には、常に委任状が優先するものと考えられている（太田洋「株主提案と委任状勧誘に関する実務上の諸問題」商事法務1801号39頁（2007))。

しかし、委任状が重複提出された場合に後に作成した委任状が優先するものとして扱うのは、後の委任状の提出により、前の委任状による委任は撤回して新たな委任をしたものと株主の意思を合理的に解釈することによることからすると（実務相談(2)958頁〔須藤純正〕)、委任状を提出した後に議決権行使書面を提出した場合には、後の議決権行使書面の提出により委任状による委任は撤回して議決権行使書面により議決権行使を行う意思であるものと解し、議決権行使書面を優先させることができる局面も考えられる。確かに、委任状が重複提出された場合については、矛盾する同一の法律行為が行われているため、前の委任は撤回されたものと株主の意思を解釈することができるが、委任状と議決権行使書面は、それぞれ性質を異にするものであることから、後の議決権行使書面の提出によっても前の委任を撤回したとまでは解釈することはできないとも考えられる。しかしながら、これは、株主の意思の合理的解釈の問題であり、同一の法律行為でなければならない論理的必然性はないものと考えられ、具体的状況によっては議決権行使書面の提出により委任は撤回されたと解釈すべき場合も存するものと考えられる（かかる場合に議決権行使書面による議決権行使のみを有効とする旨を、予め会社が決定しておくことができるとの解釈を示唆するものとして、太田洋「本格的な『委任状争奪戦の時代』を迎えるにあたって」金判1300号17頁（2008）。）。したがって、委任状に記載された賛否の表示と議決権行使書面に記載された賛否の表示が異なっている場合には、特に慎重な検討を要する。

次に、議決権行使書面が提出されている場合で、一部の議案についてのみの委任状が提出された場合には、議決権行使書面をどのように取り扱えばよいかが問題となる。委任状が提出された議案については、原則として、代理人出席により議決権行使書面の効力は生じず委任状が優先されることになるが、代理人は当該議案についてのみ出席したものと考え、その他の議案については議決権行使書面の効力が生じているとして、議決権行使書面による議決権行使を認めても差し支えないものと考える（この取扱いの可能性につき指摘するものとして、森本滋ほか「委任状勧誘に関する実務上の諸問題――委任状争奪戦（proxy fight）の文脈を中心に」証券取引法研究会記録10号34頁〔太田発言〕（2005））。

(6)　不統一行使の委任状

議決権行使書面による議決権の不統一行使を行う株主が、委任状勧誘を行う株主に対して議決権の一部について委任状を提供した場合、当該議決権行使書面と委任状をどのように取り扱えばよいかについては、実務上、このような事態が生じることはあまり多くないものと考えられるが、理論的には非常に困難な問題を生じる。

例えば、100個の議決権を保有している株主が議決権行使書面により、会社提案の議案について、70個については賛成、30個については反対の議決権行使をしていたが、委任状勧誘を行う株主に対して50個の議決権について会社提案議案に反対する旨の委任状を交付した場合、その50個の議決権が議決権行使書面の70個の賛成のうち50個については撤回し、合計80個について反対するという趣旨なのか、議決権行使書面の30個の反対を含めて50個について反対する趣旨なのか、またはそれ以外の場合なのか明らかではないことから、慎重な取扱いが必要となる。

また、そもそも一部の議決権について委任状が提供された場合、代理人による出席があったものとされ、その他の部分の議決権に係る議決権行使書面を有効として取り扱うことができないのではないかという問題も生じる。この点については、株主がその背後に存在する複数の実質的株主の株式の管理等の委託を受けているような場合、一部の実質的株主が委任状を提供することを望んだために委任状が提供されたようなときに議決権行使書面全体を無効としてしまうと、その他の実質的株主の意思は株主総会決議に反映されないこととなってしまうため、一部の議決権についての委任状が全体の議決権のどの部分についてのものなのかが明確になるような場合には、その他の部分につき議決権行使書面を有効として取り扱うことも可能なのではないかと考えられる。

この点、「グローバルな機関投資家等の株主総会への出席に関するガイドライン」（2015年11月13日全国株懇連合会理事会決定、2021年８月27日改正）においては、背後に複数のグローバル機関投資家等がいるいわゆるオムニバス口座の名義株主が事前の議決権行使を行った場合において、その背後にいるグローバル機関投資家に株主総会への出席を認める場合には、事前の議決権行使結果のうち当該グローバル機関投資家等による指図分についてのみを当日分に振り替える処理をすることを前提に、議決権の事前行使の状況について株主に確認することが考えられるとされている。具体的には、同ガイドラインに基づき名義株主が提出することとなる「グローバル機関投資家等による議決権代理行使に関する証明書」（様式１）の別添資料として、名義株主が当該グローバル機関投資家の指図により行った事前の議決権行使の状況を報告することが求められている。

さらに、会社提案と両立しない内容の株主提案がなされている場合において、前記のオムニバス口座の名義株主のように複数の実質的株主の株式の管理等の委託を受けている株主が、会社提案と株主提案のそれぞれについて議決権の不統一行使を行った場合（例えば、Aから70株、Bから30株の委託を受けている株主が、Aが会社提案に、Bが株主提案に賛成していることから、会社提案については70株分、株主提案については30株分の賛成の議決権の不統一行使を行った場合が考えられる。）、矛盾した議決権行使である可能性があるとして重複する部分の議決権行使については無効とする取扱い（前述の例でいえば、30株分の議決権行使を矛盾する可能性があるものとして無効とすることが考えられる。）と、実質的株主の意思に沿ったものであり矛盾した議決権行使ではないとして有効とする取扱いが考えられ、このような場合の対応については慎重に検討することが必要であるとされる（中村直人「株主提案権への実務対応と留意点」東証代だより165号37頁（2007）参照）。前記のとおり、「グローバルな機関投資家の株主総会への出席に関するガイドライン」においても、オムニバス口座の名義株主による議決権行使について、その背後にいる各グローバル機関投資家等について、それぞれの指図に係る部分ごとに異なる処理をすることが想定されていることなども踏まえると、名義株主からの情報提供等により、異なる実質株主の指図を受けたものであるということが明らかになるのであれば、会社提案および株主提案への賛成をいずれも有効と取り扱って良いものと考えられる。

(7)　両立しない議案についての委任状

会社提案と株主提案が両立しない議案である場合に、その一方に賛成する委任状が提出された場合、もう一方の議案について当該委任状にかかる議決権数を出席議決権数に算入する必要があるかが問題となる。

この点、モリテックス事件判決（東京地判平成19・12・6金判1281号37頁）においては、会社が会社提案の得票の集計に際し、会社提案と両立しない内容の株主提案についての委任状（当該委任状には、会社から株主提案原案と同一の議題について議案が提出された場合等については白紙委任とする旨が記載されていた。）にかかる議決権数を出席議決権数に算入しなかったことが問題とされた。

判決は、会社経営陣と株主との間で経営権の獲得を巡って紛争が生じており、株主提案と同一の議題についての会社提案がいずれ会社からも提出されることが株主にとって顕著であったこと、定款に定められた役員数の上限との関係から、株主提案に賛成し、委任状勧誘を行う株主に議決権行使の代理権授与を行った株主は、会社提案については賛成の議決権行使をする余地がないことから、このような状況において株主提案に賛成して委任状を提出した株主は、当該委任状における「白紙委任」との記載にかかわらず、会社提案については賛成しない趣旨で議決権行使の代理権授与を行ったと解することができるとした（なお、委任状に賛否の指示がない場合は白紙委任とすると記載されていたことから、委任状に株主提案についての賛否を記載しなかった株主についても記載がある場合と同様に会社提案については賛成しない趣旨で代理権授与を行ったと解している。）。そして、委任状勧誘が招集通知の発送に先立って行われたことから、株主の中には、会社提案の内容を認識せずに委任状を提出した者もいるが、株主は会社提案の内容を認識した後に代理権授与の撤回が可能であり、実際にその機会があったことから、それでもなお代理権授与を撤回しなかった株主は会社提案に賛成しない意思であったとし、会社提案についても当該委任状にかかる議決権数を出席議決権数に算入する必要があるとした。

当該判決によると、会社提案と株主提案が両立しない場合に、株主提案に賛成する議決権行使の代理権を授与する委任状を提出した株主については、それと両立しない会社提案についても出席として扱う必要があるとも考えられ、慎重な検討を要する。

⑻　委任状勧誘規制に違反して取得された委任状

委任状勧誘規制に違反した委任状勧誘が行われた場合であって、違反の態様が重大である場合には、その結果取得された委任状に係る代理権授与行為は、公序良俗違反により無効となるとする見解がある（本書188頁参照）。かかる見解によれば、そのような委任状に基づく議決権の行使は有効なものではないため、会社としてはこれを拒否する必要が生じる。もっとも、委任状が無効であるか否か、言い換えれば、委任状勧誘規制の違反が委任状を無効にするほど重大なものであるか否かの判断は容易ではない場合も多いと考えられることから、委任状勧誘規制違反の疑義が存する場合には、慎重な検討が必要となる。

4　指示に反する議決権の行使または不行使

委任状の提出を受けた代理人が、当該委任状に記載のある「賛成」もしくは「反対」の指示に違反して議決権の代理行使をした場合には、受任者は、委任された内容に従って議決権を行使するという委任者に対する義務に違反することになる。そして、このような指示に反する議決権の行使の効力が問題となる。

この点、前記義務違反は委任関係にある当事者の内部的な関係にすぎず、議決権行使の効力は有効であるとする見解もあるが（田中編・講座(3) 937頁〔大森忠夫〕）、今日では、委任状における賛否の記載は代理権の範囲そのものを制限し、その指示に反する議決権行使は無権代理であって効力を生じないとする見解（龍田節「株式会社の委任状制度――投資者保護の視点から」インベストメント21巻1号31頁（1968)、今井・議決権代理309頁）が多数説とされる（田中・会社法185頁、田中亘「株主総会における議決権行使・委任状勧誘」岩原紳作＝小松岳志編『会社法施行5年　理論と実務の現状と課題』9頁（有斐閣、2011)）。なお、持株会の理事長が、会員の指示から修正動議に反対すべきことが合理的に導きだせるにもかかわらず修正動議に賛成の議決権行使をした事案において、理事長による議決権行使は権限の濫用であり、かつ、会社がそのことについて悪意であったといえることから、当該議決権行使は無効であるとした裁判例がある（アドバネクス事件判決（東京高判令和元・10・17金判1582号30頁)）。そして、これにより議決権の行使が無効とされ、決議の成立に必要な賛成数を失うことになる場合には、必要な多数の賛成を欠くことを理由に株主総会決議の取消しを求め得るとの見解がある（今井・議決権代理310頁）。

なお、これと異なり、代理人が自分の賛成する議案に対して「反対」の指示の委任状を受領したにもかかわらず、議決権の代理行使を行わなかった場合はどうか。特に対抗的な株主提案がなされている株主総会において、会社が「会社提案に反対、株主提案に賛成」といった会社の勧誘の趣旨に合致しない委任状を受領した場合の取扱いが問題となるが、この点については本書195頁を参照されたい。

第4
総会シナリオ

株主総会の議事進行については、会社の事務局および弁護士等により、事前にシナリオが作成されるのが一般的である。株主提案や委任状勧誘が行われる株主総会においては、通常の株主総会では起こらないような事態も起こり得るので、予め様々な場合を想定して、不測の事態ができるだけ生じないよう入念にシナリオを作成することになる。なお、本書191頁に記載のとおり、当日の混乱を回避する観点から、株主総会における議事の進行について、事前に勧誘株主と協議し、合意しておくこと（勧誘株主に、合意した内容に従って議事を進行する限り、議事進行について異議を述べず、手続的動議を提出しないことを約束させること等。）が考えられる。

記載例：株主総会シナリオ

A　投票を行わないケース

前提：定時株主総会とする。

決議事項は、以下のとおりとする。

第1号議案（会社提案）剰余金配当の件①

第2号議案（株主提案）剰余金配当の件②

事項	議長等の発言	備考
議長宣言・開会宣言	・私は、代表取締役社長の○○でございます。当社定款第○条に基づき、私が本総会の議長を務めさせていただきます。 ・それでは、当社第○回定時株主総会を開会いたします。	・提案株主（勧誘株主）と事前協議が成立していない場合には、議長不信任動議が提出される可能性もあるため、対応を用意しておく必要がある。
冒頭の諸説明 ＊開会前のナレーションでも同様の内容を説明しておくことが考えられる。	・本総会においては、記録のため、録音・録画を行っております。株主様による録音・録画はご遠慮ください。	・株主提案が行われている株主総会においては、特に記録が重要であり、予め株主に断っておく。
議事進行に関する説明	・また、議事の秩序を保つため、株主様のご発言につきま	

	しては、監査役の監査報告、報告事項のご報告、決議事項の議案の内容のご説明および事前質問に対するご回答が終了したのちに、お受けいたしますので、ご了承下さい。	
出席株主数および議決権数の報告	・本日ご出席の株主様の数および議決権の数についてご報告いたします。 ・本総会において議決権を有する株主様は○名、その議決権数は○個でございます。 ・本日ただいままでにご出席の株主様は、議決権行使書およびインターネット等による行使を含め○名、その議決権数は○個であり、本日の全ての議案を審議するのに必要な定数を満たしておりますことをご報告いたします。	・委任状等の集計の関係で、この時点での出席株主数の厳密な報告が困難な場合には、例えば以下のような対応が考えられる。 ①「本日ご出席の株主様の数および議決権数につきましては、現在集計作業を行っておりますので、後ほど採決の前にご報告させていただきます。」（報告を後回しにする。） ②「本日ただいままでにご出席の株主様は、議決権行使書およびインターネット等による行使を含め、本日の全ての議案を審議するのに必要な定足数を満たしておりますことをご報告いたします。」（定足数を満たしていることのみ報告する。）
報告事項の処理	・（監査役の監査報告） ・（事業報告等の報告事項の報告）	・定時株主総会における報告事項については、株主提案の有無により特に処理が変わることはない。
決議事項説明	・それではここで、決議事項につきまして、ご説明いたします。本日の決議事項は、会社提案による第1号議案および株主提案による第2号議案です。 ・まず、会社提案である「第1号議案　剰余金配当の件①」の内容は、お手許の招集ご通知○頁に記載のとおりであ	・会社提案については、提案の理由や取締役会の意見を時間をかけて詳細に説明をすることも考えられるが、会社提案と株主提案とが対立する局面においては、提案株主による説明時間との関係で大きな不公平感が生じないよう留意する必要がある。 ・株主提案議案がある場合、株

	り、当期の期末配当として、1株当たり〇円の配当をご提案するものであります。 ・次に、株主提案である「第２号議案　剰余金配当の件②」の内容は、お手許の招集ご通知〇頁に記載のとおりであり、当期の期末配当を、1株当たり〇円とすることを提案するものであります。提案された株主様の提案の理由は、お手許の招集ご通知〇頁に記載のとおりであります。 ・当社取締役会としては、この提案に反対であります。その理由は、お手許の招集ご通知〇頁に記載のとおりですが、……。	主総会参考書類には当該議案に関する取締役会の意見（通常は反対意見）を記載することになるが（会施規93条1項２号）、議場においても、反対意見について詳細に説明することが考えられる。また、後述する提案株主からの補足説明の終了後に、取締役会の反対意見を述べるという順序も考えられる。
提案株主による説明	・それでは、第２号議案につきまして、ご提案をされた株主様に対し、提案理由等についての補足説明の機会を設けたいと思います。ご提案をされた株主様がご発言をご希望される場合は、挙手をいただけますでしょうか。 ＜提案株主が挙手＞ ・それでは、出席票の番号とお名前をおっしゃっていただいた上、要点をまとめて簡潔にご発言ください。	・本書215頁に記載のとおり、提案株主が当該株主提案議案に関する説明・意見の発言を希望する場合には、これを認めなければならない。 ・本シナリオは、提案株主からの挙手を待って発言を認めるものとしている。これに対し、事前に株主と協議の上、会社から積極的に発言の機会を与えるシナリオも考えられる（後記シナリオ例Ｂ参照）。
事前質問への回答	・本総会に先立ち、今回の株主提案の提案者である〇〇様から事前質問がございましたので、ここで一括してご説明させていただきます。 ・1点目は「……」というご質問であります。この点については……。	・提案株主（勧誘株主）から、会社提案議案等について事前質問がなされる場合がある。 ・事前質問がなされても、議場で実際に質問がなされなければ回答の義務はないが、一括して回答することも考えられる。

	・以上、ご回答申し上げました。	
審議方法の説明・承認	・それではこの後、全ての報告事項および決議事項につきまして、株主の皆様からご質問その他審議に関する一切のご発言をお受けし、その終了後は決議事項につき採決のみをさせていただきたいと存じますが、ご賛成いただける株主様は拍手をお願いいたします。 <株主　拍手> ・ありがとうございます。それでは、この方法で進めさせていただきます。	・議事進行については、一括審議や個別審議等の様々な方法があり、手続の法的安定性を高めるためには、議場の賛成を得つつ進めることが望ましい。本シナリオにおいては、一括審議方式を採用することとし、また、委任状による代理出席の株主を含めて議場の過半数の賛成が得られることを前提に、拍手により採決を行うこととしている。
質疑応答	・それでは、株主様からのご発言をお受けいたします。 ・ご発言を希望される株主様は、挙手していただき、私の指名を受けましたら、係の者がお持ちするマイクをご使用になり、出席票の番号とお名前をおっしゃっていただいてから、簡潔に要点をご発言ください。	・提案株主を指名して質問がなされた場合の対応、および会社に対して株主提案議案に関する質問がなされた場合の対応については本書216頁参照。
質疑応答の終了	・それでは、審議時間も相当経過いたしましたので、これをもって、報告事項および決議事項に関する審議を終了し、議案の採決に移りたいと存じます。ご賛成いただける株主様は拍手をお願いいたします。 <株主　拍手> ・ありがとうございます。それでは、採決に移らせていただだ	・発言希望者がいなくなった場合には、議場の同意を得ることなく採決を終了することも考えられる。

	きます。	
第１号議案の採決	・それではまず、会社提案である「第１号議案　剰余金配当の件①」について採決いたします。原案にご賛成の方は拍手をお願いいたします。 ＜株主　拍手＞ ・ありがとうございます。議決権行使書やインターネット等によるご賛成を含め、過半数のご賛成を得ましたので、本議案は、原案どおり承認可決されました。	・招集通知に記載の議案の順序に従って採決を行っていくこととなるが、採決順序について、株主提案を先に採決すべきとの見解もあること（本書225頁参照）に配慮し、会社提案から採決することについて議場に諮ることも考えられる。 ・提案株主や委任状勧誘を行った株主と事前協議が成立していない場合には、原案先議の採決方法に反対の動議が提出される可能性があるので、対応を用意しておく。
第２号議案の採決	・続いて、株主提案である「第２号議案　剰余金配当の件②」について採決いたします。 ＜株主　拍手（少数）＞ ・ありがとうございます。議決権行使書やインターネット等によるご賛成を含めても、ご賛成が過半数に満たないため、本議案は否決されました。	・実務上、株主提案権（自己の議案の通知請求権）が行使された場合、当該株主提案が会社提案と両立しない関係に立ち、会社提案が可決されたことにより否決されることが明らかであっても、株主提案についても採決を行うのが通例である（本書225頁参照。なお、本書220頁のとおり、修正動議の採決については、採決をせず否決と取り扱うことが一般的である。）。ただし、原案先議により会社提案（第１号議案）をまず採決し、それが可決された時点で、両立しない株主提案（第２号議案）については採決するまでもなく否決されることが明らかな場合は、別途採決を行わないという方法も考えられる。この場合には、会社原案を先に採決することについて議場の承認を得た上、「両者は両立しない議案ですので、第１号議案が承認可決された

		ときは、第2号議案は否決されたものとして取り扱わせていただきたいと存じます。」等と説明することになる。 ・再提案の禁止（会社法305条6項）の要件を満たすか否かの確認のため、厳密に賛成数を確認することも考えられる。
閉会	・以上をもちまして、本日の会議の目的事項は全て終了いたしましたので、本総会を閉会いたします。	

B　投票を行うケース

前提：定時株主総会とする。

決議事項は、以下のとおりとする。

第1号議案（会社提案）剰余金配当の件

第2号議案（会社提案）取締役6名選任の件

第3号議案（株主提案）取締役6名選任の件

＊第2号議案の候補者と第3号議案の候補者に重複はなく、定款上、取締役の員数は10名以内とされているものとする。

＊本シナリオでは、投票用紙として本書228頁の記載例を使用することを想定している。

事項	議長等の発言	備考
議長宣言・開会宣言	・私は、代表取締役社長の○○でございます。当社定款第○条に基づき、私が本総会の議長を務めさせていただきます。 ・それでは、当社第○回定時株主総会を開会いたします。	・提案株主（勧誘株主）と事前協議が成立していない場合には、議長不信任動議が提出される可能性もあるため、対応を用意しておく必要がある。
冒頭の諸説明 ＊開会前のナレーションでも同様の内容を説明しておくことが考えられる。	・本総会においては、記録のため、録音・録画を行っております。株主様による録音・録画はご遠慮ください。	・株主提案が行われている株主総会においては、特に記録が重要であり、予め株主に断っておく。
投票用紙の配布に関す	・入場の際に、投票用紙と筆記	・投票用紙が行き渡っているこ

る説明	用具をお配りしております。採決の際に必要となりますので、そのままお持ちいただけますようお願いいたします。お手許に投票用紙のない株主様は、お近くの係の者までお申し付けください。	とを確認する。 ・例えば、投票用紙がマークシート式等の場合には、後に機械での読み取りを行うため、折り曲げたり、汚すことのないよう注意喚起しておくことも考えられる。
株主総会検査役に関する説明	・本総会につきましては、招集の手続および決議の方法を調査するため、○○地方裁判所から選任されました○○弁護士が総会検査役として出席されております。	・株主総会検査役は、株主総会の議事中、株主の目につく場所で調査活動を行うこともあり得るため、事前に株主に紹介しておくことも考えられる。
議事進行に関する説明	・本日の議事進行につきご説明させていただきます。 ・本総会につきましては、会社からの提案のほか、株主提案をいただいており、第1号議案および第2号議案が会社提案議案、第3号議案が株主提案議案となっております。 ・報告事項のご報告の後、決議事項の各議案について当社からご説明させていただき、その後、株主提案である第3号議案について、提案株主である○○様より補足のご説明をいただいた後、審議・採決を行ってまいります。 ・なお、取締役選任議案であります第2号議案および第3号議案につきましては、ご入場の際にお配りさせていただきました投票用紙を用い、投票による採決を行います。 ・本日ご出席の株主様については、議決権行使書やインターネット等による事前の議決権行使は撤回されたものとして取り扱わせていただきますので、改めて投票用紙による議決権行使をお願いいたしま	・株主提案や投票がある場合には、早い段階で株主に総会全体の進行を説明しておくことが考えられる。 ・一般的な実務としては、株主が来場した時点で当該株主の事前の議決権行使結果を削除する処理が行われているため（本書233頁参照）、事前の議決権行使との関係で誤解が生じないよう（前記関西スーパーマーケット事件（大阪高決令和3・12・7資料版商事法務454号115頁）参照）、本総会に出席した株主については、事前の議決権行使の効力が失われ、改めて投票が必要となることについて説明をすることが考えられる（左記末尾の記載参照）。なお、当日来場したものの決議に参加せず退場した株主については、当該決議に係る議案について事前の議決権行使は効力を失わないとする見解もあるところ（本書233頁）、かかる見解に拠る場合、投票をしなかった株主について、事前の議決権行使を復活させる処

	す。	理をすることも考えられる。
出席株主数および議決権数の報告	・本日ご出席の株主様の数および議決権の数についてご報告いたします。 ・本総会において議決権を有する株主様は○名、その議決権数は○個でございます。 ・本日ただいままでにご出席の株主様は、議決権行使書およびインターネット等による行使を含め○名、その議決権数は○個であり、本日の全ての議案を審議するのに必要な定足数を満たしておりますことをご報告いたします。	・委任状等の集計の関係で、この時点での出席株主数の厳密な報告が困難な場合には、例えば以下のような対応が考えられる。 ①「本日ご出席の株主様の数および議決権数につきましては、現在集計作業を行っておりますので、後ほど採決の前にご報告させていただきます。」（報告を後回しにする。） ②「本日ただいままでにご出席の株主様は、議決権行使書およびインターネット等による行使を含め、本日の全ての議案を審議するのに必要な定足数を満たしておりますことをご報告いたします。」（定足数を満たしていることのみ報告する。）
報告事項の処理	・（監査役の監査報告） ・（事業報告等の報告事項の報告）	・定時株主総会における報告事項については、株主提案の有無により特に処理が変わることはない。
決議事項説明	・それではここで、決議事項につきまして、ご説明いたします。本日の決議事項は、会社提案による第1号議案および第2号議案と、株主提案による第3号議案です。 ・まず、会社提案である「第1号議案　剰余金配当の件」の内容は、お手許の招集ご通知○頁に記載のとおりであり、当期の期末配当として、1株当たり○円の配当をご提案するものであります。 ・次に、会社提案である「第2号議案　取締役6名選任の	・会社提案については、提案の理由や取締役会の意見を時間をかけて詳細に説明をすることも考えられる（取締役選任議案であれば、各候補者の略歴や取締役としての適性等）が、提案株主による説明時間との関係で大きな不公平感が生じないよう留意する必要がある。 ・株主提案議案がある場合、株主総会参考書類には当該議案に関する取締役会の意見（通常は反対意見）を記載することになるが（会施規93条1

	件」の内容は、お手許の招集ご通知○頁から○頁に記載のとおりであり、本総会の終結時をもって、現任取締役全員が任期満了となることから、取締役６名の選任をお願いするものであります。 　ここで、第２号議案の候補者６名をご紹介いたします。……。 　当社といたしましては、この６名の候補者は……であると考えておりますので、是非ともご支持賜りたく、宜しくお願い申し上げます。 ・次に、株主提案である「第３号議案　取締役６名選任の件」の内容は、お手許の招集ご通知○頁から○頁に記載のとおりであり、本総会の終結時をもって、現任取締役全員が任期満了となることから、取締役６名の選任を提案するものであります。当社取締役会としては、この提案に反対であります。その理由は、……。	項２号)、議場においても、反対意見について詳細に説明することが考えられる。また、後述する提案株主からの補足説明の終了後に、取締役会の反対意見を述べるという順序も考えられる。
提案株主による説明	・それでは、第３号議案につきまして、提案株主である○○様より、提案理由等についての補足説明をいただきます。時間は、約○分間を予定しているとうかがっております。では、○○様どうぞ。	・本シナリオは、予め提案株主と協議し、積極的に発言を認める場合を想定している。これに対し、シナリオ例Ａで述べたとおり、株主提案を行った株主が挙手等により発言を希望した場合に限り発言させることも考えられる。なお、提案株主との協議においては、議事進行の便宜のため、説明時間の目安を決めておき、議場でもそれを明らかにすることが考えられる。
事前質問への回答	・本総会に先立ち、今回の株主提案の提案者である○○様か	・提案株主（勧誘株主）から、会社提案議案等について事前

	ら事前質問がございましたので、ここで一括してご説明させていただきます。 ・1点目は「……」というご質問であります。この点については……。 ・以上、ご回答申し上げました。	質問がなされる場合がある。 ・事前質問がなされても、議場で実際に質問がなされなければ回答の義務はないが、一括して回答してしまうことも考えられる。
審議方法の説明・承認	・それではこの後、全ての報告事項および決議事項につきまして、株主の皆様からご質問その他審議に関する一切のご発言をお受けし、その終了後は決議事項につき採決のみをさせていただきたいと存じますが、ご賛成いただける株主様は拍手をお願いいたします。 ＜株主　拍手＞ ・ありがとうございます。それでは、この方法で進めさせていただきます。	・議事進行については、一括審議や個別審議等の様々な方法があり（株主提案が存在することで、バリエーションはさらに増え得る）、手続の法的安定性を高めるためには、議場の賛成を得つつ進めることが望ましい。本シナリオにおいては、一括審議方式を採用することとし、また、委任状による代理出席の株主を含めて議場の過半数の賛成が得られることを前提に、拍手により採決を行うこととしている。
質疑応答	・それでは、株主様からのご発言をお受けいたします。 ・ご発言を希望される株主様は、挙手していただき、私の指名を受けましたら、係の者がお持ちするマイクをご使用になり、出席票の番号とお名前をおっしゃっていただいてから、簡潔に要点をご発言ください。	・提案株主を指名して質問がなされた場合の対応、および会社に対して株主提案議案に関する質問がなされた場合の対応については本書216頁参照。
質疑応答の終了	・それでは、審議時間も相当経過いたしましたので、これをもって、報告事項および決議事項に関する審議を終了し、議案の採決に移りたいと存じます。ご賛成いただける株主様は拍手をお願いいたしま	・発言希望者がいなくなった場合には、議場の同意を得ることなく採決を終了することも考えられる。

	す。 ＜株主　拍手＞ ・ありがとうございます。それでは、採決に移らせていただきます。	
投票を要しない議案の採決	・第１号議案につきましては、お手許の投票用紙は利用せず、通常どおりの採決を行います。 ・まず、「第１号議案　剰余金配当の件」について採決いたします。原案にご賛成の方は拍手をお願いいたします。 ＜株主　拍手＞ ・ありがとうございます。議決権行使書やインターネット等によるご賛成を含め、過半数のご賛成を得ましたので、本議案は、原案どおり承認可決されました。	・第１号議案については、提案株主（勧誘株主）も賛成するなど、投票を要せず可決が確認できることを前提としている。
取締役の選任方法の説明	・第２号議案および株主提案の第３号議案はいずれも取締役６名を選任する議案であり、両議案の候補者を合わせますと、当社定款が定める上限の10名を超えることになります。したがいまして、両議案については、まとめて投票による採決を行い、議決権行使書およびインターネット等による議決権行使を含めて過半数の賛成を得た候補者を選任するものといたします。ただし、過半数の賛成を得た候補者が10名を超えた場合には、賛成の議決権個数の多い候補者から順に10名を選任するものといたします。	

議場の閉鎖	・これより第2号議案および第3号議案の採決に移りますが、正確を期するため、投票を終了するまでの間、議場を閉鎖させていただきます。全議案について投票が終了するまでの間、議場から退席いただくことはできませんので、ご了承ください。	・投票開始時点までに把握している出席者から、確実に投票用紙を回収するため、議場を閉鎖する。なお、第1号議案の採決にそれほど時間を要さないことを前提とすると、第1号議案の採決前に閉鎖しておくことも考えられる。
投票方法の説明	・それでは、第2号議案および第3号議案をまとめて採決いたします。 ・投票方法についてご説明いたします。 ①　お手許の投票用紙をご覧ください。投票用紙はマークシート式となっており、第2号議案および第3号議案の候補者について、選任に賛成の場合には賛成の欄を、反対の場合には反対の欄を、棄権の場合には棄権の欄をそれぞれ塗りつぶしてください。これから、具体的な記載例をお見せいたします。 ②　まず、会社提案の第2号議案の候補者全員にご賛成、株主提案の第3号議案の候補者全員にご反対の場合には、このような記載となります（前方スクリーンに表示）。 ③　会社提案の第2号議案の候補者全員にご反対、株主提案の第3号議案の候補者全員にご賛成の場合には、このような記載となります（前方スクリーンに表示）。 ④　また、第2号議案および第3号議案の候補者のそれぞれに賛成いただくことも	・投票方法については、画像・映像等も用いながら丁寧に説明する。なお、会社提案に有利な投票行動に誘導している等の批判が生じないよう、説明に用いる画面や説明内容には留意を要する。 ・投票方法の説明資料を受付の際に配布することも考えられる。 ・本シナリオは、役員選任議案において、会社提案と株主提案の候補者を合計すると定款上の上限員数を超える場合であっても、候補者の全員について賛成の議決権を行使することができるという見解（本書77頁参照）に拠っている（左記④の後段参照）。 ・他方で、当該上限員数までしか賛成の議決権行使をすることができず、それを超えて賛成票を投じた場合には全ての議決権行使が無効となるという見解もあり（本書77頁参照）、それに拠る場合には、左記④後段に代えて、「投票に際しては、最大で、当社定款が定める取締役の員数の上限である10名までご賛成いただけるものとします。10名を超えて賛成の意思表示をされた場合、いずれの候補者

可能であり、その場合には、賛成の候補者については賛成のマークを、反対の候補者については反対のマークを塗りつぶしてください（前方スクリーンに表示）。

なお、当社の定款上、取締役の員数の上限は10名とされていますが、10名を超えて賛成のマークをしていただくことも可能です。ただし、先ほどご説明したとおり、過半数の賛成を得た候補者が10名を超えた場合には、賛成の議決権個数の多い候補者から順に10名を選任するものといたします。

⑤　賛成、反対、棄権のいずれにもご記入のない場合や投票用紙を提出されない場合は、棄権として集計いたします。

⑥　マークを塗りつぶすときは、枠内をしっかりと塗りつぶしてください。薄すぎたり、大きくはみ出したりしますと、機械でうまく読み取れない場合がございます。また、欄外に関係のない記載がある場合にもうまく読み取れない場合がございますので、賛成・反対のマーク以外の書き込みをしたり、折り曲げたりしないようお願いいたします。

・本日ご出席の株主様については、議決権行使書やインターネット等による事前の議決権に対する賛成の意思表示についても無効として取り扱わせていただきますので、ご注意下さい。」などといった説明をすることになる。

・「議事進行に関する説明」で述べた、事前の議決権行使をした株主にも投票を依頼する旨の説明（「本日ご出席の株主様については、議決権行使書やインターネット等による事前の議決権行使は撤回されたものとして取り扱わせていただきますので、改めて投票用紙による議決権行使をお願いいたします。」）は重要であり、重ねて言及するシナリオとしている。

	行使は撤回されたものとして取り扱わせていただきますので、改めて投票用紙による議決権行使をお願いいたします。 ・それでは、投票用紙への記入をお願いいたします。ご不明な点がございましたら、お近くの係の者にお尋ねください。	
投票用紙の回収・集計	・（記入を終えていない株主がいないことを確認して）それでは、これから投票用紙を回収させていただきます。係の者が回収に参りますので、その場でお待ちください。 ・投票用紙をご提出いただいていない株主様はいらっしゃいませんでしょうか。 ・それでは、これより投票結果の集計を行います。議場の閉鎖につきましては、ここで解除させていただきます。 ・結果の判明までしばらくお待ちください。	・議場の株主から漏れなく投票用紙を回収する。 ・投票の集計に時間を要する場合には、その間、休憩をとることが考えられる（「結果の判明までしばらくかかりますので、その間休憩とし、○時○分から再開とさせていただきます。」等と説明する。）。
可決・否決の宣言	・これより議事を再開いたします。 ・採決の結果をご報告いたします。 会社提案である第２号議案の候補者６名が、議決権行使書およびインターネット等による賛成を合わせ、いずれも過半数のご賛成を得ましたので、会社提案である第２号議案は原案どおり承認可決されました。 ・株主提案である第３号議案の候補者は、いずれも賛成が過半数に満たず、第３号議案は全て否決されました。	・会社提案が全可決、株主提案が全否決となった場合の例である。これに対し、会社提案・株主提案のそれぞれから、可決された候補者が生じた場合には、個別に氏名を挙げて報告することとなる。

閉会	・以上をもちまして、本日の会議の目的事項は全て終了いたしましたので、本総会を閉会いたします。	

第5章

株主総会終了後の対応

第１
株主総会検査役の対応

株主総会検査役が選任されている場合、株主総会が終了した後、会社は、株主総会検査役から委任状の取扱いや採決における集計が適切に行われたか否かについての確認を受ける。前述のとおり、株主総会検査役から、株主総会終了後には、株主総会の出席票、議決権行使の集計票、株主総会議事録等の提出が求められることになる。

株主総会検査役は、これらの書類等の確認を行った上で裁判所に対して調査結果についての報告書を提出する。この報告書の写しは会社に対しても交付される（株主総会検査役の選任を申し立てた者が会社でない場合には、その者に対しても報告書の写しが交付される。）（会社法306条５項・７項）。

第2
議決権行使書面、委任状の備置

会社は、株主総会が終了した後も、議決権行使書面等が利用された場合には、株主総会の日から3か月間、提出された議決権行使書面等をその本店に備え置かなければならず（会社法311条3項、312条4項）、株主（株主総会において決議をした事項の全部につき議決権を行使することができない株主を除く。）は、会社の営業時間内は、いつでも議決権行使書面等の閲覧または謄写の請求をすることができる（会社法311条4項、312条5項）。

また、委任状が会社に提出された場合、会社は、株主総会の日から3か月間、委任状等の代理権を証明する書面等を会社の本店に備え置かなければならず（会社法310条6項）、株主（株主総会において決議をした事項の全部につき議決権を行使することができない株主を除く。）は、会社の営業時間内は、いつでも委任状等の閲覧または謄写の請求をすることができる（同条7項）。

ただし、以下の事由に該当するときは、議決権行使書面等や委任状等の閲覧または謄写の請求を拒むことができる。

① 請求者がその権利の確保または行使に関する調査以外の目的で請求を行ったとき（会社法310条8項1号、311条5項1号）

② 請求者が会社の業務の遂行を妨げ、または株主の共同の利益を害する目的で請求を行ったとき（会社法310条8項2号、311条5項2号）

③ 請求者が議決権行使書面等や委任状等の閲覧または謄写によって知り得た事実を利益を得て第三者に通報するため請求を行ったとき（会社法310条8項3号、311条5項3号）

④ 請求者が、過去2年以内において、議決権行使書面等や委任状等の閲覧または謄写によって知り得た事実を利益を得て第三者に通報したことがあるものであるとき（会社法310条8項4号、311条5項4号）

第3
株主総会議事録の作成

会社は、株主総会終了後、議事録を作成し、株主総会の日から10年間本店に備え置き、議事録の写しを5年間支店に備え置かなければならない（会社法318条1項～3項）。株主総会議事録は、後に株主総会の決議の効力について争いが生じた場合に、株主総会において何が行われたかに関する有力な証拠となる（注釈会社法(5)255頁〔関俊彦〕）。委任状勧誘が行われた株主総会は、社会から注目が集まることから、当日においても株主から質問が多数出ることが予想され、また採決は投票により行われる場合もあるため、株主総会の議事の経過の記載には工夫を要する。

記載例：株主総会議事録

A　本書240頁・シナリオ例Aに対応した例

○○株式会社第○回定時株主総会議事録

1. 開催日時　○年○月○日（○）　午前○時
2. 開催場所　東京都○○区……
3. 出席取締役　甲山太郎、○○、○○、……
4. 出席監査役　丙川次郎、○○、○○、……
5. 議長　代表取締役社長　甲山太郎
6. 議事の経過の要領およびその結果

（開会）

定刻、代表取締役社長甲山太郎が議長席につき、定款第○条の定めにより議長を務める旨を述べ、開会を宣した。

（株主の出席状況報告）

議長は、株主の出席状況は以下のとおりであり、本総会の全ての議案を審議するのに必要な定足数を満たしている旨述べた。

本総会において議決権を有する株主数　○名

本総会において議決権を有する株主の議決権総数　○個

出席株主数（議決権行使書面およびインターネット等によるものを含む）　○名

出席株主の議決権数（議決権行使書面およびインターネット等によるものを

含む）　○個

(監査報告)

議長は、常勤監査役○○を指名し、監査報告を求めた。
常勤監査役○○は、……

(報告事項の報告)

議長は、第○期事業報告、連結計算書類および計算書類の内容は添付の招集通知○頁から○頁に記載のとおりである旨を述べ、その概要についてスライドを用いて説明した。

(決議事項の説明)

次いで、議長は、決議事項の説明に入った。
議長は、会社提案である「第1号議案　剰余金配当の件①」について、内容は添付の招集通知○頁に記載のとおりであり、当期の期末配当として1株当たり○円を配当するものである旨説明した。
議長は、株主提案である「第2号議案　剰余金配当の件②」について、内容は添付の招集通知○頁に記載のとおりであり、当期の期末配当として1株当たり○円を配当するものである旨説明した。加えて議長は、当社取締役会としてはこの提案に反対である旨を述べ、その理由について概要以下のとおり説明した。
……
……

議長が、第2号議案について、提案株主から提案理由等についての補足説明を受け付ける旨を述べたところ、提案株主である○○氏（出席票番号○）が挙手して発言を希望した。○○氏は、議長の指名を受け、第2号議案について、概要以下のとおり説明した。
……
……

(事前質問への回答)

議長は、本総会に先立ち、提案株主である○○氏から事前質問があったことを述べ、以下のとおり、事前質問の内容およびそれに対する回答を述べた。
質問1　……
回答　　……

質問2　……
回答　　……

（質疑応答）

議長は、今後の議事進行について、全ての報告事項および決議事項について株主から質問その他一切の発言を受け、その終了後は決議事項につき採決のみを行いたい旨述べ、議場に諮ったところ、出席株主の過半数の賛成を得た。

議長が、株主からの発言を受け付ける旨を述べたところ、以下のとおり、○名の株主から質問がなされ、議長および議長の指名した役員がこれに回答した。

質問　……（○○氏・出席票番号○）
回答　……（甲山取締役）

質問　……（○○氏・出席票番号○）
回答　……（甲山取締役）

質問　……（○○氏・出席票番号○）
回答　……（○○取締役）

議長は、審議時間も相当経過したことから、報告事項および決議事項に関する審議を終了し、議案の採決を行いたい旨述べ、議場に諮ったところ、出席株主の過半数の賛成を得た。

（採決）

議長は、「第1号議案　剰余金配当の件①」について、賛否を議場に諮ったところ、議決権行使書面およびインターネット等による議決権行使を含め、出席株主の過半数の賛成を得て、原案どおり承認可決された。

続いて議長は、「第2号議案　剰余金配当の件②」について、賛否を議場に諮ったところ、議決権行使書面およびインターネット等による議決権行使を含めても、賛成が出席株主の過半数に満たなかったため、同議案は否決された。

（閉会）

以上をもって本総会の目的事項は全て終了し、議長は午前○時○分、閉会を宣した。

以上の議事の経過の要領および結果を明確にするため、本議事録を作成した。

○年○月○日
議事録作成取締役　代表取締役社長　甲山　太郎

※添付資料
・「第○回定時株主総会招集ご通知」

B　本書245頁・シナリオ例Bに対応した例

○○株式会社第○回定時株主総会議事録

1. 開催日時　○年○月○日（○）　午前○時
2. 開催場所　東京都○○区……
3. 出席取締役　甲山太郎、○○、○○、……
4. 出席監査役　丙川次郎、○○、○○、……
5. 議長　代表取締役社長　甲山太郎
6. 議事の経過の要領およびその結果

（開会）

定刻、代表取締役社長甲山太郎が議長席につき、定款第○条の定めにより議長を務める旨を述べ、開会を宣した。

議長は、本総会について、○○地方裁判所から総会検査役として弁護士○○が選任されており、同氏が本総会に出席している旨を述べた。

（株主の出席状況報告）

議長は、株主の出席状況は以下のとおりであり、本総会の全ての議案を審議するのに必要な定足数を満たしている旨述べた。

本総会において議決権を有する株主数　○名

本総会において議決権を有する株主の議決権総数　○個

出席株主数（議決権行使書面およびインターネット等によるものを含む）　○名

出席株主の議決権数（議決権行使書面およびインターネット等によるものを含む）　○個

（監査報告）

議長は、常勤監査役○○を指名し、監査報告を求めた。

常勤監査役○○は、……

（報告事項の報告）

議長は、第○期事業報告、連結計算書類および計算書類の内容は添付の招集通知○頁から○頁に記載のとおりである旨を述べ、その概要についてスライドを用いて説明した。

（決議事項の説明）

次いで、議長は、決議事項の説明に入った。

議長は、会社提案である「第１号議案　剰余金配当の件」について、内容は添付の招集通知○頁に記載のとおりであり、当期の期末配当として１株当たり

○円を配当するものである旨説明した。
議長は、会社提案である「第2号議案　取締役6名選任の件」について、内容は添付の招集通知○頁から○頁に記載のとおりであり、本総会の終結時をもって現任取締役全員が任期満了となることから、取締役6名を選任したい旨を述べ、各候補者の略歴および本総会後の当社の経営体制等について説明した。
続いて、議長は、株主提案である「第3号議案　取締役6名選任の件」について、内容は添付の招集通知○頁から○頁に記載のとおりであり、本総会の終結時をもって現任取締役全員が任期満了となることから、取締役6名の選任を提案するものである旨説明した。加えて議長は、当社取締役会としてはこの提案に反対である旨を述べ、その理由について概要以下のとおり説明した。
……
……

議長は、第3号議案について、提案株主に、提案理由等についての補足説明をさせる旨、および予定所要時間は約○分である旨を述べた。
提案株主である○○氏（出席票番号○）は、議長の指名を受け、第3号議案について、概要以下のとおり説明した。
……
……

（事前質問への回答）
議長は、本総会に先立ち、提案株主である○○氏から事前質問があったことを述べ、添付別紙のとおり、事前質問の内容およびそれに対する回答を述べた。

（質疑応答）
議長は、今後の議事進行について、全ての報告事項および決議事項について株主から質問その他一切の発言を受け、その終了後は決議事項につき採決のみを行いたい旨述べ、議場に諮ったところ、出席株主の過半数の賛成を得た。
議長が、株主からの発言を受け付ける旨を述べたところ、添付別紙のとおり、○名の株主から質問がなされ、議長および議長の指名した役員がこれに回答した。
その後、議長は、審議時間も相当経過したことから、報告事項および決議事項に関する審議を終了し、議案の採決を行いたい旨述べ、議場に諮ったところ、出席株主の過半数の賛成を得た。

（採決）
議長は、「第1号議案　剰余金配当の件」について、賛否を議場に諮ったところ、議決権行使書面およびインターネット等による議決権行使を含め、出席株主の過半数の賛成を得て、原案どおり承認可決された。

議長は、会社提案の第２号議案および株主提案の第３号議案の採決方法について、
① いずれも取締役６名を選任する議案であり、両議案の候補者を合わせると、当社定款が定める上限の10名を超えることになるため、両議案については、まとめて投票による採決を行い、議決権行使書面およびインターネット等による議決権行使を含めて過半数の賛成を得た候補者を選任するものとしたい旨、
② 10名を超えて賛成の議決権行使をすることができる旨、
③ 過半数の賛成を得た候補者が10名を超えた場合には、賛成の議決権個数の多い候補者から順に10名を選任するものとしたい旨、
④ 賛成、反対、棄権のいずれにも記入のない場合や投票用紙を提出しない場合は、棄権として集計する旨、
⑤ 出席株主による事前の議決権行使は撤回されたものとして取り扱う旨
を説明し、投票のため議場を閉鎖した。
議長は、添付別紙の投票用紙および記載要領に従って、投票用紙の記載方法を説明し、株主に対し投票用紙への記載を求めた。
議長は、出席株主全員が投票用紙の記載を完了したことを確認し、投票用紙を回収し、議場の閉鎖を解除した。
議長は、投票結果の確認のため、議事を一旦休憩する旨を宣した。
議長は、午前○時○分、議事を再開する旨を述べ、開票の結果、議決権行使書面およびインターネット等による議決権行使を含め、第２号議案の候補者全員が、出席株主の過半数の賛成を得た旨、および第３号議案の候補者はいずれも出席株主の過半数の賛成を得られず否決された旨を述べた。

（閉会）
以上をもって本総会の目的事項は全て終了し、議長は午前○時○分、閉会を宣した。
以上の議事の経過の要領および結果を明確にするため、本議事録を作成した。

○年○月○日
議事録作成取締役　代表取締役社長　甲山　太郎

※添付資料
・「第○回定時株主総会招集ご通知」
・事前質問およびそれに対する回答
・質疑応答の内容
・投票用紙
・投票用紙記載要領

第4
臨時報告書による議決権行使結果の開示

上場会社は、株主総会において決議事項が決議された場合、遅滞なく、次の事項を臨時報告書において開示しなければならない（金商法24条の5第4項、企業内容等の開示に関する内閣府令19条2項9号の2）。

① 当該株主総会が開催された年月日
② 当該決議事項の内容
③ 当該決議事項（役員の選任または解任に関する決議事項である場合は、当該選任または解任の対象とする者ごとの決議事項）に対する賛成、反対および棄権の意思の表示に係る議決権の数、当該決議事項が可決されるための要件ならびに当該決議の結果
④ ③の議決権の数に株主総会に出席した株主の議決権の数（株主の代理人による代理行使に係る議決権の数ならびに会社法311条2項および312条3項の規定により出席した株主の議決権の数に算入する議決権の数を含む。）の一部を加算しなかった場合には、その理由

前記②の「決議事項」には、会社提案の決議のみならず、株主提案の決議も含まれる。また、議場における修正動議は含まれるが（谷口義幸「上場会社のコーポレート・ガバナンスに関する開示の充実のための内閣府令等の改正」商事法務1898号26頁（2010)、三井秀範ほか「〔座談会〕上場会社の新しいコーポレート・ガバナンス開示と株主総会対応〔上〕」商事法務1898号12頁〔三井秀範発言〕(2010))、議長不信任動議などの手続的動議は含まれない（金融庁「コメントの概要及びコメントに対する金融庁の考え方」(2010年3月31日、2010年5月20日最終追加）11頁項番28)。

前記②の「当該決議事項の内容」は、臨時報告書が対象とする株主総会のどの議案に係る議決権行使結果であるのかを明らかにする趣旨で記載するものであり、基本的には「議題」を記載することで足りるが、議題の記載だけでは他の議題と区別がつかなくなる場合には、当該他の議題と明確に区別ができる記載を行うことが必要であるとされている（例えば、複数の候補者に係る取締役選任議案を一つの議題にまとめている場合、取締役選任の件であることに加えて候補者の氏名を記載する必要がある。)。

前記③の「当該決議の結果」としては、決議事項が可決されたか否か、およびその根拠となる賛成または反対の意思の表示に係る議決権数の割合を記載することとされている（「企業内容等の開示に関する留意事項について」24の5－30)。ここでは、決議の賛成割合と反対割合のいずれを記載してもよいこととされており、実務上、株主提案議案については、賛成割合を記載する場合、反対割合を記載する場合、または賛成割合と反対割合の両方を記載する場合のいずれも存在する（みずほ信託銀行株式戦略企画部編『臨時報告書における議決権行使結果開示の傾向――平成22・23年の事例分析』別冊商事法務361号107頁（2011）参照)。

前記④については、上場会社の株主総会においては、株主総会に先立つ議決権行使書面や大株主の委任状により、議案の可決・否決の結論が明らかになっていれば、出席株主の議決権数の一部を集計しない場合が多いという実態を踏まえ、議決権数の一部を賛成、反対または棄権の議決権数に算入しなかった理由（例えば、事前行使分および株主総会に出席した大株主分の集計により可決要件を満たし、会社法に則って決議が成立したものとして議決権の一部を集計しなかったなど）の記載が求められている。

記載例：臨時報告書

A　決議結果について会社提案と株主提案を1つの表にまとめ賛成率を記載する例

(1)　当該株主総会が開催された年月日
　●年●月●日

(2)　当該決議事項の内容
第1号議案　剰余金の配当の件
<略>
第1号議案に対する修正動議
株主より、上記原案に対し、配当を当社普通株式1株につき●円と変更するよう修正動議が提出された。
<第2号議案以下　略>

(3)　当該決議事項に対する賛成、反対および棄権の意思の表示に係る議決権の数、当該決議事項が可決されるための要件ならびに当該決議の結果

決議事項	議決権の数			賛成率	決議結果
	賛成	反対	棄権		
第1号議案 剰余金の配当の件	○個	○個	○個	98.2%	可決
第1号議案の修正動議	−	−	−	−	否決
第2号議案 取締役4名選任の件					
○○○○	○個	○個	○個	95.5%	可決
○○○○	○個	○個	○個	94.2%	可決
○○○○	○個	○個	○個	96.3%	可決
○○○○	○個	○個	○個	90.1%	可決
第3号議案 定款一部変更の件	○個	○個	○個	3.5%	否決

（注）1. 決議事項が可決されるための要件は次のとおりです。
……
……
2. 本総会前日までの事前行使分および当日出席の一部の株主から各議案の賛否に関して確認できたものを合計したことにより、第1号議案については可決要件を満たし、会社法上適法に決議が成立し、第2号議案および第3号議案については可決要件を満たさないことが明らかになったため、本総会当日出席の株主のうち、賛成、反対および棄権の確認ができていない議決権数は加算しておりません。
3. 第1号議案の修正動議につきましては、原案が適法に可決され、修正動議は成立する余地なく否決されたものとして取り扱ったため、議決権数は集計しておりません。(注)

（注）　原案を先に採決し、それが可決されたことをもって、修正動議については別途採決することなく否決されたものとして取り扱うこととした場合（本書220頁参照）の記載である。これと異なり、なお、記載例Bのように、決議結果の表の中には修正動議についての結果を記載せず、注による説明のみとする例もある。

B　決議結果について会社提案と株主提案を別の表にまとめ、会社提案については賛成率を、株主提案については反対率を記載する例

＜(1)・(2)　略＞

(3)　当該決議事項に対する賛成、反対および棄権の意思の表示に係る議決権の

数、当該決議事項が可決されるための要件ならびに当該決議の結果

＜会社提案（第1号議案）＞

決議事項	議決権の数			賛成率	決議結果
	賛成	反対	棄権		
第1号議案 剰余金の配当の件	○個	○個	○個	98.2%	可決

＜株主提案（第2号議案から第4号議案まで＞

決議事項	議決権の数			反対率	決議結果
	賛成	反対	棄権		
第2号議案 剰余金の配当の件	○個	○個	○個	93.5%	否決
第3号議案 定款一部変更の件	○個	○個	○個	95.2%	否決
第4号議案 定款一部変更の件	○個	○個	○個	94.4%	否決

（注）1. 各議案の可決要件は次のとおりです。
……
……
2. 賛成、反対および棄権の意思の表示に係る議決権の数には、本総会当日出席の株主から本総会閉会後に会場出口にて回収した議決権行使結果を記載した用紙の集計値を含めて記載しております。
3. 第1号議案の修正動議につきましては、原案が適法に可決され、修正動議は成立する余地なく否決されたものとして取り扱ったため、議決権数は集計しておりません。

第５
株主総会決議取消しの訴え

1　株主総会決議取消しの可否

委任状勧誘規制に違反して集められた委任状に基づき議決権の代理行使がなされた場合に、事後的に株主総会の決議を取り消すことにより救済を図る方法について検討する。

会社法831条１項１号は、株主等（株主、取締役または清算人（監査役設置会社にあっては株主、取締役、監査役または清算人、指名委員会等設置会社にあっては株主、取締役、執行役または清算人）をいう。）または当該決議の取消しにより株主、取締役、監査役もしくは清算人（会社法346条１項の規定により取締役、監査役または清算人としての権利義務を有する者を含む。）となる者は、株主総会の決議の日から３か月以内に、株主総会の招集の手続または決議の方法が法令もしくは定款に違反し、または著しく不公正なときは、株主総会決議の取消しを請求することができるものとしている。

(1)　法令違反

まず、委任状勧誘規制の違反が、株主総会等の招集の手続または決議の方法の「法令」違反といえるかが問題となる。制度の目的および規定の内容からみて委任状勧誘規制は、実質的意義における株式会社法の一部であって、旧商法の規定との間で効力の面において差別すべきではないとして、委任状勧誘規制の違反は決議の方法の「法令」違反となるとする見解がある（龍田節「株式会社の委任状制度――投資者保護の視点から」インベストメント21巻１号36頁(1968))。しかし、委任状勧誘は、株主総会の開催または決議の成立要件として法律上強制されるものではないことから（大隅＝今井・会社法論（中）67頁)、委任状勧誘規制の違反は「法令」違反として株主総会決議の取消事由とはならないとの見解が有力である。

この点について、書面投票制度の利用に加えて、会社により一部の株主に対して委任状勧誘が行われた株主総会に関して、委任状勧誘規制は「議決権の代理行使の勧誘を行う者が勧誘に際して守るべき方式を定めた規定」であり、「議決権の代理行使の勧誘は、株主総会の決議の前段階の事実行為であって、株主総会の決議の方法ということはできないから、代理行使勧誘内閣府令の規定をもって、株主総会の決議の方法を規定する法令ということはできない」とした裁判例がある（東京地判平成17・7・7判時1915号150頁）。

もっとも、会社法298条2項に基づき、株主の数が1,000人以上の上場会社が、書面投票制度の採用に代えて行った委任状勧誘が委任状勧誘規制に違反した場合については、「法令」違反として株主総会決議の取消事由となると解すべきである（江頭・株式会社法359頁注⑿参照、田中・会社法201頁）。

⑵　決議の方法が著しく不公正であること

次に、株主総会の招集の手続または決議の方法が著しく不公正であるとして株主総会決議の取消しが認められるかが問題となる。

この点、委任状勧誘規制は勧誘者が勧誘に際して守るべき方式を定めたものにすぎず、委任状勧誘規制に違反してなされた勧誘行為も私法上無効なものではなく、これに応じてなされた株主の委任行為の効力も無効ではないことから（田中編・講座⑶934頁〔大森忠夫〕）、委任状勧誘規制の違反は株主総会決議の取消原因とならないとの見解がある。

もっとも、昨今は、委任状勧誘規制に違反してもそれだけでは代理権授与行為は無効とならないが、違反の態様が重大であるときは、公序良俗違反（民法90条）として無効になる可能性があるとする見解も有力となっている（田中亘「委任状勧誘戦に関する法律問題」金判1300号9頁（2008））。この見解によれば、委任状勧誘規制の重大な違反によって代理権授与行為が無効となるため、代理人は無権代理人となり議決権行使は無効となるので、これによって可決要件を欠くことになる場合には、決議の取消事由になると考えられる。

委任状勧誘規制に違反して勧誘が行われた場合、当該違反の事実が直ちに決議取消事由となるものではないが、その違反が重大であり（例えば、委任状参考書類の重要な事項につき虚偽記載があった場合等が考えられる。）、決議の公正な成立が妨げられた場合には、決議の方法が著しく不公正なものとして決議取消事由となるとする見解が有力である（菱田政宏『株主の議決権行使と会社支配』108頁（酒井書店、1960）、今井・議決権代理222頁、竹内昭夫（弥永真生補訂）『株式会社法講義』417頁（有斐閣、2001）、田中・会社法201頁）。違反の態様にもよるが、委任状勧誘規制の違反が株主総会決議の結果に影響を与える可能性がある以上、委任状勧誘規制に違反する勧誘がなされた場合には、決議の方法が著しく不公正であるとして決議取消事由になる場合もあると解するのが相当である（森本滋ほか「委任状勧誘に関する実務上の諸問題――委任状争奪戦（proxy fight）の文脈を中心に」証券取引法研究会研究記録10号49頁〔森本滋発言〕(2005)参照)。

この点、前記東京地裁平成17年判決は、①委任状参考書類が交付されなかったこと、②委任状用紙に議案ごとに賛否の記載欄が設けられていなかったことから、委任状勧誘規制に違反しているとして株主総会決議の取消しが求められたという事案である。当該裁判例においては、①委任状参考書類が交付されなかったことについては、株主は、勧誘者からの口頭での説明により勧誘者が会社側の者であることを理解しており、また、勧誘の経緯および株主総会参考書類の記載から、受任者が会社の意向を受けた者であることを承知して議決権代理行使を委任したと推認することができ、議決権代理行使の委任の可否を判断するための情報開示に欠けていたところはないとされた。また、②委任状用紙に議案ごとの賛否の記載欄がないことについては、当該事案においては、ⅰ原則として委任状と別途または同時に会社に送られた議決権行使書面に賛否の記載がある場合には、当該賛否の記載に従って代理人が議決権を行使し、ⅱ賛否の記載がない場合でも、議決権行使書面に賛否の記載がない場合には会社提案について賛成、株主提案について反対として取り扱う旨の記載があったことから、これに従って代理人が議決権を行使しており、また、委任状のみを送付した株主分および議決権行使書面の賛否の記載と異なる議決権の代理行使がなされた株主分の議決権数は僅少であり、決議の成否に影響を及ぼすものではないとしている。これらを理由として、裁判所は、決議の方法に著しく不公正な点があるとはいえないと判示した。

2　株主側に違反がある場合の株主総会決議取消しの可否

委任状勧誘を行った株主に委任状勧誘規制の違反があった場合において、その結果成立した株主提案議案だけでなく、会社提案議案についても決議の取消しが認められるかが問題となる。仮に認められるとすると、会社側に何らの違反がないにもかかわらず、会社が提案し承認された議案が取り消されてしまうことになってしまうため、実務上、不都合が生じると思われる。しかし、株主による違法な委任状勧誘によって決議の方法が著しく不公正と認められる場合には、当該決議の取消しが認められる必要性があることには変わりないため、取消事由になり得ると考えられる（加藤貴仁「委任状勧誘規制の課題」大証金融商品取引法研究会1号37頁〔前田雅弘発言〕(2010) 参照)。

3　議案が否決された場合の問題点

会社または株主が委任状勧誘規制に違反して勧誘を行った結果、議案が否決された場合、議案を提案した会社または株主は、どのような対応をとることができるか。

取消しの対象となる「決議」とは、定足数を満たし、議案に対して法定多数の賛成があった場合に初めて成立するものであり、否決された場合はそもそも「決議」が成立しておらず、取消しや無効・不存在の確認を求める訴えは、取消しや確認の対象を欠き、訴えの利益・確認の利益はないため認められないと解されている（東京地方裁判所商事研究会編『類型別会社訴訟Ⅰ』379頁（判例タイムズ社、第3版、2011)、東京地判平成21・12・15公刊物未登載、東京地判平成23・4・14資料版商事法務328号64頁)。また、そもそも仮に否決の取消しが認められたとしても、それにより当該議案が承認されるわけでもない。したがって、このような場合には、違法な委任状勧誘に対する実質的な事後的対策が存在せず、当該議案を提案した者に対して与える悪影響は甚大になり得るため、違法な委任状勧誘に対しては、可能な限り株主総会決議が成立する前に対策をとることが重要となる。

■事項索引■

さ　行

た　行

な　行

は　行

ま　行

や　行

ら　行

わ　行

■判例索引■

■著者紹介■

太子堂厚子（たいしどう　あつこ）

森・濱田松本法律事務所パートナー弁護士。東京大学法学部卒業。
主な著書・論文：『Q&A 監査等委員会設置会社の実務』（商事法務、第 2 版、2021)、「〔新春座談会〕取締役会の新時代――コロナ禍を乗り越えて」商事法務 2251 号（2021）（共著)、「TOPIX500 構成銘柄企業にみる監査等委員会設置会社の指名・報酬の規律――指名・報酬に関する意見陳述権の行使状況を中心に」商事法務 2186 号（2018）（共著)、「わが国における『監査』の展望」商事法務 2121 号（2016）（共著)、「内部統制入門講座（上）（中）（下）」月刊監査役 637 号～639 号（2015）等。

松下　憲（まつした　あきら）

森・濱田松本法律事務所パートナー弁護士。ニューヨーク州弁護士。慶應義塾大学法学部法律学科卒業。コーネル大学ロースクール（LL.M.）卒業。米国の Kirkland & Ellis LLP（シカゴオフィス）で執務（2012 年～2013 年)。京都大学法科大学院非常勤講師（M&A 法制担当）（2022 年～）
主な著書・論文：「買収防衛策に関する裁判所の判断枠組みと実務からの示唆――近時の裁判例を踏まえて（上）（中）（下）」商事法務 2290 号～2292 号（2022）（共著)、「アクティビスト株主対応の最新のスタンダード――変化する株主アクティビズムの動向を踏まえて（上）（下）」商事法務 2274 号・2275 号（2021)、『会社・株主間契約の理論と実務』（有斐閣、2021）（共著)、『M&A 契約――モデル条項と解説』（商事法務、2018）（共著)、『日本の公開買付け――制度と実証』（有斐閣、2016）（共著）等。

若林功晃（わかばやし　のりあき）

森・濱田松本法律事務所パートナー弁護士。ニューヨーク州弁護士。東京大学法学部卒業。ミシガン大学ロースクール（LL.M.）卒業。Herbert Smith Freehills 法律事務所（東京オフィスおよびロンドンオフィス）にて執務（2017 年～2018 年)。法務省民事局出向（会社法・商事法担当、2019 年～2021 年)。
主な著書・論文：『任意の指名委員会・報酬委員会の実務』（商事法務、2022）（共著)、『新しい事業報告・計算書類――経団連ひな形を参考に』（商事法務、全訂第 2 版、2022）（共著)、『令和元年改正会社法③――立案担当者による省令解説、省令新旧対照表、パブリック・コメント、実務対応 Q&A』別冊商事法務 461 号（2021）（共著)、『令和元年改正会社法②――立案担当者・研究者による解説と実務対応』別冊商事法務 454 号（2020）（共著)、『企業危機・不祥事対応の法務』（商事法務、第 2 版、2018）（共著）等。

金村公樹（かねむら　こうき）

森・濱田松本法律事務所パートナー弁護士。慶應義塾大学法学部法律学科・東京大学法科大学院卒業。ペンシルベニア大学ロースクール（LL.M.）卒業。
主な著書・論文：「株主総会における議決権行使に関する問題点の検討――書面投票・電子投票と『出席』・委任状勧誘に関する論点整理」商事法務 2314 号（2022）（共著)、『M&A 法大系』（有斐閣、第 2 版、2022）（共著)、「［公正な M&A の在り方に関する指針］公正性担保措置の検証とあるべき姿」法律時報 93 巻 9 号（2021）（共著)、「＜グループ会社管理の実務における諸論点(1)＞グループ内部統制システムの構築・運用と監視・監督」商事法務 2157 号（2018）（共著)、『新しい役員責任の実務』（商事法務、第 3 版、2017）（共著）等。

株主提案と委任状勧誘〔第３版〕

2008年３月14日　初　版第１刷発行
2015年１月20日　第２版第１刷発行
2023年３月13日　第３版第１刷発行

著　者　太子堂　厚　子　松　下　　憲
　　　　若　林　功　晃　金　村　公　樹

発行者　石　川　雅　規

発行所　株式会社　商　事　法　務

〒103-0027 東京都中央区日本橋 3-6-2
TEL 03-6262-6756・FAX 03-6262-6804〔営業〕
TEL 03-6262-6769〔編集〕
https://www.shojihomu.co.jp/

落丁・乱丁本はお取り替えいたします。
印刷／広研印刷(株)

Printed in Japan

ISBN978-4-7857-3015-4
*定価はカバーに表示してあります。